P9-EKD-669

Beginning Italian

Beginning Italian

Third Edition

Vincenzo Cioffari

Boston University

D. C. HEATH AND COMPANY

Lexington, Massachusetts   Toronto

PHOTOGRAPH ACKNOWLEDGMENTS

Peter Menzel: pp. 3, 8, 14, 19, 29, 32, 39 (right), 43, 49, 53, 63, 66, 73, 78, 83 (2), 87, 91, 95, 101, 107, 117, 121, 126, 146, 151, 167, 171, 175, 179 (2), 182, 187, 193, 197, 202, 207, 211, 231, 233, 237, 243, 247, 255, 265, 269, 275 (2), 278.

Editorial Photocolor Archives: p. 138.

Courtesy, ENIT: pp. 11, 39 (left), 58, 111, 131 (top), 143, 217.

Courtesy, Fototeca Servicio Informazioni: p. 262.

Courtesy, INFOPLAN: p. 225 (right).

Courtesy, Publifoto: p. 161.

Courtesy, Robert Lehman: p. 131 (bottom).

Published simultaneously in Canada.

Printed in the United States of America.

International Standard Book Number: 0-669-00580-0

Library of Congress Catalog Card Number: 78-52843

Dedicated to Vinny

Preface

Beginning Italian is the third edition of *Beginning Italian Grammar,* which has been rewritten to ensure the utmost student participation in the learning process. The aim of the book is to promote understanding, speaking, reading, and self-expression. These skills are developed in an order parallel to the order in which they are acquired in English; they are reinforced by appropriate exercises at every point.

For this third edition, the following changes have been made. Most of the basic selections are conversations between young people in present-day Italy. Exercises and drills have been expanded in order to allow students to absorb rules by constant practice rather than by rote memorization. Lessons have been simplified, where necessary, and carefully graded so that students encounter new material while building on what they have previously learned. New, comprehensive review lessons emphasize the culture of Italy. The methods of oral-aural presentation developed in recent years have been utilized for greater effectiveness in the classroom and laboratory. The result is a compact beginning course that is not only complete, but actually a foundation for further study of the language and culture of Italy.

Beginning Italian is composed of twenty-four regular lessons plus six review lessons. For convenience, the book is divided into two parts of twelve regular lessons and three review lessons each. Part I introduces the basic sounds, vocabulary, and structures. Vocabulary is based on frequency of usage, with the more common words introduced earlier and repeated often. Part II increases the vocabulary, expands the grammatical structures, and prepares students for self-expression. Both parts furnish the exercises necessary to attain fluency and a firm grasp of the language. After every four regular lessons there is a review lesson in which no new vocabulary and no new grammatical structures are presented. These review lessons offer a cultural plateau where the student can catch his breath and learn something about the country, its people, and its cultural contributions.

The brief Introduction on Pronunciation and Orthography presents the basic sounds of Italian with the English speaker in mind. The most general rules on orthography are also treated here. The rules summarized in this Introduction are taken up in detail in the course of the lessons of Part I. Instructors may want to begin the course with this Introduction, or they may prefer to use it for reference in conjunction with individual lessons. The Pronunciation Hints, which follow the Current Usage section in each lesson of Part I, involve students in careful listening and exact imitation, so that they can develop from the start the skills necessary for accurate reproduction.

Lesson 1 represents an innovation, a preliminary lesson that requires students to engage in brief exchanges from the very first day. Even though only repetition is involved, students can understand the meaning from the context and enjoy the feeling that they are using a new language. In this way, they can overcome the most serious handicap to language learning — inhibition.

Lesson 2 introduces the format of each regular lesson of Part I and most of Part II. The Current Usage section generally presents a conversation in normal, everyday Italian, but limited in vocabulary. The number of words introduced is increased gradually, but the vocabulary load is never excessive. The Pronunciation Hints explain the formation of sounds that distinguishes Italian from English pronunciation. The sounds that cause the most difficulty are given the most prominence. In general, the examples are words that have been previously introduced, so students can concentrate on sounds rather than meanings. The section marked Structure provides grammatical information and explanation. The total grammar for the whole of this beginning course has been evenly distributed over the lessons, so that the students and the instructor are not overwhelmed at any one point. The Word List summarizes the new words and expressions presented in each lesson and provides a ready reference for review. The Exercises offer drills on the vocabulary and structures presented in each lesson and utilize only material the students have studied. Finally, the *Lettura,* or reading selection, combines what students have learned in a different context, so that they have a chance to review and experience a feeling of accomplishment at the end of the lesson.

The three review lessons of Part I provide highlights of Italian cities, geography, and art that would be of interest to the beginner. The narrative of these review lessons is within the capability of the average student; but as a check the English version is given in a parallel column. The Reference Glossary on Italian Art provides a quick reference for both teacher and student. The exercises of these review lessons reinforce material already covered and can be omitted without affecting the regular sequence.

The three review lessons of Part II briefly introduce Italian music, literature, and everyday life in the cities. These review lessons have marginal notes rather than full translations to encourage students to grasp ideas from context. For both music and literature we have provided a

Reference Glossary. Some of the students may want to pursue individual projects; others may want merely to refer to the listings as they continue the course. Whatever the choice, we feel that the study of the Italian language cannot be disconnected from an introduction to Italian culture, which includes the review lesson on *La vita in Italia,* intended to give students some idea of the style of living in the cities and suburbs of today.

Beginning Italian, Third Edition, is accompanied by a *Workbook/Laboratory Manual* and a tape program, both prepared by Professors Vincenzo and Angelina G. Cioffari. The tape program provides a standard of pronunciation as exemplified by carefully chosen native speakers. The great variety of drills trains students to listen, imitate, respond, and comprehend at conversational speed. The manner of speaking on the tapes is clear, precise, and natural, without affectation or regional flavor. Twenty to twenty-five minutes of recorded time are devoted to each lesson, but it is expected that students will repeat taped exercises on their own until they achieve normal fluency.

The *Workbook* provides additional varied exercises to ensure that vocabulary and structures have been thoroughly absorbed. It is intended as a directed program for work outside of the classroom. The *Workbook* not only saves the time of the instructor in preparing extra drills, but it provides a check on progress. It is planned as a kind of programmed course in the basic essentials needed for communication in the new language.

I am indebted to my many friends and colleagues who have favored me with criticism through the previous editions and in the preparation of the present one. The classroom experimentation, constant help, and constructive criticism given by my wife, Angelina G. Cioffari, have certainly amounted to active collaboration. I am particularly grateful to my good friend, Professor Giancarlo Breschi, of the University of Urbino, for his careful scrutiny of the final manuscript and his generous suggestions for bringing the language up to date. My appreciation likewise goes to the Editorial and Production staffs of D. C. Heath and Company, as well as to the critical readers of the manuscript selected by them.

All criticism has been carefully considered and incorporated into the final manuscript as far as possible. Whatever shortcomings the book may have are my own, since I have been the final judge of what was to be included.

VINCENZO CIOFFARI

Contents

PART TWO

ADDITIONAL MATERIALS

Tapes
Number of Reels: 12
Speed: 3¾ i.p.s., dual track
Running Time: 12 hours (approximately)
Also available in 12 cassettes
Workbook/Laboratory Manual

Introduction on Pronunciation and Orthography

In this brief introduction on Italian pronunciation we present only the general rules, avoiding exceptions and uncommon cases, whose pronunciation is indicated by special type in the text. These general rules are expanded with exercises at the beginning of each of the twelve lessons of Part I.

Since Italian is practically a phonetic language, the same symbol represents the same sound under similar circumstances. All syllables are pronounced clearly and distinctly, without slurring the vowels. Italian is pronounced more forward in the mouth than English, and the intonation extends over whole phrases rather than individual words.

Alphabet

The Italian alphabet has twenty-one letters, namely all the letters of the English alphabet except *j*,[1] *k*, *w*, *x*, *y*.

Vowels

The five vowel letters actually represent seven vowel sounds, because **e** and **o** both have an open and a close sound. The vowel sounds correspond approximately to the following English sounds:

a	like the *a* in *father* (Midwestern)	**madre, padre**
e (close)	like the *a* in *day* (without *i*-glide)	**perché, tre**
ɛ (open)	like the *e* in *met* or *let*	**ɛ̀, Ɛnzo**
i	like the *i* in *machine* or *ee* in *feet*	**Gina, Gentile**
o (close)	like the *o* in *go* (without *u*-glide)	**sono, molto**
ɔ (open)	like the *o* in *for*	**stɔria, cɔsa**
u	like the *oo* in *boo* or *moon*	**uno, stụdia**

[1] The letter **j** is sometimes seen in older Italian, where it represents the **i**-sound before another vowel or is used in place of **ii**. The other letters sometimes occur in foreign words.

In this book we have used the symbols ɛ and ɔ to represent open **e** and open **o**, but in Italian these symbols do not exist. They are used here merely to help the beginning student. The ɛ and ɔ occur only in stressed syllables; when unstressed, **e** and **o** are always close.

Consonants

The following consonants are pronounced approximately as in English: **b, d, f, l, m, n, p, q, t,** and **v.** In pronouncing **d, l, n,** and **t** the tip of the tongue touches the back of the upper teeth and produces a more dental sound than the corresponding English. The sound **p** does not have the explosive puff of the English *p.* The **n**-sound has a slight nasal quality before a **k**- or hard **g**-sound.

The letters **c** and **g** have two sounds: a hard sound before **a, o,** or **u** (like *k* in *keep* or *g* in *go*); a soft sound before **e** or **i** (like *ch* in *church* or *j* in *James*).

To represent the soft sound before **a, o,** or **u** an **i** is inserted after the **c** or **g** (**cia, cio, ciu**; or **gia, gio, giu**).

To represent the hard sound before **e** or **i** an **h** is inserted after the **c** or **g** (**che, chi**; or **ghe, ghi**).

h is always silent.

r is a trill produced by the tip of the tongue flapping up and down against the gums behind the upper teeth. Double **rr** has a longer trill.

s	sometimes like the *s* in *soap, sit* (UNVOICED)	**casa, basta**
	sometimes like the *s* in *rose* (VOICED)	**prɔ*s*a, chiɛ*s*a**

In this book the voiced ***s*** is printed in italics to distinguish it from the unvoiced **s.**

z	frequently like the *ts* in *cats* (UNVOICED)	**zio, grạzie**
	sometimes like the *ds* in *beds* (VOICED)	**me*zz*o, pran*z*o**

Combined letters

There are two combinations of letters that represent sounds which have no exact parallel in English.

gn	like *ny* in *canyon,* but as a single sound	**bagno, ogni**
gli[1]	like the *lli* in *million,* but as a single sound	**famịglia, figli**

There are other combinations of letters which have sounds that do have an approximate parallel in English.

[1] **Gli** retains its separate sounds in a few words like **negligente, anglicismo,** etc.

ch and **gh**	always a hard sound in Italian (**ch** = *k*; **gh** = *g* of *go*)	**chi, laghi**
chi	followed by **a, e, o,** or **u** is pronounced like *ky*	**chiɛsa, vɛcchio**
qu	always like *kw*	**quanto, quattro**
sc	always like *sh* when before **e** or **i**	**scɛna, finisci**
sc	always like *sk* when before **a, o,** or **u**	**scala, scopa**
sci	followed by **a, o,** or **u** has an *sh*-sound	**lạscia, lạscio**

Long consonant (Double consonant)

The double consonant in Italian is longer and more emphatic than the single consonant.[1] It is not two consonants in rapid succession, but a holding of the vocal organs forming the consonant and a slightly heavier explosion when the consonant does come out.

Anna an-na   **fratɛllo** fra-tɛl-lo
sorɛlla so-rɛl-la   **ballo** bal-lo

This long consonant is produced not only when you have two consonants, but also when a single consonant comes after certain one-syllable words like **a, e, ɛ̀, da, ciɔ̀,** etc.

a me = am-me   **ɛ̀ mio** = ɛm-mi-yo   **da casa** = dak-ka-sa

Stress and written accent

In Italian the stress falls generally on the next to the last syllable in a word, but there are many exceptions. For example:

1. In the third person plural of verb forms the stress is regularly on the third syllable from the end in many tenses.
2. Words ending in **-ɛsimo** or **-ịssimo** are stressed on the third syllable from the end.
3. Verb forms which add a pronoun retain the stress on the syllable which had the stress before the pronoun was added.

Notice that words of more than one syllable which have a stress on the last syllable carry a written accent (\`). In this book we use mostly the grave accent (\`); we use the acute accent (´) for words which end in a close **e** with a written accent (**perché**).

The written accent is also used in certain words of one syllable to distinguish them from similar words which have a different meaning.

ché because   **che** that
dà gives   **da** from, by
è [ɛ̀] is   **e** and

[1] There is no distinction in pronunciation between the single **z** and double **zz**.

là, lì there	**la** the; **li** them
né neither, nor	**ne** of it
sé himself	**se** if
sì yes	**si** himself

In this book the stress is indicated in one of three ways: (1) by the written accent; (2) by the special characters ɛ and ɔ; (3) by a dot under the vowel whenever that vowel is in any position other than the second vowel from the end (**grạzie**).

Diphthongs and triphthongs

Two vowels pronounced as one syllable form a diphthong. The vowels **a, e,** and **o** combine with the vowels **i** or **u** to form a diphthong (**stụdia, Lɛi, fiore**). The vowels **i** and **u** combine with each other to form a diphthong (**più, guida**). The vowels **a, e,** and **o** do not form a diphthong when they are combined with each other (**aɛreo**).

In a diphthong the **a, e,** or **o** is the vowel which bears the stress (**piano, colɛi, pɔi**). In the diphthongs formed only with **i**[1] and **u** the second vowel is stressed (**piuma, Guido**).

A triphthong is a vowel cluster containing a diphthong plus a third vowel. The triphthong is pronounced like a single syllable if the middle vowel is **a, e,** or **o** (**vuɔi, miɛi**). It is pronounced like two syllables if the middle vowel is **i** (**aiutare, pạio**).

Syllabication

Italian words are divided into syllables according to the following rules:

1. Every vowel or diphthong forms the core of a syllable.
2. A single consonant between vowels goes with the syllable which follows.
3. Double consonants between vowels are separated.
4. Two dissimilar consonants or more than two consonants are separated so that the second syllable contains sounds which can begin words in Italian:

al-to	because there is no word which can begin with **lt**
la-dro	because there are words which begin with **dr**
lạ-scia	because there are words which begin with **scia**

As a result you will find that **s** followed by another consonant goes with the syllable which follows. With combinations of **l** or **r** with another consonant, the two are separated if the **l** or **r** comes first, but they are not separated if the **l** or **r** comes second.

---

[1] When the **i** is in the sound **gli** or is used to soften **c** or **g,** it does not form a diphthong (**fịglio, giorno, giardino**).

Capitalization

Capitals in Italian correspond to English usage, with the following exceptions:

1. Months and days of the week are written with a small letter.
2. **Io** is written with a small letter, but **Lεi** and **Loro** (when meaning *you*) and the corresponding object pronouns and possessives are sometimes written with a capital, especially for clarity.
3. Names of languages or adjectives of nationality are written with a small letter.
4. When an adjective of nationality is used as a substantive denoting a person, it is generally written with a capital.
5. Titles of books or chapters are written with small letters, except, of course, for the first letter of the title or any word which has a capital in its own right.

The rules of capitalization are flexible in Italian and vary greatly from one printer or from one person to another.

Apostrophe

The apostrophe is used in Italian whenever certain short words ending in a vowel are followed by a word beginning with a vowel. This happens regularly with (*a*) most of the articles in the singular; (*b*) the object pronouns **mi, ti, si, ci, vi, lo,** and **la**; (*c*) demonstrative adjectives; (*d*) the preposition **di**; (*e*) the adjectives **bεllo, buɔno, grande,** and **santo.**

Punctuation

Following are the names of the punctuation marks:

.	punto *or* punto fermo	—	lineetta
,	vịrgola	-	stanghetta
;	punto e vịrgola	...	punti sospensivi
:	due punti	« »	virgolette
?	punto interrogativo	( )	parεntesi
!	punto esclamativo	[ ]	parεntesi quadra

The punctuation marks are used about the same in Italian as in English. The only important distinction is that Italian uses a different type of quotation marks for direct quotations and the dash instead of quotation marks to denote a change of speaker in conversation.

ITALIA

SVIZZERA
AUSTRIA
Trentino
Bolzano
Belluno
Udine
Adige
Trento
VENEZIA
Giulia
VENETO
Sondrio
LOMBARDIA
Valle D'Aosta
Aosta
Varese
Como
Bergamo
Novara
PIEMONTE
Vercelli
Milano
Pavia
Po
Brescia
Vicenza
Treviso
Gorizia
Trieste
Verona
Padova
Venezia
Torino
Asti
Cremona
Mantova
Rovigo
Alessandria
Piacenza
Parma
Reggio Emilia
Ferrara
Cuneo
LIGURIA
EMILIA
Modena
Bologna
Ravenna
Savona
Genova
Forlì
Imperia
La Spezia
Carrara
Lucca
Pistoia
Arno
MARCHE
Pesaro
Ancona
Pisa
Firenze
Arezzo
Livorno
MAR LIGURE
TOSCANA
Siena
Perugia
UMBRIA
Macerata
MARE ADRIATICO
Ascoli Piceno
I. d'Elba
Grosseto
Tevere
Terni
Teramo
Pescara
Chieti
Viterbo
Rieti
Aquila d'Abruzzi
LAZIO
ABRUZZI E MOLISE
Roma
Frosinone
Littoria
Campobasso
Foggia
Bari
Vesuvio
Benevento
CAMPANIA
PUGLIA
Napoli
Avellino
Brindisi
Sassari
Matera
Nuoro
Potenza
Capri
Salerno
BASILICATA
Taranto
Lecce
SARDEGNA
MAR TIRRENO
Cagliari
Cosenza
CALABRIA
Catanzaro
MAR IONIO
Isole Lipari
Messina
MARE MEDITERRANEO
Trapani
Palermo
Reggio Calabria
SICILIA
Mt. Etna
Enna
Catania
Caltanissetta
Agrigento
Siracusa
Ragusa
MARE MEDITERRANEO
N

PART ONE

Lesson 1

Lesson 1 is a preliminary lesson which is intended to give the students a feel for the language they are about to learn. They should just loosen their tongues and mimic whatever they hear, without worrying about explanations. All the words and expressions will be reintroduced in the regular lessons.

■ *Section 1: Greetings*

Concentrate on the left column and look at the right column only to check yourself.

1. A. — Buɔn giorno, ragazzi.	*Good morning, class* (lit. *boys*).
B. — Buɔn giorno, signọr ____.	*Good morning, Mr.* ____.
signora ____.	*Mrs.* ____.
signorina ____.	*Miss* ____.
A. — Ɛ̀ questa la classe d'italiano?	*Is this the Italian class?*
B. — Sì, ɛ̀ la classe d'italiano.	*Yes, it is the Italian class.*
2. A. — Come sta?	*How are you?*
B. — Bɛne, grạzie. E Lɛi?	*Fine, thank you. And you?*
A. — Anch'io stɔ bɛne, grạzie.	*I am fine too, thank you.*
B. — Bɛlla giornata!	*Beautiful day.*
A. — Bɛlla davvero!	*Beautiful indeed.*
3. A. — Capisce l'italiano?	*Do you understand Italian?*
B. — Nɔ, non capisco l'italiano.	*No, I don't understand Italian.*
A. — Capisce l'inglese?	*Do you understand English?*
B. — Sì, capisco l'inglese.	*Yes, I do understand English.*
4. A. — Parla italiano Lɛi?	*Do you speak Italian?*
B. — Più adạgio, per favore.	*More slowly, please.*
A. — Lɛi parla italiano?	*Do you speak Italian?*
B. — Così va bɛne, grạzie.	*That's better, thank you.*
5. A. — Come si dice "Good morning" in italiano?	*How do you say "Good morning" in Italian?*
B. — Si dice "Buɔn giorno."	*You say "Buɔn giorno."*
A. — Come si dice "Good evening"?	*How do you say "Good evening"?*
B. — Si dice "Buɔna sera."	*You say "Buɔna sera."*
A. — Come si dice "Good-bye"?	*How do you say "Good-bye"?*
B. — Si dice "Arrivederla."	*You say "Arrivederla."*
6. A. — Come si chiama Lɛi?	*What's your name?*
B. — Mi chiamo Antɔnio.	*My name is Anthony.*
A. — Come si chiama la signorina?	*What is the young lady's name?*

B. — La signorina si chiama Lisa.	*The young lady's name is Lisa.*
A. — Ripɛta, per favore.	*Please repeat.*
B. — La signorina si chiama Lisa.	*The young lady's name is Lisa.*

Variations

Take a good guess at words which are new but similar to English.

1. A. — Buɔn giorno, ragazzi.
   B. — Buɔn giorno, professore.
   A. — Ɛ̀ questa la classe d'italiano?
   B. — Sì, ɛ̀ la classe d'italiano.
   A. — Come si chiama Lɛi?
   B. — Mi chiamo Lisa.

2. A. — Come sta, signorina?
   B. — Stɔ bɛne, grạzie.
   A. — Come sta, signore?
   B. — Anch'io stɔ bɛne, grạzie.
   A. — Capisce l'italiano?
   B. — Sì, capisco l'italiano.

3. A. — Come si dice "Good morning" in italiano?
   B. — Si dice "Buɔn giorno."
   A. — E come si dice "Good evening"?
   B. — Si dice "Buɔna sera."
   A. — E come si dice "Good-bye"?
   B. — Si dice "Arrivederla."

4. A. — Parla italiano, Piɛtro?
   B. — Nɔ, non parlo italiano.
   A. — Lɛi, Anna, parla italiano?
   C. — Sì, signore, parlo italiano.
   A. — Parla italiano il professore?
   C. — Sì, il professore parla italiano.

5a. (*For a man teacher*)
   A. — Come si chiama il professore?
   B. — Il professore si chiama ______.
   A. — Ɛ̀ italiano il professore?
   B. — Sì, il professore ɛ̀ italiano.
   A. — Parla inglese il professore?
   B. — Nɔ, il professore non parla inglese.

5b. (*For a woman teacher*)
   A. — Come si chiama la professoressa?
   B. — La professoressa si chiama ______.

A. — Ɛ̀ italiana la professoressa?
B. — Sì, la professoressa ɛ̀ italiana.
A. — Parla inglese la professoressa?
B. — Nɔ, la professoressa non parla inglese.

6. A. — Capisce bɛne l'italiano, signorina?
B. — Più adạgio, per favore.
A. — Capisce bɛne l'italiano?
B. — Nɔ, non capisco bɛne.
A. — E Antɔnio, capisce bɛne?
B. — Sì, Antɔnio capisce bɛne.
A. — Bravo Antɔnio!

Drill

Repeat the whole sentence every time you supply one of the phrases in parentheses:

1. Buɔn giorno, ______ (Antɔnio, signọr Crispi, signorina Rossi, signora Bɔni).
2. ______ italiano. (Parlo, Non parlo, Piɛtro parla, Lisa non parla)
3. Come si chiama ______? (Lɛi, il professore, la professoressa, il signore)
4. Mi chiamo ______ (Antɔnio, Franco, signọr ____, signorina ____).
5. Capisco ______ (l'inglese, l'italiano, il professore, la professoressa).
6. Non capisco bɛne ______ (l'italiano, l'inglese, la professoressa, il professore).
7. Come sta ______ (Lɛi, il signore, la signorina, la signora)?
8. Come si dice ______ (buɔn giorno, buɔna sera, arrivederla, per favore) in inglese?
9. Buɔna sera, ______ (ragazzi, Franco, signọr Crispi, signora Bɔni).
10. Arrivederla, ______ (signore, signorina, signora, Piɛtro).

Check List

One student gives an expression in Italian and another gives the English equivalent. See if you can do it when you cover one column.

1. Buɔn giorno.	1. *Good morning.*
2. Buɔna sera.	2. *Good evening.*
3. Bɛlla giornata.	3. *Beautiful day.*
4. Bɛlla davvero.	4. *Really beautiful.*
5. Come sta, Franco?	5. *How are you, Frank?*
6. Stɔ bɛne, grạzie.	6. *I am fine, thank you.*
7. Anch'io stɔ bɛne.	7. *I'm fine too.*
8. Più adạgio.	8. *More slowly.*
9. Capisce, Antɔnio?	9. *Do you understand, Anthony?*
10. Ripɛta, Gina.	10. *Repeat, Gina.*
11. Ripɛta, per favore.	11. *Repeat, please.*

12. Capisce Lɛi?	12. *Do you understand?*
13. Non capisco.	13. *I don't understand.*
14. Ɛ̀ questa la classe d'italiano?	14. *Is this the Italian class?*
15. Ɛ̀ questa la classe d'inglese?	15. *Is this the English class?*
16. Mi chiamo Piɛtro.	16. *My name is Peter.*
17. Mi chiamo Gina.	17. *My name is Gina.*
18. Il professore ɛ̀ italiano.	18. *The professor is Italian.*
19. La professoressa ɛ̀ italiana.	19. *The professor* (f.) *is Italian.*
20. Arrivederla, signore.	20. *Good-bye, sir.*

■ *Section 2: Getting Around*

1. A. — Dov'ɛ̀ l'albɛrgo?	*Where is the hotel?*
B. — Ɛcco l'albɛrgo.	*Here is the hotel.*
A. — Dov'ɛ̀ il ristorante?	*Where is the restaurant?*
B. — Ɛcco il ristorante.	*Here is the restaurant.*
A. — Dov'ɛ̀ la stazione?	*Where is the station?*
B. — Ɛcco la stazione.	*Here is the station.*
2. A. — Dov'ɛ̀ il teatro?	*Where is the theater?*
B. — Il teatro ɛ̀ a dɛstra.	*The theater is to the right.*
A. — Il teatro ɛ̀ a dɛstra?	*Is the theater to the right?*
B. — Sì, a dɛstra.	*Yes, to the right.*
A. — Grạzie, signorina.	*Thank you, young lady.*
B. — Prɛgo, signore.	*Don't mention it, sir.*
3. A. — Dov'ɛ̀ la banca?	*Where is the bank?*
B. — La banca ɛ̀ lì, a sinistra.	*The bank is there, to the left.*
A. — A sinistra? Non a dɛstra?	*To the left? Not to the right?*
B. — Sì, a sinistra. Non a dɛstra.	*Yes, to the left. Not to the right.*
A. — Dov'ɛ̀ l'ospedale?	*Where is the hospital?*
B. — Sɛmpre diritto.	*Straight ahead.*
4. A. — Vado bɛne per l'aeropɔrto?	*Am I going all right for the airport?*
B. — Sì, vada sɛmpre diritto.	*Yes, go straight ahead.*
A. — Ɛ̀ lontano l'aeropɔrto?	*Is the airport far?*
B. — Nɔ, non ɛ̀ lontano.	*No, it's not far.*
A. — C'ɛ̀ l'ạutobus?	*Is there a bus?*
B. — L'ạutobus ɛ̀ lì.	*The bus is right there.*
5. A. — Vuɔle un tassì?	*Do you want a taxi?*
B. — Sì, vɔglio un tassì.	*Yes, I want a taxi.*
A. — Va al teatro?	*Are you going to the theater?*
B. — Nɔ, all'aeropɔrto.	*No, to the airport.*
A. — Sụbito, all'aeropɔrto.	*Right away, to the airport.*
B. — Quanto costa?	*How much is it?*
A. — Non costa trɔppo.	*It's not too much.*
B. — Bɛne, andiamo.	*Good, let's go.*

6. A. — Che desịdera, signorina? *What would you like, Miss?*
   B. — Una cạmera, per favore. *A room, please.*
   A. — Una cạmera con bagno? *A room with bath?*
   B. — Sì, una cạmera con bagno. *Yes, a room with bath.*
   A. — Sịngola, o dọppia? *Single, or double?*
   B. — Dọppia, per favore. *Double, please.*

Variations

Take a good guess at words which are new but similar to English.

1. A. — Dov'ɛ̀ l'albɛrgo Roma, signore?
   B. — L'albɛrgo Roma ɛ̀ a dɛstra.
   A. — L'albɛrgo ɛ̀ a dɛstra?
   B. — Sì, lì a dɛstra.
   A. — Grạzie, signore.
   B. — Prɛgo, signorina.

2. A. — Ɛ̀ lì la stazione?
   B. — Sì, signore, la stazione ɛ̀ lì.
   A. — Ɛ̀ lì anche l'ạutobus?
   B. — Sì, anche l'ạutobus ɛ̀ lì.
   A. — Grạzie, signore.
   B. — Prɛgo. Arrivederla.

3. A. — Ɛ lontano l'aeropɔrto?
   B. — Sì, l'aeropɔrto ɛ̀ lontano.
   A. — Vado a dɛstra per l'aeropɔrto?
   B. — Nɔ, per l'aeropɔrto vada a sinistra.
   A. — Grạzie. Buɔna sera.
   B. — Buɔna sera. Arrivederla.

4. A. — Vado bɛne per il ristorante Nạpoli?
   B. — Sì, vada sɛmpre avanti.
   A. — Ɛ lontano il ristorante?
   B. — Nɔ, non ɛ̀ lontano.
   A. — Parla inglese Lɛi?
   B. — Nɔ, non parlo inglese.

5. A. — Ɛ buɔno questo ristorante?
   B. — Sì, questo ristorante ɛ̀ buɔno.
   A. — Quanto costa un pranzo?
   B. — Un pranzo costa cịnque [*five*] dɔllari.
   A. — Cịnque dɔllari americani?
   B. — Sì, cịnque dɔllari americani.
   A. — Costa trɔppo. Arrivederla.

6. A. — Che desịdera, signore?
   B. — Desịdero una cạmera, per favore.
   A. — Una cạmera con bagno?
   B. — Sì, una cạmera con bagno.
   A. — Una cạmera sịngola?
   B. — Nɔ, una cạmera dọppia.

Drill

Repeat the whole sentence every time you supply one of the phrases in parentheses:

1. Dov'ɛ̀ ______ (l'albɛrgo, il ristorante, la banca, il teatro)?
2. Ɛcco ______ (la stazione, l'ospedale, l'albɛrgo, il ristorante).
3. Vado bɛne per ______ (l'aeropɔrto, la stazione, l'albɛrgo, l'ospedale)?
4. ______ ɛ̀ a dɛstra. (Il ristorante, L'ospedale, La banca, L'aeropɔrto)
5. Vada ______ (sɛmpre diritto, a dɛstra, a sinistra).
6. ______ non ɛ̀ lontano. (L'aeropɔrto, Il ristorante, Il teatro, L'ospedale)
7. ______ non ɛ̀ a dɛstra. (L'ạutobus, La stazione, La banca, L'albɛrgo)
8. Quanto costa ______ (la cạmera sịngola, la cạmera dọppia, la cạmera con bagno)?
9. ______ costa trɔppo. (La cạmera, Il pranzo, Il tassì).
10. Vado ______ (alla stazione, al ristorante, all'aeropɔrto, al teatro).

Check List

One student gives an expression in Italian and another gives the English equivalent. See if you can do it when you cover one column.

1. Dov'ɛ̀ la banca?	1. *Where is the bank?*
2. Ɛcco la banca.	2. *Here is the bank.*
3. L'ạutobus ɛ̀ lì.	3. *The bus is there.*
4. Il ristorante ɛ̀ lì.	4. *The restaurant is there.*
5. Questa ɛ̀ la classe.	5. *This is the class.*
6. Questa ɛ̀ la stazione.	6. *This is the station.*
7. L'ospedale ɛ̀ a dɛstra.	7. *The hospital is to the right.*
8. Il teatro ɛ̀ a sinistra.	8. *The theater is to the left.*
9. Vada sɛmpre diritto.	9. *Go straight ahead.*
10. Vada a sinistra.	10. *Go to the left.*
11. Grạzie, signorina.	11. *Thank you, young lady.*
12. Prɛgo, signore.	12. *Don't mention it, sir.*
13. Ripɛta, per favore.	13. *Repeat, please.*
14. Ripɛta più adạgio.	14. *Repeat more slowly.*
15. Che cɔsa vuɔle?	15. *What do you want?*
16. Che cɔsa desịdera?	16. *What would you like?*
17. Una cạmera con bagno.	17. *A room with bath.*
18. Una cạmera dọppia.	18. *A double room.*
19. Vado alla stazione.	19. *I'm going to the station.*
20. Vado all'aeropɔrto.	20. *I'm going to the airport.*

The Duomo and Giotto's Campanile are the central attraction in Florence.

Lesson 2

CURRENT USAGE

■ *In classe*

ƐNZO: Buɔn giorno, signorina. Ɛ questa la classe d'italiano?
GINA: Sì, signore. Ɛ la classe d'italiano. Lɛi[1] studia l'italiano?
ƐNZO: Sì, signorina. Studio l'italiano. E Lɛi?
GINA: Anch'io studio l'italiano. Sono di origine italiana.
ƐNZO: Mio padre ɛ̀ italiano e mia madre ɛ̀ americana.
GINA: Mio padre invece ɛ̀ americano e mia madre ɛ̀ inglese.
ƐNZO: Conversiamo in italiano, d'accɔrdo?
GINA: Sì, d'accɔrdo. Come si chiama Lɛi?
ƐNZO: Mi chiamo Ɛnzo Coletti. E Lɛi?
GINA: Mi chiamo Gina Conti.
ƐNZO: Sorɛlla di Franco Conti?
GINA: Appunto. Franco ɛ̀ mio fratɛllo.
ƐNZO: Piacere di conoscerla, Gina.
GINA: Il piacere ɛ̀ mio. Lɛi ɛ̀ di Nuɔva Yɔrk?
ƐNZO: Sì, sono di Nuɔva Yɔrk. Anche Lɛi ɛ̀ di Nuɔva Yɔrk?
GINA: Nɔ, sono di Filadɛlfia.
ƐNZO: Siamo vicini. Ɛ impegnata stasera, Gina?

PRONUNCIATION HINTS

Your pronunciation of Italian will come from imitation of native speakers rather than from rules on the formation of sounds. The hints we give you are intended to help you to focus on the differences between the English sounds, which are familiar to you, and the Italian sounds which are closest to them. Learn to mimic your speaker with clear words and phrases at a normal, conversational speed.

Vowels

The sounds represented by the letters **a, e, i, o, u** are the backbone of Italian pronunciation. They resemble English vowel sounds, but bear in mind that each vowel always has the same sound when it occurs under similar circumstances. When the vowel sound is in a stressed syllable, it is pronounced as follows:

---

[1] Normally students are not formal in addressing each other, but it is difficult to learn two forms of address at the same time, so we start you off with the polite form. You will learn the familiar form in Lesson 4.

a	is like the English *a* in *father* or *ah!*	**padre, madre**
e	is sometimes like the English *e* in *met* or *let*	**sorɛlla, fratɛllo**
	and sometimes like the *e* in *obey* or *they* (without the *y*-glide)	**inglese, invece**
i	is like the English *i* in *machine* or the *ee* in *feet*	**sì, vicini**
o	is sometimes like the English *o* in *for* or *order*	**nɔ, buɔno**
	and sometimes like the *o* in *go* or *note* (without the *u*-glide)	**sono, giorno**
u	is like the English *u* in *rule* or the *oo* in *moon*	**stụdio, appunto**

You will notice that there are actually seven vowel sounds, represented by five letters. As an aid to pronunciation we have indicated the sound of *e* in *met* (called open *e*) by the symbol ɛ, and the sound of *o* in *for* (called open *o*) by the symbol ɔ, to distinguish them from the other sounds of *e* and *o* (called close *e* and close *o*). We have also indicated with a dot under it a vowel that is stressed when it is not the next to the last vowel in a word. Some sections of Italy do not make the distinction between the open and close **e**'s and **o**'s, so don't be surprised if you do not always hear it. It is not a calamity if you do not make the distinction. However, many speakers of standard Italian do make the distinctions and expect others to make them, particularly when a difference in meaning is involved.

STRUCTURE

1. Gender

Nouns in Italian are either masculine or feminine; there are no neuter nouns. Nouns denoting a male are masculine (**padre, fratɛllo**); those denoting a female are feminine (**madre, sorɛlla**); those denoting anything else are either masculine (**giorno**) or feminine (**classe**), and you must learn the gender when you learn the noun.

In general nouns ending in **–o** in the singular are masculine (**giorno**), nouns ending in **–a** in the singular are feminine (**mụsica**), and nouns ending in **–e** may be either masculine (**piacere**) or feminine (**orịgine**).

2. Plural of nouns

In Italian one forms the plural by changing the final vowel. Words ending in **-o** in the singular change the **-o** to **-i** (**fratɛllo, fratɛlli**); nouns ending in **-a** in the singular change the **-a** to **-e** (**sorɛlla, sorɛlle**); and nouns ending in **-e** in the singular change the **-e** to **-i** (**classe, classi**). In the next lesson you will meet some nouns which follow special rules to form the plural. Nouns ending in an accented vowel do not change in the plural.

città city *or* cities **caffɛ̀** coffee *or* coffees (café *or* cafés)

Nouns ending in **-io** in the singular simply drop the **-o** for the plural, unless the **i** is stressed (and then you have **-ii**).

stụdio, studi study, studies
zio, zii uncle, uncles

3. Definite articles

When the word preceding a noun indicates a definite person or thing it is called the definite article and corresponds to the English *the.* Before most masculine nouns the article is **il** for the singular and **i** for the plural (**il fratɛllo, i fratɛlli**). Before most feminine nouns the definite article is **la** for the singular and **le** for the plural (**la sorɛlla, le sorɛlle**). Nouns beginning with a vowel and special masculine nouns will be treated separately in the next lesson.

4. Negative form

To turn an affirmative into a negative sentence in Italian the word **non** is placed before the verb.

Gina ɛ̀ impegnata stasera. Gina is busy tonight.
Gina non ɛ̀ impegnata stasera. Gina is not busy tonight.

5. Interrogative form

One way to ask a question in Italian is to place the subject after the verb, and frequently after the verb and the predicate.

Parla Lɛi italiano?
Parla italiano Lɛi? } Do you speak Italian?

Another simpler way is to keep the order of the positive statement and use a rising inflection of the voice.

Lɛi ɛ̀ di Nuɔva Yɔrk? Are you from New York?

When the question starts with an interrogative word, the subject comes after the verb.

Come si chiama Lɛi? What is your name? (*Lit.* How do you call yourself?)

Students at the University for Foreigners in Perugia

WORD LIST

NOUNS

classe *f.* class
conversazione *f.* conversation
Ɛnzo Vincent, Vin
Filadɛlfia *f.* Philadelphia
Franco Frank
fratɛllo *m.* brother
Italia *f.* Italy
madre *f.* mother
Nuɔva Yɔrk *f.* New York
origine *f.* origin
padre *m.* father
piacere *m.* pleasure
signora *f.* Mrs., lady, madam
signore (**signor**) *m.* Mr., sir, gentleman
signorina *f.* Miss, young lady
sorɛlla *f.* sister
vicino *m.* neighbor

ADJECTIVES

americano, -a American
impegnato, -a busy, occupied
inglese English
italiano, -a Italian
mio, mia my
questo, -a this

VERBS

conversiamo we converse, let's converse
ɛ̀ (he, she, it) is, (you) are
siamo we are
sono I am
studia (he, she) studies, (you) study
studio I study, I am studying

OTHER WORDS

anche also, too
appunto exactly
di of
e and
io I
invece instead, on the other hand
Lɛi you (*polite*)

EXPRESSIONS

Buɔn giorno. Good morning. (Good day.)
la classe d'italiano the Italian class
Come si chiama Lɛi? What's your name?
Mi chiamo ______. My name is ______.
d'accɔrdo agreed, O.K.
Piacere di conọscerla. Pleased to meet you.
Il piacere è mio. The pleasure is mine.

EXERCISES

I. Questions:

1. Ɛ̀ questa la classe d'italiano?
2. Stụdia l'italiano Lɛi?
3. Ɛ̀ Lɛi di orịgine italiana?
4. Come si chiama Lɛi?
5. Ɛ̀ di Nuɔva Yɔrk?
6. Ɛ̀ di Filadɛlfia?
7. Gina Conti ɛ̀ sorɛlla di Franco?
8. Franco Conti ɛ̀ fratɛllo di Gina?
9. Ɛ̀ impegnata stasera Gina?
10. Conversiamo in italiano in classe?

II. Repeat the sentence every time you supply one of the phrases in parentheses:

1. Buɔn giorno, ______ (signorina, signore, Franco, Gina).
2. ______ ɛ̀ italiano (Il padre, Il fratɛllo, Ɛnzo, Franco).
3. ______ ɛ̀ americana (La madre, La sorɛlla, Lɛi, Gina).
4. ______ di orịgine italiana (Io sono, Lɛi ɛ̀, Mio padre ɛ̀, Mia madre ɛ̀).
5. Come si chiama ______ (Lɛi, il fratɛllo, la sorɛlla, il padre)?
6. Mi chiamo ______ (Franco, Gina, Ɛnzo Coletti, Antɔnio Russo).
7. Piacere di conọscerla, ______ (Gina, Ɛnzo, Anna, Antɔnio).
8. Il piacere ɛ̀ mio, ______ (signorina Conti, signọr Coletti, Franco, Gina).

III. Supply the article **il** or **la** before the following words:

1. signore, padre, fratɛllo, vicino, piacere
2. signorina, madre, classe, conversazione, sorɛlla
3. giorno, signorina, signore, madre, fratɛllo
4. piacere, sorɛlla, signorina, padre, classe
5. madre, conversazione, vicino, fratɛllo, sorɛlla

IV. Change the nouns and their articles from the singular to the plural:

1. la signorina, la sorɛlla, la classe, la conversazione
2. il signore, il fratɛllo, il padre, il vicino
3. la sorɛlla, il fratɛllo, la madre, il padre
4. il giorno, il signore, il vicino, la conversazione
5. la classe, la madre, la sorɛlla, il signore

V. Change the sentences from the affirmative to the negative:

1. Franco ɛ̀ fratɛllo di Anna.
2. Gina ɛ̀ sorɛlla di Ɛnzo.
3. Il signore ɛ̀ mio padre.
4. La signorina ɛ̀ mia sorɛlla.
5. Mio fratɛllo ɛ̀ inglese.
6. Mia madre ɛ̀ americana.
7. Io stụdio l'italiano.
8. Lɛi stụdia l'inglese.
9. Conversiamo in italiano.
10. Gina ɛ̀ impegnata stasera.
11. Io sono di Filadɛlfia.
12. Lɛi ɛ̀ di Nuɔva Yɔrk.

VI. Change the sentences from statements to the interrogative form:

1. Gina parla italiano.
2. Ɛnzo parla inglese.
3. Il padre ɛ̀ americano.
4. La madre ɛ̀ italiana.
5. La sorɛlla si chiama Gina.
6. Il fratɛllo stụdia l'italiano.
7. Lɛi ɛ̀ di Filadɛlfia.
8. Anche la sorɛlla ɛ̀ di Filadɛlfia.
9. Anna ɛ̀ impegnata stasera.
10. Questa ɛ̀ la classe d'italiano.

VII. In the following dialogue, supply the Italian for the English sentences:

1. Buɔn giorno, signorina. Stụdia l'italiano Lɛi?
2. *Good morning, sir. Yes, I am studying Italian.*
3. Come si chiama Lɛi, signorina?
4. *My name is Gina. And what is your name?*
5. Mi chiamo Ɛnzo. Piacere di conọscerla.
6. *The pleasure is mine. Are you from New York?*
7. Nɔ, sono di Filadɛlfia. Lɛi ɛ̀ sorɛlla di Franco Conti?

8. *Yes, I am Franco's sister.*
9. Ɛ̀ impegnata stasera, Gina?
10. *No, I am not busy tonight.*

LETTURA (*Reading*)

The reading selection contains only words that you have had or words that are so close to English that you can guess their meaning.

■ *Conversiamo in italiano*

Ɛnzo stụdia l'italiano. Anche Gina stụdia l'italiano. Ɛnzo ɛ̀ di Nuɔva Yɔrk e Gina ɛ̀ di Filadɛlfia. Il padre di Ɛnzo ɛ̀ di orịgine italiana. Il padre di Gina, invece, non ɛ̀ di orịgine italiana. La madre di Ɛnzo ɛ̀ americana e la madre di Gina ɛ̀ inglese. Il fratɛllo di Gina si chiama Franco. Come si chiama la sorɛlla di Franco? Nella lezione d'italiano conversiamo in italiano. D'accɔrdo?

The Piazza di Spagna in Rome on a beautiful spring day

Lesson 3

CURRENT USAGE

■ *Fra studɛnti*

FRANCO: Buɔn giorno, Lịdia. Come sta?
LỊDIA: Buɔn giorno, Franco. Che c'ɛ̀ di nuɔvo?
FRANCO: Le presɛnto mio zio. Lịdia — Dino.
LỊDIA: Zio? Non ɛ̀ studɛnte?
FRANCO: Sì, ɛ̀ studɛnte, ma ɛ̀ fratɛllo di mia madre.
LỊDIA: Piacere di conọscerla. Anche Lɛi ɛ̀ alunno in questa classe?
DỊNO: Sì, anch'io sono alunno in questa classe. Il professore dov'ɛ̀?
FRANCO: Ɛcco il professore. Adɛsso entra nell'ạula.
LỊDIA: Ɛ̀ così giọvane.
DỊNO: Sì, ɛ̀ giọvane. Sembra uno studɛnte.
FRANCO: Appunto. Perciɔ̀ i professori giọvani hanno la barba.
LỊDIA: Ma anche gli studɛnti hanno la barba. Ɛ̀ di mɔda.
DỊNO: Parla bɛne l'italiano il professore?
LỊDIA: Cɛrto che parla bɛne l'italiano. Ha il padre romano e la madre fiorentina.
FRANCO: Va bɛne, ma anche gli altri Italiani pạrlano bɛne la lịngua. Parla inglese il professore?
LỊDIA: Lo parla pɔco e male.
DỊNO: Allora gli studɛnti impạrano l'italiano e il professore impara l'inglese.
FRANCO: Alla fine dell'anno vedremo chi impara di più.

PRONUNCIATION HINTS

Semivowels

In addition to the seven vowel sounds desc̣ribed in the previous lesson, there are two sounds which are halfway between a vowel and a consonant. We refer to them as semivowels. In English they are represented by the letters *y* and *w;* in Italian, by the letters *i* and *u*. These semivowels occur in combination with another vowel in the same syllable.

The English *y*-sound

This semivowel is represented by **i** in Italian. The vowel combinations **ia, ie, io, yu** are actually pronounced *ya, ye, yo, yu* when there is no stress on the **i**. Listen to the following and imitate closely:

Lịdia, chiama, siamo, stụdio, iɛri (yesterday), **chiudo** (I close)

When the **i** is stressed, the resulting sound is like two syllables in rapid succession, although they are technically counted as one syllable. For example, **io** is really pronounced *i.o;* **mia** is pronounced *mi.a.* Listen to the following and imitate:

mio, mia, io, via (way), **zio, zia** (aunt)

When the *y*-sound comes after a stressed vowel, it is an off-glide such as you hear in the English words *bay* or *may.* Listen and imitate:

sɛi (six), **Lɛi, mai** (never), **voi, noi**

The English *w*-sound

The *w*-sound is represented in Italian by **u**. The vowel combinations **ua, ue, uo** are pronounced *wa, we, wo* when there is no stress on the **u**. Listen and imitate:

buɔno, buɔna, nuɔvo, vuɔle, questo

When the **u** is stressed, the resulting sound is like two syllables in rapid succession, although again they are counted as one syllable. For example, **suɔ** is actually pronounced *su.ɔ;* **due** is actually pronounced *du.e.* Listen and imitate:

suɔ, sua, tuɔ, tua, due, bue (ox)

STRUCTURE

6. Indefinite articles

When the article does not indicate a definite person or thing, but rather any one of a group, it is called an indefinite article and corresponds to the English *a* or *an.* In Italian the indefinite article is **un** before most masculine words, including those which begin with a vowel, but they take **uno** before masculine words beginning with **z**, or **s** followed by a consonant.

	un libro	a book	**un alunno**	a pupil
BUT:	**uno studɛnte**	a student	**uno zio**	an uncle

The indefinite article before a feminine word is **una** if the word begins with any consonant, and **un'** if the word begins with a vowel.

	una classe	a class	**una studentessa**	a (girl) student
BUT:	**un'ạula**	a classroom	**un'alunna**	a (girl) pupil

7. Special masculine words

Masculine words beginning with a **z**, an **s** followed by a consonant, or a vowel are treated as a special group. When used with a definite article in the singular, they take **lo** (**lo zio, lo studɛnte**), which becomes **l'** when the word begins with a vowel (**l'alunno**). In the plural the definite article **lo** (or **l'**) becomes **gli** (**gli zii, gli alunni**). When used with an indefinite article, these special masculine words take **uno** if the following word begins with a **z** or an **s** + consonant (**uno studεnte, uno zio**), but they take **un** without the apostrophe before a vowel (**un alunno**).

8. Adjectives and agreement

An adjective is a word which qualifies a noun or limits it in some way. In Italian adjectives agree in gender and number with the words they modify. Just as there are masculine nouns which end in **-o** in the singular, so there are adjectives which end in **-o** (**libro italiano**). However, an adjective which ends in **-o** in the singular also has a feminine form which ends in **-a** (**signorina italiana**). Therefore, an adjective which ends in **-o** in the masculine singular will have four forms, two for the singular and two for the plural. Notice the following:

Singular:	il libr**o** italian**o**	la scuɔl**a** italian**a**
Plural:	i libr**i** italian**i**	le scuɔl**e** italian**e**

Nouns which end in **-e** in the singular may be either masculine or feminine, as you learned in the previous lesson. Likewise, adjectives which end in **-e** in the singular have only that one form for either the masculine or feminine; it changes to **-i** in the plural, again for either masculine or feminine. Notice the following:

Singular:	il professor**e** ingles**e**	la signorin**a** ingles**e**
Plural:	i professor**i** ingles**i**	le signorin**e** ingles**i**

In summarizing, we can say that adjectives which end in **-o** in the masculine singular are four-form adjectives and adjectives which end in **-e** in the singular are two-form adjectives.

9. Subject pronouns

The subject pronouns in Italian are as follows:

Singular		*Plural*	
io	I	**noi**	we
tu	you (*familiar*)	**voi**	you (*familiar*)
Lεi	you (*polite*)	**Loro**	you (*polite*)
egli (*or* **lui**)	he	**essi** (*or* **loro**)	they (*m.*)
essa (*or* **lεi**)	she	**esse** (*or* **loro**)	they (*f.*)

Notice that the pronoun **io** is not written with a capital in Italian, but the polite forms for *you* are generally written with a capital (**Lɛi, Loro**[1]). Subject pronouns are not used in Italian unless they are needed for clarity, because the form of the verb indicates the subject. (In the early lessons of this book we tend to use the subject pronouns more than necessary because we want you to get used to the correct verb endings.) In modern Italian conversation **lui** and **lɛi** are used much more commonly than **egli** and **essa.**

10. Present indicative of ɛssere and avere

The two most common verbs in Italian are **ɛssere** *to be* and **avere** *to have.* They do not follow the pattern of any regular verb. The present indicative of the two verbs is as follows:

	ɛssere	avere
io	**sono**	**hɔ**[2]
tu	**sɛi**	**hai**
egli, essa, Lɛi	**ɛ̀**	**ha**
noi	**siamo**	**abbiamo**
voi	**siɛte**	**avete**
essi, esse, Loro	**sono**	**hanno**

WORD LIST

NOUNS

alunno *m.* pupil
anno *m.* year
ạula *f.* classroom
barba *f.* beard
fine *f.* end
Lịdia Lydia
lịngua *f.* language
professore *m.* (**professoressa** *f.*) professor, teacher
studɛnte *m.* student
zio *m.* uncle

ADJECTIVES

altro, -a other
fiorentino, -a Florentine
giọvane *adj.* young; *n. m.* young man
romano, -a Roman

VERBS

avere to have
entra he is coming in
ɛssere to be

---

[1] It is becoming more and more common to see **Lɛi** and **Loro** without capitals.
[2] Remember that initial **h** is not pronounced in Italian.

impara he learns; **imparano** they learn
sembra he looks like
vedremo we'll see

OTHER WORDS

a to, at; **alla** (**a** + **la**) to the, at the
adɛsso now
allora then
Key - **chi** who
così so
fra between, among
in in; **nell'** (**in** + **l'**) in the
perciò that's why

EXPRESSIONS

Come sta (**Lɛi**)? How are you?
Bɛne, grazie. Fine, thank you.
Che c'ɛ̀ di nuɔvo? What's new?
Le presɛnto ... Let me introduce ... (*lit.* I present to you ...)
Dov'ɛ̀? Where is?
Ɛcco. Here is, Here are.
Ɛ̀ di mɔda. It's in style.
cɛrto che of course
Va bɛne. It's O.K., Fine.
(**Lo parla**) **pɔco e male.** (He speaks it) not so much and not so well.
di più more, most

EXERCISES

I. Questions:

1. Ɛ̀ studɛnte lo zio di Franco?
2. Come si chiama lo zio?
3. Ɛ̀ fratɛllo della madre lo zio?
4. Chi entra adɛsso nell'aula?
5. Ɛ̀ giovane il professore?
6. Sembra uno studɛnte il professore?
7. Ɛ̀ di mɔda la barba?
8. Ɛ̀ romano il padre del professore?
9. Parla inglese il professore?
10. Parlano bɛne la lingua gli Italiani?
11. Imparano l'italiano gli studɛnti?
12. Impara l'inglese il professore?

II. Supply the indefinite article (**un, uno, una, un'**) before the following words:

1. professore, signore, alunno, vicino, studɛnte, zio
2. scuɔla, fine, conversazione, sorɛlla, madre
3. anno, alunno, amico (*friend, m.*), amica (*friend, f.*), aula
4. zio, madre, fratɛllo, sorɛlla, padre
5. giorno, classe, piacere, signore, signorina
6. classe d'italiano, fratɛllo giovane, professoressa fiorentina, zio romano

III. Supply the definite article (**il, lo, la, l'**) before the following words in the singular:

1. zio, giorno, studɛnte, professore, signore
2. fine, classe, conversazione, barba, lịngua
3. signore, signora, signorina, padre, madre
4. anno, alunno, amico, amica, orịgine
5. professore, professoressa, scuɔla, libro, vicino
6. altro libro, altra ạula, sorɛlla giọvane, zio americano, lịngua italiana

IV. Supply the definite article (**i, gli, le**) before the following words in the plural:

1. classi, conversazioni, ạule, orịgini, scuɔle
2. signori, professori, fratɛlli, padri, libri
3. zii, studɛnti, anni, giorni, vicini
4. zii romani, studɛnti americani, fratɛlli giọvani, libri ịnglɛsi
5. classi d'italiano, signorine impegnate, anni di stụdio, studɛnti giọvani

The Duomo of Pisa dominates the Piazza dei Miracoli.

V. Repeat the sentence every time you supply one of the phrases in parentheses (Guess the meaning of the new words, which are easy to recognize.):

1. Buɔn giorno, Dino. Le presɛnto ______ (mia sorɛlla, mio zio, mio fratɛllo).
2. Come sta, ______ (Albɛrto, Luisa, signorina Russo)?
3. Che c'ɛ̀ di nuɔvo, ______ (Ɛnzo, Lịdia, Antɔnio)?
4. Dov'ɛ̀ ______ (lo studɛnte, lo zio, l'alunno)?
5. Ɛcco ______ (il professore, la professoressa, gli studɛnti).
6. ______ ɛ̀ così giọvane. (La professoressa, Lo studɛnte, Lo zio)
7. ______ ɛ̀ di mɔda. (La barba, L'ạbito [*suit*], Il colore [*color*])
8. Come si chiama ______ (l'alunno, la professoressa, la signorina)?
9. Mi chiamo ______ (Robɛrto, Ɛnzo, Lisa).
10. Questa ɛ̀ ______ (la classe d'italiano, la classe d'inglese, la classe di conversazione).

VI. Supply the correct subject pronoun before the following expressions (The left column is in the singular, the right column in the plural.):

1. ______ sono studɛnte.
2. ______ ɛ̀ professore.
3. ______ sɛi padre.
4. ______ ɛ̀ madre.
5. ______ sono alunno.
6. ______ ha la barba.
7. ______ non hɔ barba.
8. ______ hai un libro.
9. ______ non ha libro.
10. ______ non hɔ zio.

1a. ______ siamo studɛnti.
2a. ______ sono professori.
3a. ______ siɛte padri.
4a. ______ sono madri.
5a. ______ siamo alunni.
6a. ______ hanno fratɛlli.
7a. ______ non abbiamo sorɛlle.
8a. ______ avete libri.
9a. ______ non hanno libri.
10a. ______ non abbiamo zii.

VII. In the following dialogue, supply the Italian for the English sentences:

1. Buɔn giorno, Albɛrto. Come sta?
2. *Good morning, Lydia. How are* you?
3. Bɛne, grạzie. Che c'ɛ̀ di nuɔvo?
4. *Let me present my brother Frank.*
5. Piacere di conọscerla, Franco.
6. *The pleasure is mine. Are you a student, too?*
7. Sì, anch'io sono studɛnte in questa classe.
8. *We have a young professor.*
9. Sì, abbiamo un professore giọvane. Ha la barba.
10. *Here is the professor now.*

LETTURA (*Reading*)

Learn to guess at words which are similar in English.

■ *Studenti all'università*

Lịdia e Franco sono studɛnti all'università. Franco presɛnta lo zio a Lịdia. Lo zio si chiama Dino. Anche Dino ɛ̀ alunno nella classe d'italiano. Il professore entra nell'ạula. Ɛ̀ un professore giọvane e sembra uno studɛnte. Il professore ha la madre fiorentina e il padre romano. Parla bɛne l'italiano, ma non parla bɛne l'inglese. Lo parla pɔco e male. Gli studɛnti impạrano l'italiano, ma il professore non impara l'inglese.

Bpm
BANCA
POPOLARE
DI MILANO
vostra banca
kores
APEROL
l'aperitivo poco alcolico
GAGGIA
macchine per caffe
UNICA ASSICURAZIONI
YKK
CHIUSURE LAMPO
18 42
53
CINZANO
Facis
CONFEZIONI
LAVASTOVIGLIE
FARMACIA
RISTORANTE
NIGHT CLUB
marino
marino

Lesson 4

CURRENT USAGE

■ *Dov'ɛ̀ l'albɛrgo?*

LISA: Scuṡi, signorina. Dov'ɛ̀ l'albɛrgo Roma?
GINA: L'albɛrgo Roma? Ɛ̀ qui̜ vicino, all'a̜ngolo della strada.
LISA: A dɛstra o a sinistra, per favore?
GINA: A dɛstra, lì all'a̜ngolo. Lɛi ɛ̀ da pɔco tɛmpo in città?
LISA: Sì, sono studentessa all'università.
GINA: Anch'io sono studentessa all'università. Stu̜dio letteratura americana.
LISA: Ma Lɛi ɛ̀ italiana?
GINA: Sì, sono italiana. Sono siciliana. E Lɛi, di dov'ɛ̀?
LISA: Sono americana. Sono qui̜ per studiare la li̜ngua.
GINA: Americana? Non sembra americana. Parla l'italiano così bɛne.
LISA: Gra̜zie. Parliamo sɛmpre italiano in classe.
GINA: Così imparate bɛne. Noi parliamo inglese alle lezioni di letteratura.
LISA: Allora Lɛi parla inglese?
GINA: Lo parlo pɔco e male. Amo perɔ̀ la letteratura americana.
LISA: Perché non conversiamo in inglese qualche vɔlta? Ɛ̀ impegnata ɔggi nel pomeri̜ggio?
GINA: Nɔ, ɔggi non sono impegnata.
LISA: Allora vɛnga nel pomeri̜ggio alle tre, all'albɛrgo Roma.
GINA: D'accɔrdo. Come si chiama Lɛi?
LISA: Mi chiamo Liṡa — Liṡa Scott. E Lɛi?
GINA: Gina Velli. Arrivederla alle tre del pomeri̜ggio.

PRONUNCIATION HINTS

Consonants

Many of the consonant sounds in Italian are approximately the same as the corresponding sounds in English, although they may be formed in a slightly different way. However, there are some consonant sounds which have such characteristics that their mispronunciation gives away the English speaker long after his Italian is fluent.

The Italian t-sound

The **t**-sound in Italian is similar to the English, but it is pronounced with the tip of the tongue more forward in the mouth, close to the back of the upper teeth. The result is that the Italian **t** is not accompanied by the released puff of air which is characteristic of the English *t*. Listen carefully and imitate closely:

Antɔnio, studɛnte, italiano, fratɛllo, tu, impegnato

The Italian r-sound

The **r**-sound in Italian is a characteristic trill produced by the tip of the tongue flapping against the gums behind the upper teeth. A single **r** (other than at the beginning of a word) is usually so short that it sounds like a single flap. A double **r** (or **r** at the beginning of a word) is a longer trill. Listen carefully and imitate closely:

Single **r: signore, signorina, sorɛlla, piacere, stasera, giorno**
Double **r: romano, Robɛrto, arrivederla, birra** (beer).

The Italian gli-sound

The sound represented by the letters **gli** (alone or plus another vowel) has no counterpart in English. The closest to it is the sound of *lli* in *million,* but pronounced as a single sound and not as two sounds in rapid succession. Listen closely and imitate:

gli studɛnti, fịglio, fịglia, figli, famịglia, vɔglio

STRUCTURE

11. Forms of address

Italian has various ways of expressing the word *you.* **Tu** is the familiar form, used when addressing a close friend, a child, or a member of one's family. It has come to be the normal form of address among fellow students or colleagues of any age after they have met for the first few times, but it is considered aggressive by the older generation. **Voi** is used when addressing several friends, several members of the family, or an audience. **Lɛi** is the common form for addressing the average person and we designate it as the polite form. **Loro** is the plural of **Lɛi** and is used when addressing more than one person in a small group. In writing, **Lɛi** and **Loro** meaning *you* are capitalized to distinguish them from the third person meaning *she* or *they,* but many people do not bother with this capitalization.

In sections of Italy south of Rome **voi** is sometimes used as the polite form instead of **Lɛi,** but this use is disappearing; as far as you are concerned, all you need to know is that it does exist.

Registering for a room in Taormina, Sicily

12. Common prepositions and their contractions

When some prepositions are followed by the definite article, usually the two contract into a single word. Here is a table of four common ones:

a *to, at*	**da** *from, by*	**di** *of*	**in** *in, into*
a + il = al	da + il = dal	di + il = del	in + il = nel
a + lo = allo	da + lo = dallo	di + lo = dello	in + lo = nello
a + la = alla	da + la = dalla	di + la = della	in + la = nella
a + l' = all'	da + l' = dall'	di + l' = dell'	in + l' = nell'
a + i = ai	da + i = dai	di + i = dei	in + i = nei
a + gli = agli	da + gli = dagli	di + gli = degli	in + gli = negli
a + le = alle	da + le = dalle	di + le = delle	in + le = nelle

Sono studentessa all'università. I am a student at the university.
Ɛ̀ impegnata nel pomerịggio? Are you busy in the afternoon?
Vɛnga all'albɛrgo alle tre. Come to the hotel at three.

13. Position of adjectives

In Italian a descriptive adjective normally comes after the noun, instead of before the noun as in English.

Amo la letteratura americana. I love American literature.
Ha la madre fiorentina. He has a Florentine mother.

Limiting adjectives, such as demonstratives and numerals, come before the noun, as they do in English.

Vɛnga questo pomerịggio alle tre. Come this afternoon at three.
Ci sono diɛci studɛnti nella classe. There are ten students in the class.

Some common descriptive adjectives generally come before the noun, unless they stress the quality in some way. Among these common adjectives are **grande, pịccolo, buɔno, cattivo,** and others which you will soon learn.

Ɛ̀ un pịccolo albɛrgo. It's a small hotel.
Ci sono dei buɔni ristoranti. There are some good restaurants.

When two adjectives modify the same noun they usually come after it and are connected by **e.**

Ạbitano in una città grande e bɛlla. They live in a large, beautiful city.

14. Present indicative of the first conjugation

In Italian the ending of a verb varies in person and number according to the subject. Therefore, each verb in each tense will have forms for the first, second, and third person singular, as well as for the first, second, and third person plural — a total of six forms for each tense. Since the endings show the person and number, the subject pronouns are usually omitted.

Verbs are listed in their general form, called the infinitive. Most verbs follow one of three general patterns, designated as first, second, and third conjugations. The verbs whose infinitive ends in **-are** are first conjugation; those whose infinitive ends in **-ere** are second conjugation; and those whose infinitive ends in **-ire** are third conjugation.

In the first conjugation the endings of the present indicative are as follows:

parlare	*to speak*		
io	parl-**o**	(io)	Parlo italiano e inglese. *I speak Italian and English.*
tu	parl-**i**	(tu)	Parli bɛne l'italiano. *You speak Italian well.*
egli, essa, Lɛi	parl-**a**		Parla Lɛi inglese? *Do you speak English?*
noi	parl-**iamo**	(noi)	Parliamo molto in classe. *We talk a great deal in class.*
voi	parl-**ate**	(voi)	Parlate con gli studɛnti. *You talk with the students.*
essi, esse, Loro	pạrl-**ano**		Loro pạrlano dell'Itạlia. *You talk about Italy.*

To form the present indicative of any regular verb of the first conjugation you drop the **-are** of the infinitive and add the endings to the rest of the word, which is called the stem. If the stem ends in **-i** (as in **studi-are**) you drop the **i** of the stem before adding an ending which begins with **i** (**tu stud-i, noi stud-iamo**).

English has three ways of expressing the equivalent of each Italian verb form. For example, **io parlo** may be rendered in English by *I speak, I am speaking,* or *I do speak;* **Lɛi parla** may be rendered by *you speak, you are speaking,* or *you do speak;* and so on with the other forms.

WORD LIST

NOUNS

albɛrgo *m.* hotel
ạngolo *m.* corner
favore *m.* favor
inglese *m.* English
italiano *m.* Italian
letteratura *f.* literature
lezione *f.* class; lesson
pomerịggio *m.* afternoon
Roma *f.* Rome
strada *f.* street
università *f.* university
vɔlta *f.* time

ADJECTIVES

qualche some
siciliano, -a Sicilian
vicino, -a near, nearby

VERBS

amare to love
imparare to learn
Scusi. Excuse me.
studiare to study
Vɛnga. Come.

OTHER WORDS

bɛne well
con with
da from, by
ma but
o or
ɔggi today
per for, in order to
quị here

EXPRESSIONS

quị vicino near here
a dɛstra to the right
a sinistra to the left
per favore please
Lɛi ὲ da pɔco tɛmpo in città? You are new in the city?
Di dov'ὲ? Where are you from?
perché? Why?
qualche vɔlta sometimes
alle tre at three o'clock
Arrivederla. Good-bye. (*polite*)

Related Vocabulary

In this Related Vocabulary you can learn words of high frequency which are loosely related to the topic of this lesson and which you can use for variations in simple constructions. They will be reintroduced later.

NOUNS

casa *f.* house
stazione *f.* station
aeropɔrto *m.* airport
banca *f.* bank

ADJECTIVES

grande large, big
pịccolo, -a small
cattivo, -a bad
lontano, -a far, distant

VERBS

comprare to buy
conversare to converse, talk

EXPRESSIONS

Arrivederci. Good-bye. (*familiar*)
Ciao. Hello *or* Good-bye. (*familiar*)
molto a great deal

EXERCISES

I. Questions:

1. Ɛ̀ vicino l'albɛrgo Roma?
2. L'albɛrgo ɛ̀ a dɛstra o a sinistra?
3. Chi ɛ̀ da pɔco tɛmpo in città?
4. Chi stụdia letteratura americana?
5. Ɛ̀ siciliana Gina?
6. Parla inglese Lisa?
7. Ama Lɛi la letteratura italiana?
8. Ɛ̀ impegnato Lɛi questo pomerịggio?
9. Come si chiama il professore (la professoressa)?
10. Come si chiama Lɛi?
11. Impariamo molto in questa classe?
12. Conversiamo molto in classe?

II. Supply the Italian contraction for the words given in English:

1. Siamo (*in the*) ạula.
2. Vɛnga (*in the*) pomerịggio.
3. Sono (*in the*) albɛrgo.
4. Parla (*to the*) studɛnti.
5. Il professore ɛ̀ (*at the*) università.
6. Non pạrlano (*to the*) signorine.
7. Alle tre (*of the*) pomerịggio.
8. All'ạngolo (*of the*) strada.
9. La conversazione (*of the*) studɛnti.
10. Lontano (*from the*) ạngolo.
11. (*At the*) lezioni di letteratura.
12. Vicino (*to the*) aeropɔrto.

III. Verb forms. Supply the present indicative forms of the following verbs for the subjects given in parentheses:

1. (io) ɛssere, avere, parlare, imparare
2. (Lɛi) studiare, conversare, avere, parlare
3. (noi) comprare, ɛssere, avere, studiare

4. (tu) studiare, conversare, ɛssere, imparare
5. (essi) comprare, studiare, avere, ɛssere
6. (voi) ɛssere, amare, imparare, studiare

IV. Translate the following phrases, consulting the Related Vocabulary if necessary:

1. the American literature
2. the English student
3. the Italian language
4. a large bank
5. a small airport
6. a good class
7. the distant station
8. the distant city
9. the distant houses
10. the busy student (girl)
11. the busy professor
12. the Sicilian pupils

V. Complete the following sentences in some meaningful way:

1. L'aeropɔrto ɛ̀ lontano da ______.
2. L'albɛrgo ɛ̀ vicino a ______.
3. Scu*s*i, signore, dov'ɛ̀ ______?
4. Per favore, signorina, dov'ɛ̀ ______?
5. Alle lezioni di letteratura gli studɛnti ______.
6. Perché non conversiamo in ______?
7. Arrivederla alle tre ______.
8. Vɛnga ______ alle tre del pomerịggio.
9. Lɛi non sembra ______.
10. Ɛ̀ ______ Lɛi questa sera, signorina?

VI. In the following dialogue, supply the Italian for the English sentences:

1. Scu*s*i, signore. L'albɛrgo ɛ̀ quị vicino?
2. *No, sir, the hotel is not near here.*
3. E la stazione? Siamo lontani dalla stazione?
4. *No, you are not far from the station.*
5. A dɛstra o a sinistra, per favore?
6. *To the right. There is the station.*
7. Gṛazie. Sono da pɔco tɛmpo in città.
8. *Where are you from?*
9. Sono di Nuɔva Yɔrk. Stụdio all'università.
10. *I am a student at the university, too.*

LETTURA (*Reading*)

Guess at words which are similar to English. It's important for you to learn to guess correctly.

■ *Le lezioni di lịngua*

Siamo studɛnti all'università. Siamo quị in Itạlia per studiare la lịngua e la letteratura. Non parliamo bɛne l'italiano, ma impariamo molto in classe. Qualche vɔlta conversiamo in italiano nel pomerịggio. L'amica Gina ɛ̀ siciliana e stụdia la letteratura americana. Non parla bɛne l'inglese, ma ama la letteratura americana e la letteratura inglese. Alle lezioni di lịngua Gina impara l'inglese e noi invece impariamo la lịngua italiana.

Various periods of history come together in Rome.

FIRST REVIEW LESSON

Cover the English part of the page and guess as much of the Italian as possible. Refer to the English only when you are having difficulty in understanding. You are not expected to remember all the new words. Learn to get the gist of the selection.

■ *Le città italiane**

Nell'Italia ogni grande città è centro di cultura caratteristica della propria regione. Ogni città ha la propria storia, la propria architettura, il proprio temperamento, e financhе il proprio modo di parlare italiano. Non soltanto le grandi città, ma anche le piccole hanno la propria personalità, come fratelli e sorelle di una stessa famiglia. Come confondere un piemontese con un veneziano? un fiorentino con un romano? un napoletano con qualsiasi altra persona?

In Italy every large city is a center of culture which is characteristic of its own region. Every city has its own history, its own architecture, its own temperament, and even its own way of speaking Italian. Not only the large cities, but even the small ones, have their own personality, like brothers and sisters of the same family. How can one confuse a Piedmontese with a Venetian? a Florentine with a Roman? a Neopolitan with anyone else?

Roma, capitale d'Italia, è il cuore della nazione. Città eterna, rappresenta tutti i grandi secoli della cultura occidentale. Milano è il centro commerciale e finanziario. Torino è il centro automobilistico e industriale. Firenze è il centro artistico e letterario. — Chi non conosce Firenze certo non conosce l'Italia. — Venezia non ha paragone al mondo. Napoli e i suoi dintorni formano il capolavoro della natura. Palermo e Siracusa ricordano le varie culture del Mediterraneo. Tutte le città, grandi e piccole, conservano la propria individualità.

Rome, the capital of Italy, is the heart of the nation. As the Eternal City, it represents all the great centuries of Western culture. Milan is the commercial and financial center. Turin is the automobile and industrial center. Florence is the artistic and literary center. — Whoever does not know Florence certainly does not know Italy. — Venice has no equal in the world. Naples and its surroundings form Nature's masterpiece. Palermo and Syracuse recall the many cultures of the Mediterranean. All the cities, large and small, have their own individuality.

Ma le città italiane non sono più le città dei nostri nonni. Tutto è moderno: la vita, la musica, la moda, la gioventù. L'Italia dei

But the Italian cities are no longer the cities of our grandparents. Everything is modern:

* In the review lessons we have omitted all diacritical marks indicating pronunciation so that you can get used to Italian as it is actually printed.

nonni vive soltanto nelle "Piccole Italie" delle metropoli americane.

life, music, fashion, youth. The Italy of our grandparents lives on only in the "Little Italies" of large American cities.

Domande e risposte (Questions and Answers)

One student reads a statement and then asks a question based on it. Another student will answer the question with the original statement or something close to it. Continue the process with additional statements and questions of your own.

1. L'Italia è nel Mare Mediterraneo. — Dov'è l'Italia?
2. Roma è la capitale d'Italia. — Qual è la capitale d'Italia?
3. Firenze è il centro culturale dell'Italia. — Qual è il centro culturale dell'Italia?
4. Milano è il centro commerciale. — Qual è il centro commerciale?
5. Palermo è una città della Sicilia. — Dov'è Palermo?
6. Anche Siracusa è nella Sicilia. — Dov'è Siracusa?
7. Torino è il centro industriale. — Qual è il centro industriale?
8. Venezia è una città molto bella. — È molto bella Venezia?
9. I dintorni di Napoli sono belli. — Sono belli i dintorni di Napoli?
10. In America ci sono molti Italiani. — Ci sono molti Italiani in America?

EXERCISES

I. Change the phrases from the singular to the plural:

1. la signorina italiana
2. il padre americano
3. lo studente inglese
4. l'alunno impegnato
5. la piccola classe
6. la grande città
7. la nuova università
8. questa strada
9. questo favore
10. lo zio giovane

II. Change the sentences from the singular to the plural:

1. Io sono americano.
2. Tu sei francese.
3. Egli è italiano.
4. Lei è studente.
5. Essa è studentessa.
6. Lei è professore.
7. Tu non hai libro.
8. Lei non ha sorella.
9. Essa non ha fratello.
10. Io non ho zio.
11. Egli non ha classe.
12. Lei non ha casa.

III. Supply the correct form of the infinitives given in parentheses:

1. Le signorine (parlare) italiano e (conversare) molto.
2. Gina (studiare) l'inglese e (amare) la letteratura americana.
3. Gli studenti (essere) in classe e (imparare) la lingua.
4. Noi (essere) all'università e (studiare) la letteratura.
5. Lei non (sembrare) italiano, ma (parlare) bene.
6. Voi (essere) impegnati, ma noi non (essere) impegnati nel pomeriggio.
7. La stazione (essere) piccola e non (avere) ristorante.
8. L'aeroporto invece (essere) grande e (avere) un buon ristorante.
9. Noi (studiare) molto e (imparare) bene la lingua.
10. Voi (essere) nell'aula e (parlare) con il professore.

IV. Translate the following sentences:

1. Good morning, young lady. What's your name?
2. My name is Lisa. I'm pleased to meet you.
3. I am new at the university. Is this the Italian class?
4. Yes, this is the Italian class.
5. Good morning, Frank. How are you today?
6. I'm fine, thank you. What's new?
7. Where is the hotel? To the right or to the left?
8. The hotel is not far from the station.
9. Let's converse in Italian, O.K.? Do you speak Italian?
10. Yes, I do speak Italian.
11. Where are you from? Are you from Philadelphia, too?
12. No, I am from New York. Here is the bus. Good-bye.

V. Use the Italian of each pair of sentences to translate the English:

1. Il padre è di origine italiana. *The mother is of English origin.*
2. Dino è studente all'università. *Lisa is not a student at the university.*
3. Parliamo italiano in classe. *We instead speak English in class.*
4. Gli alunni sono impegnati nel pomeriggio. *The students are not busy this afternoon.*
5. Buon giorno, Gina. Come sta oggi? *Good morning, Frank. And how are you today?*
6. Gli studenti imparano l'italiano. *The professor is learning English.*
7. La banca è all'angolo della strada. *The station is not on the corner.*
8. Arrivederla nel pomeriggio. *Good-bye until three in the afternoon.*
9. Dov'è un piccolo albergo, per favore? *There isn't a small hotel near here.*
10. Perché non parla italiano qualche volta? *Why don't you speak English some time?*

Lesson 5

CURRENT USAGE

■ *Cercando allɔggio*

ANTƆNIO: Buɔn giorno, signora. Ha una cạmera per noi?
SIGNORA: Buɔn giorno, signori. Che tipo di cạmera vɔgliono?
ANTƆNIO: Una cạmera a due lɛtti, con bagno.
SIGNORA: Sì, abbiamo una cạmera a due lɛtti. Vɛngano di quạ.
ROBƐRTO: Ɛ̀ una bɛlla cạmera. C'ɛ̀ televi*s*ore?
SIGNORA: Nella pensione non abbiamo televi*s*ore nelle cạmere. C'ɛ̀ però un buɔn televi*s*ore in salɔtto.
ROBƐRTO: Allora possiamo guardare la televi*s*ione in salɔtto, Antɔnio.
SIGNORA: Appunto. Pɔssono vederla ogni sera in salɔtto.
ANTƆNIO: Vediamo un pɔ' il bagno, per favore.
SIGNORA: Ɛcco il bagno. Non ɛ̀ una grande stanza da bagno, ma ɛ̀ cɔmoda e pulita.
ANTƆNIO: Per noi va bɛne. Però c'ɛ̀ soltanto un tavolino. Siamo in due e siamo studɛnti.
SIGNORA: Mettiamo un altro tavolino e un'altra poltrona.
ANTƆNIO: Allora va bɛne. Quanto costa la cạmera?
SIGNORA: Ottomila lire al giorno, con pensione.
ROBƐRTO: Pensione complɛta per tutti e due?
SIGNORA: Sì, complɛta per tutti e due, e i pasti sono abbondanti.
ANTƆNIO: Che ne dici, Robɛrto? Prendiamo la cạmera?
ROBƐRTO: Sì, la prendiamo. Possiamo venire ɔggi?
SIGNORA: La cạmera ɛ̀ prɔnta, signori. Pɔssono venire quando vɔgliono.
ROBƐRTO: Allora, arrivederla nel pomeṛiggio, signora.

PRONUNCIATION HINTS

Consonants. The Italian s-sound

The sound represented in Italian by the letter **s** is actually two sounds. Sometimes it is a pure hissing sound, such as you hear in the English words *hissing* or *soft*. At other times it is closer to the *s* of the English word *rose*, or the *z* of *doze*. The hissing type is called voiceless. The second type is called voiced because the vocal cords vibrate when producing the sound. The sound represented by the double **s** in Italian is always voiceless, but the single **s** may be either voiced or voiceless, especially between vowels. There is a great regional difference in Italy regarding the voiced and voiceless **s** between vowels. In this book the voiced **s** is indicated by the *s* in italics. Listen carefully and imitate closely:

Voiceless **s**	*Voiced* **s**
spesso (*often*)	Li*s*a
sono	*s*bạglio (*mistake*)
sì	bi*s*ogno (*need*)
casa	mu*s*ɛo (*museum*)
inglese	mụ*s*ica

The Italian z-sound

The sound represented in Italian by the letter **z** is actually two sounds. At times it is like the English *ts*-sound in *cats,* as for example in **zio** or **stazione.** It is formed with the tip of the tongue touching the inside of the upper front teeth. At other times the sound represented by **z** is voiced; that is, the vocal cords vibrate while producing the sound. The closest to this voiced sound is the *z* in the English word *zero,* or the *ds* in *pads.* In this book the voiced *z*-sound is indicated by the **z** in italics. Listen to the sounds and imitate closely:

Voiceless z	*Voiced* **z**
stazione	mɛ*zz*o (*half*)
zio	pran*z*are (*to dine*)
grạzie	*z*ero
veneziano	*z*ona (*zone*)

In writing, the z-sound may be a single or a double letter between vowels, depending on the historical spelling; the spelling has no influence on the pronunciation of the sound represented by **z.**

STRUCTURE

15. Present indicative of the second conjugation

Verbs ending in **-ere** belong to the second conjugation. The endings for these verbs are as follows:

vẹndere *to sell*

io	vend-**o**	Vendo la casa. *I am selling the house.*
tu	vend-**i**	Vendi il vino. *You sell the wine.*
egli, essa, Lɛi	vend-**e**	Vende le scarpe. *He sells shoes.*
noi	vend-**iamo**	Vendiamo tutto. *We sell everything.*
voi	vend-**ete**	Vendete libri italiani? *Do you sell Italian books?*
essi, esse, Loro	vend-**ono**	Vẹndono frutta. *They sell fruit.*

Most of the verbs of the second conjugation are irregular in the past tenses, as you will learn later on. However, many are regular in the present tense, as for example **vedere** *to see,* **prɛndere** *to take,* **rispọndere** *to answer,* and **mẹttere** *to put.*

16. Present indicative of volere and potere

Two common verbs which end in **-ere** and are irregular in the present indicative are as follows:

potere *to be able, can, may*	
io **pɔsso**	Pɔsso parlare inglese. *I can speak English.*
tu **puɔi**	Puɔi venire con noi? *Can you come with us?*
egli, essa, Lɛi **puɔ̀**	Puɔ̀ entrare. *He may come in.*
noi **possiamo**	Possiamo venire ɔggi? *May we come today?*
voi **potete**	Potete prɛndere la cạmera. *You can take the room.*
essi, esse, Loro **pɔssono**	Non pɔssono venire. *They can't come.*
volere *to wish, want*	
io **vɔglio**	Vɔglio imparare. *I want to learn.*
tu **vuɔi**	Vuɔi la cạmera? *Do you want the room?*
egli, essa, Lɛi **vuɔle** (**vuɔl**)[1]	Lɛi vuɔle la televisione. *You want television.*
noi **vogliamo**	Vogliamo vedere il bagno. *We want to see the bathroom.*
voi **volete**	Volete un tavolino? *Do you want a desk?*
essi, esse, Loro **vɔgliono**	Non vɔgliono la stanza. *They don't want the room.*

17. Partitive

When the preposition **di** is combined with the singular of the definite article, the contraction indicates that only part of something is involved. The contraction is translated by *some.*

[1] Many short words, particularly verb forms ending in **-le** or **-re,** drop the final **-e** before words beginning with a consonant.

del vino some wine	**della frutta** some fruit
dello zụcchero some sugar	**dell'arrosto** some roast
Compriamo del vino nel ristorante.	We buy some wine in the restaurant.

When the preposition **di** is combined with the plural of the definite article, the contraction indicates an indefinite number and is used as the plural of the indefinite article. Again, the contraction is translated by *some.*

dei libri some books	**delle camere** some rooms
degli alunni some pupils	
Ci sono delle signorine in salɔtto.	There are some young ladies in the living room.

18. Days of the week

The days of the week are normally written with a small letter. They are as follows:

(la) **domẹnica** Sunday	(il) **giovedì** Thursday
(il) **lunedì** Monday	(il) **venerdì** Friday
(il) **martedì** Tuesday	(il) **sạbato** Saturday
(il) **mercoledì** Wednesday	

When the definite article is used with the day of the week, it indicates that an action takes place regularly on that day.

La domẹnica non abbiamo lezioni. On Sundays we don't have classes.

19. Numerals

The cardinal numerals from 1 to 20 are as follows:

1	**uno (un, una)**	6	**sɛi**	11	**ụndici**	16	**sẹdici**
2	**due**	7	**sɛtte**	12	**dọdici**	17	**diciassɛtte**
3	**tre**	8	**ɔtto**	13	**trẹdici**	18	**diciɔtto**
4	**quattro**	9	**nɔve**	14	**quattọrdici**	19	**diciannɔve**
5	**cịnque**	10	**diɛci**	15	**quịndici**	20	**venti**

Uno is both a number and an indefinite article. When used before a noun, it has the forms **un** (**un libro**), **uno** (**uno studɛnte**), **una** (**una signorina**), and **un'** (**un'ạula**).

WORD LIST

NOUNS

allɔggio *m.* lodging
bagno *m.* bath, bathroom; **stanza da —**, *f.* bathroom
camera *f.* room
pasto *m.* meal
pensione *f.* boarding house, board, meals
poltrona *f.* soft chair, easy chair
Robεrto Robert
salɔtto *m.* living room; **in —**, in the living room
sera *f.* evening
tavolino *m.* table, desk
televisione *f.* television
televisore *m.* TV set
tipo *m.* type, kind

ADJECTIVES

abbondante abundant, plenty
complεto, -a complete, full
cɔmodo, -a comfortable
pronto, -a ready
pulito, -a clean

VERBS

cercare to look for; **cercando** looking for
costare to cost
guardare to look (at)
mettere to put
potere to be able, can, may
prεndere to take
vedere to see
venire to come
volere to wish, want

OTHER WORDS

che? what?
più more
quando when
quanto how much
soltanto only

EXPRESSIONS

Vεngano di qua. Come this way.
a due lεtti with two beds
Pɔssono vederla. You may see it.
Vediamo un pɔ'. Let's take a look.
Siamo in due. There are two of us.
ottomila lire eight thousand lire
tutti e due both
Che ne dici? What do you say?

Related Vocabulary

Learn to recognize these words. They will be reintroduced later.

NOUNS

lira *f.* lira (unit of Italian currency)
mese *m.* month
radio *f.* radio
sala da pranzo *f.* dining room
settimana *f.* week
stanza *f.* room

ADJECTIVES

libero, -a free, vacant
spɔrco, -a dirty, soiled
scɔmodo, -a uncomfortable

VERBS

vendere to sell
rispondere to answer

Preparing for exams is the main worry for Italian students.

EXERCISES

I. Questions:

1. Che tipo di cạmera vɔgliono Antɔnio e Robɛrto?
2. La pensione ha una cạmera a due lɛtti?
3. C'ɛ̀ il bagno nella cạmera?
4. C'ɛ̀ il televisore nella cạmera?
5. Dov'ɛ̀ il televisore?
6. Quando pɔssono guardare la televisione?
7. Ɛ̀ grande la stanza da bagno?
8. C'ɛ̀ soltanto un tavolino nella cạmera?
9. Quanto costa la cạmera?
10. Sono abbondanti i pasti?
11. Quando vɔgliono prɛndere la cạmera i due studɛnti?
12. Come si chiạmano i due studɛnti?

II. Verb forms. Supply the present indicative forms for the verbs given in parentheses:

1. Lɛi (vedere, prɛndere, mẹttere).
2. Noi (vẹndere, prɛndere, vedere).
3. Io (mẹttere, vẹndere, rispọndere).
4. Gli studɛnti (vedere, mẹttere, prɛndere).
5. Tu e io (avere, ɛssere, comprare).
6. Tu (ɛssere, imparare, parlare).

7. Voi (imparare, studiare, rispọndere).
8. Egli (ɛssere, sembrare, vedere).
9. Antɔnio e Robɛrto (volere, potere) vedere la stanza da bagno.
10. Mia sorɛlla e io (potere, volere) venire nel pomerịggio.

III. Supply the correct forms of the present indicative of **potere** and **volere** in the following sentences:

1. Io non (potere) parlare adɛsso.
2. Lɛi (potere) venire ɔggi nel pomerịggio?
3. I signori (potere) vedere la cạmera.
4. Robɛrto non (potere) comprare la casa.
5. Voi (volere) rispọndere al professore.
6. Noi (potere) guardare la televi*s*ione.
7. Gli studɛnti (volere) una buɔna cạmera.
8. Gino (volere) vedere la stanza da bagno.
9. Io non (volere) studiare molto.
10. Voi (volere) imparare bɛne l'italiano.
11. Lɛi (volere) guardare la televi*s*ione in salɔtto.
12. Tu non (volere) vedere la sala da pran*z*o.

IV. Translate the following phrases, consulting the Related Vocabulary if necessary:

1. one student (*m.*)
2. one bathroom
3. another table
4. five easy chairs
5. twenty days
6. seven pupils
7. two weeks
8. eleven months
9. twelve books
10. ten rooms
11. Two and three are five.
12. Ten and seven are seventeen.
13. Four and eleven are fifteen.
14. Nine and seven are sixteen.
15. Ten and nine are nineteen.

V. Translate the following sentences:

1. Can we buy some wine here?
2. Do they sell some fruit in this hotel?
3. There are some students in the living room.
4. Are there some young ladies in the classroom?
5. We want some books now.
6. They are not taking the room.
7. The lady puts another desk in the room.
8. The bathroom and the dining room are small.
9. Can you put some easy chairs in the room?

10. Why isn't there a TV set?
11. How much is the room?
12. How much is the room with complete board?

LETTURA (*Reading*)

■ *La cạmera ɛ̀ pronta*

La pensione ha una bɛlla cạmera a due lɛtti. La stanza da bagno ɛ̀ pịccola, ma ɛ̀ cɔmoda e pulita. Non c'ɛ̀ televi*s*ore nella cạmera, ma c'ɛ̀ un buɔn televi*s*ore nel salɔtto. Gli studɛnti pɔssono guardare la televi*s*ione ogni sera. Nella cạmera c'ɛ̀ soltanto un tavolino e una poltrona adɛsso. I due giọvani vɔgliono un altro tavolino e un'altra poltrona. La pensione ɛ̀ buɔna e i pasti sono abbondanti. La cạmera ɛ̀ pronta e i due giọvani pɔssono venire quando vɔgliono.

REGIONE CAMPANIA
XLVIII CONCORSO IPPICO INTERNAZIONAL
MACH
20
CE 18
9965

Lesson 6

CURRENT USAGE

■ *In città*

LISA: Scusi, signora, capisce l'inglese?
SIGNORA: Nɔ, signorina, non capisco l'inglese. Perché?
LISA: Sono studentessa americana e parlo pɔco l'italiano.
SIGNORA: Anzi, lo parla bɛne. Che cɔsa vuɔle?
LISA: Vɔglio andare al Vaticano. Ɛ̀ lontano?
SIGNORA: Sì, ɛ̀ lontano. Puɔ̀ prɛndere l'ạutobus o un tassì.
LISA: Ɛ̀ caro il tassì?
SIGNORA: Così, così. Cɛrto l'ạutobus costa meno.
LISA: Ma ci sono tanti ạutobus. Quale dɛvo prɛndere?
SIGNORA: Il nụmero dọdici. Ɛcco la fermata, lì all'ạngolo.
LISA: Passa spesso il nụmero dọdici?
SIGNORA: Parte dalla stazione ogni quịndici minuti.
LISA: Quanto ɛ̀ il biglietto sull'ạutobus?
SIGNORA: Il biglietto ɛ̀ cɛnto lire, ma dɛve pagare in spịccioli.
LISA: In spịccioli? Cɔsa vuɔl dire?
SIGNORA: Vuɔl dire che bisogna pagare con una moneta da cɛnto lire. Non fanno cạmbio sull'ạutobus.
LISA: Anche da noi ɛ̀ così. Cioɛ̀ l'autista non fa cạmbio.
SIGNORA: Lɛi studia all'università?
LISA: Sì, signora, stụdio letteratura italiana. Perɔ̀ finisco l'università quest'anno, in giugno.
SIGNORA: Già finisce l'università? Ɛ̀ così giọvane. Quanti anni ha?
LISA: Così giọvane non sono. Hɔ venti anni.
SIGNORA: Dio mio! Venti anni? Ɛ̀ già vɛcchia, signorina.
LISA: Ɛcco viɛne il nụmero dọdici. Grạzie, signora. Arrivederla.

PRONUNCIATION HINTS

Vowels. Close e and open ɛ[1]

In a stressed syllable the **e** has two distinct sounds in standard Italian, one like the English *ay* in *day* (without the *y*-glide), and the other like the English *e* in *met* or *let.* The first one is called close **e** and the second one open **ɛ.** In this book the open **e** is indicated by ɛ, except in the Review Lessons. The acute accent (′) on a final **e** always indicates a close **e.** The distinction between close **e** and open ɛ is quite marked in some sections of Italy but is nonexistent in others, particularly south of Rome.

[1] Remember that the distinction between open and close vowels applies only to stressed vowels.

Tuscans make a point of expecting the distinction, which comes naturally to them. Listen carefully and imitate closely, so as to train your ear to distinguish the sounds.

Close **e**	*Open* ɛ
tre	bɛne
perché	ɛcco
spesso	dɛve
stesso (*itself*)	studɛnte
venti (*twenty*)	vɛnti (*winds*)
e (*and*)	ɛ̀ (*is*)

Close o and open ɔ

The explanation given above for the **e** holds for the **o** as well. Close **o** is pronounced like the English *o* in *go* (without the *w*-glide), and open ɔ is like the English *o* in *for,* or the *ough* in *ought.* Listen carefully and imitate closely.

Close **o**	*Open* ɔ
sono	ɔtto
giorno	stɔ
ogni (*every*)	ɔggi
signore	cɔmodo
loro	puɔ̀
molto	perɔ̀

STRUCTURE

20. Summary of the uses of articles

When more than one noun is listed, the definite article is generally repeated before each one; of course each article must agree in gender and number with the noun it modifies.

Gli studɛnti e i professori sono in classe. The students and professors are in class.

The definite article is required in Italian, but not in English, in the following instances:

1. Before a noun about which you want to express a general characteristic, or before a noun used in a general sense.

La neve ɛ̀ bianca. Snow is white.
Adoro l'ɔpera. I love opera.

2. Before the name of a language, except immediately after **parlare** or after the prepositions **in** or **di.** (When the name of the language is modified, or when there is an adverb before **parlare,** you do use the article.)

	Capisce l'inglese, signora?	Do you understand English, madam?
BUT:	**Rɔsa ɛ̀ a lezione d'inglese.**	Rose is in the English class.
	Tutti pạrlano italiano.	Everybody speaks Italian.
BUT:	**Tutti pạrlano bɛne l'italiano.**	Everybody speaks Italian well.

The indefinite article is used about the same as in English, except for the following instance:

The indefinite article is omitted with a predicate nominative denoting an occupation or profession and not modified by an adjective.

Antɔnio ɛ̀ studɛnte. Anthony is a student.
Il padre di Antɔnio ɛ̀ professore. Anthony's father is a professor.

NOTE: If the predicate nominative is modified, the indefinite article is used.

Franco ɛ̀ uno studɛnte brillante. Frank is a brilliant student.
Il signọr Rossi ɛ̀ un buɔn professore. Mr. Rossi is a good teacher.

21. Present indicative of the third conjugation

Verbs ending in **-ire** in the infinitive are classified as third conjugation. Some of the verbs follow the pattern of **finire** and are indicated by (**isco**) in the Word Lists and end vocabularies. The other regular verbs follow the pattern of **partire.**

	finire (isco) *to finish*	**partire** *to leave*
io	fin-**isco**	part-**o**
tu	fin-**isci**	part-**i**
egli, essa, Lɛi	fin-**isce**	part-**e**
noi	fin-**iamo**	part-**iamo**
voi	fin-**ite**	part-**ite**
essi, esse, Loro	fin-**ịscono**	pạrt-**ono**

Finisco l'università in giugno. I finish college in June.
Partiamo dall'aeropɔrto. We are leaving from the airport.

22. Interrogatives

Interrogative words introduce a question. There are three categories of interrogative words:

1. Interrogative adverbs

come? how? **Come sta ɔggi?** How are you today?
dove? where? **Dov'ɛ̀ l'autista?** Where is the driver?
perché? why? **Perché non fanno cạmbio?** Why don't they make change?
quando? when? **Quando viɛne l'ạutobus?** When is the bus coming?

2. Interrogative pronouns

chi? who? whom? **che? che cɔsa? cɔsa?** what?

Notice that **chi?** is used both as subject and as object of a verb. In other words, it corresponds to both *who?* and *whom?*

Chi viɛne ɔggi? Who is coming today?
Chi vuɔle Lɛi, il padre o il fịglio? Whom do you want, the father or the son?

3. Interrogative adjectives

che? what? what kind of?
quale? (**qual?**) which? which one?
quali? which? which ones?
quanto? quanta? how much?
quanti? quante? how many?

Che? before a noun asks for an explanation.

Che lavoro fa Suo fratɛllo? What kind of work does your brother do?

Quale? (which frequently becomes **qual?** before a vowel) asks which one of several persons or things.

Qual trɛno dɛvo prɛndere? Which train must I take?
Quali ạutobus vanno all'aeropɔrto? Which buses go to the airport?

Quanto? or **quanta?** asks *how much.* When used without a noun the form is **quanto?**

Quanto costa la frutta? How much is the fruit?
Quanta frutta vuɔle? How much fruit do you want?

Quanti? or **quante?** asks *how many.*

Quanti biglietti vɔgliono comprare? How many tickets do they want to buy?
Quante lezioni abbiamo ɔggi? How many classes do we have today?

Norman architecture is at its best in the cloister of Monreale.

23. Months and seasons

All the names of the months are masculine and are written with a small letter (instead of with a capital, as in English).

gennạio January
febbrạio February
marzo March
aprile April
mạggio May
giugno June
lụglio July
agosto August
settεmbre September
ottobre October
novεmbre November
dicεmbre December

The seasons are as follows:

primavεra *f.* spring
estate *f.* summer
autunno *m.* autumn, fall
invεrno *m.* winter

WORD LIST

NOUNS

autista *m. or f.* driver
ạutobus *m.* (*or* **pullman** *m.*) bus
biglietto *m.* ticket, fare
cạmbio *m.* change (*coins*)
fermata *f.* stop
minuto *m.* minute
moneta *f.* coin, piece
nụmero *m.* number
spịccioli *m. pl.* coins, change
tassì *m.* taxi
Vaticano *m.* Vatican

ADJECTIVES

caro, -a dear, expensive
cɛnto one hundred
ogni *invar.* every, each
quale? (qual?) which? *pron.* which one?
tanti, -e so many
tanto, -a so much
vɛcchio, -a old

VERBS

capire (isco) to understand
fare to do, make
finire (isco) to finish
pagare to pay
partire to leave, depart
passare to pass

OTHER WORDS

anzi in fact, rather
già already
lì there
meno less
però however, but
spesso often, frequently

EXPRESSIONS

così così so so
vuɔl dire (it) means
bisogna pagare one has to pay
Anche da noi ɛ̀ così. It's the same with us.
cioɛ̀ that is
Quanti anni ha? How old are you?
Hɔ venti anni. I am twenty (years old).
Dio mio! Good heavens!

Related Vocabulary

NOUNS

corso *m.* course
denaro *m.* money
musica *f.* music
stagione *f.* season
studio *m.* study, course of study

ADJECTIVES

corto, -a short, brief
lungo, -a long
mille one thousand

VERBS

adorare to adore, love
cominciare to begin
desiderare to wish, want
preferire (isco) to prefer

OTHER WORDS

come? how?
dopo after
là there
tutti everybody, all

EXERCISES

I. Questions:

1. La signora capisce l'inglese?
2. Parla pɔco l'italiano la signorina?
3. Dove vuɔle andare la signorina?
4. Qual autobus dɛve prɛndere?
5. Quando parte l'autobus?
6. Quanto costa il biglietto sul pullman?

7. Come bisogna pagare il biglietto?
8. Fa cambio l'autista in Italia?
9. Che cosa studia la signorina?
10. Quando finisce l'università?
11. Quanti anni ha la signorina?
12. È vecchia una studentessa di venti anni?

II. Verb forms. Supply the present indicative forms for the verbs in parentheses:

1. Io (finire, capire, prendere).
2. Lei (partire, capire, finire).
3. Noi (capire, finire, vendere).
4. Voi (passare, partire, finire).
5. Essi (finire, capire, partire).
6. L'autista (volere, potere, capire).
7. Lei e io (essere, avere, finire).
8. Tu (capire, finire, partire).
9. Le signore (finire, pagare, partire).
10. Noi (volere, potere, finire).

III. Supply the present indicative forms for the verbs in parentheses:

1. [io] Dove (potere) prendere l'autobus per il Vaticano?
2. Lei (volere) andare al Vaticano? È lontano.
3. [tu] Quando (finire) il corso di musica?
4. [io] (finire) il corso alla fine di maggio.
5. L'autista non (capire) l'italiano della studentessa.
6. Gli studenti (finire) gli studi all'università.
7. Voi non (capire) bene l'italiano.
8. Che vuol dire spiccioli? [io] Non (capire).
9. Il pullman (partire) dalla stazione alle tre.
10. Gli autobus (partire) per l'aeroporto ogni quindici minuti.
11. Noi (finire) il corso di letteratura nella primavera.
12. I professori (partire) per l'Italia nell'estate.

IV. Complete the following sentences and say them aloud:

1. La primavera comincia in marzo e finisce in ______.
2. L'estate comincia in giugno e finisce in ______.
3. L'autunno comincia in settembre e finisce in ______.
4. L'inverno comincia in dicembre e finisce in ______.
5. Il mese dopo gennaio è ______.
6. Il mese dopo marzo è ______.
7. Il mese dopo maggio è ______.

8. Il mese dopo lụglio ɛ̀ ______.
9. Il mese dopo settɛmbre ɛ̀ ______.
10. Il mese dopo novɛmbre ɛ̀ ______.

V. Supply the Italian for the words given in English, then read aloud the new sentence:

1. (*How many*) sorɛlle ha Lɛi?
2. (*How many*) fratɛlli ha Ɛnzo?
3. (*How many*) fermate ci sono per il Vaticano?
4. (*How much*) pɔsso comprare con questo denaro?
5. (*How much*) vino vɔgliono questi signori?
6. (*Who*) capisce l'italiano nell'albɛrgo?
7. A (*whom*) vuɔle parlare il professore?
8. (*Which*) ạutobus passa ogni quịndici minuti?
9. (*Which*) studɛnti sono già nell'ạula?
10. (*Which*) cạmera vuɔle prɛndere la signorina?
11. (*What*) desịdera il signore?
12. (*What*) vendete ɔggi?
13. (*Where*) ɛ̀ la fermata dell'ạutobus?
14. (*Where*) sono gli studɛnti adɛsso?
15. (*Why*) non parliamo italiano in classe?

VI. Translate the following sentences:

1. I am an Italian student, and I don't speak much English.
2. You can take a taxi, but the bus costs less.
3. The stop is there on the corner. It's not far.
4. You must pay in coins. The driver does not make change.
5. How old are you? I am twenty.
6. You are twenty already? Good heavens, you are old!
7. I love opera. Music is beautiful.

LETTURA (*Reading*)

■ *Gli studɛnti stụdiano*

Le stagioni dell'anno sono quattro e i mesi dell'anno sono dọdici. La primavɛra ɛ̀ bɛlla. Comịncia alla fine di marzo e finisce alla fine di giugno. Da noi la scuɔla comịncia in settɛmbre e finisce in mạggio o giugno. In Itạlia invece le lezioni comịnciano in ottobre e finịscono in giugno. Gli studɛnti italiani stụdiano l'inglese all'università, ma lo pạrlano pɔco e male. Preferịscono i corsi di letteratura e stụdiano letteratura inglese e letteratura americana. Gli studɛnti americani preferịscono i corsi di lịngua, ma stụdiano la lịngua soltanto uno o due anni. In uno o due anni lo studɛnte non puɔ̀ comprɛndere la letteratura.

Turin is a bustling city with a high standard of living.

Lesson 7

CURRENT USAGE

■ *Andiamo in classe*

FRANCO: Che ora ɛ̀, Luigi?
LUIGI: Sono le nɔve. Perché?
FRANCO: Sono già le nɔve? La mia lezione comịncia alle diɛci. Dove prendiamo il caffɛ̀?
LUIGI: C'ɛ̀ un self-service quị vicino. Ci viɛni?
FRANCO: Sì, andiamo. Cɔsa prɛndi?
LUIGI: Prɛndo soltanto caffellatte e una pasta. E tu?
FRANCO: Una cioccolata e una pasta. Facciamo prɛsto, perché la tua lezione comịncia alle nɔve e mezza.
LUIGI: A che ora sɛi lịbero per pranzo?
FRANCO: Sono lịbero all'una. Ci vediamo all'una e un quarto. Va bɛne?
LUIGI: All'una e un quarto va bɛne. Andiamo a quel pịccolo ristorante in Via Toscana.
FRANCO: Il pranzo ɛ̀ buɔno e i prɛzzi sono moderati. Ci vado spesso anche per la cena.
LUIGI: Per la cena invece preferisco il ristorante in Via Emịlia. Ɛ̀ un pịccolo ristorante a diɛci tạvole, con cucina eccellɛnte.
FRANCO: Magari possiamo andarci domani. Ɛcco che viɛne Li*s*a Conti. La conosci?
LUIGI: No, non la conosco. Ɛ̀ americana?
FRANCO: Sì, ɛ̀ di Boston. Li*s*a, ti pre*s*ɛnto il mio amico Luigi.
LI*S*A: Piacere, Luigi. Andiamo in classe?
LUIGI: Anche Lɛi ɛ̀ nella classe di stɔria?
LI*S*A: Che Lɛi? Non siamo studɛnti? Viɛni in classe, Luigi? Sono già le diɛci meno venticịnque.
LUIGI: Ti accompagno sụbito, Li*s*a. Ciao, Franco. Arrivederci a più tardi.

PRONUNCIATION AND SPELLING HINTS

The Italian gn-**sound**

The sound represented in Italian by the letters **gn** has no counterpart in English. You have noticed this sound in words like **bagno** and **ogni.** The Italian **gn**-sound resembles the English *ny* in *canyon,* or the *ni* in *onion,* but it is a single sound rather than two sounds run together. It is produced with the breath-stream going through the nose (as with *m* or *n*), but with the top of the tongue pressed against the hard palate. Listen to the speaker and imitate closely the following words:

bagno, ogni, compagno, campagna (countryside), **gnocco** (dumpling)

NOTE: There are very few words in Italian which begin with **gn.** When they do, the definite article is **lo** and the indefinite article is **uno** (as for words beginning with **s** + consonant or with **z**).

The English *ch*-sound

The sound represented in English by *ch* is troublesome in Italian not because of the sound itself, but because of the spelling. This particular sound is the same as the English *ch* in *church.* In Italian, before **e** or **i** the English *ch*-sound is represented by **c** alone, as for example in **ceci** (*chick peas*) or **invece.** Lịsten carefully and pronounce after the speaker:

diɛci, dọdici, quịndici, cɛnto, cɛrto

Before **a, o,** or **u** the English *ch*-sound is represented by **ci,** in which case the **i** is not pronounced at all, but is simply a spelling device to indicate the English *ch*-sound. Listen carefully and imitate the speaker:

ciao, comịncia, cioɛ̀, spịccioli, ciuco (donkey)

The English *j*-sound

This particular sound is about the same as the English *g* in *gentle* or the *j* in *James.* In Italian the sound is represented by the single letter **g** before **e** or **i.** Listen to the speaker and imitate carefully:

Gina, Luigi, gentile (gentle), **genitori** (parents)

Before **a, o,** or **u** the English *j*-sound is represented in Italian by **gi,** in which case the **i** is not pronounced, but is simply a spelling device to indicate the English *j*-sound. Listen and imitate carefully:

già, giardino (garden), **giọvane, grịgio** (grey), **giugno, Giusɛppe** (Joseph)

STRUCTURE

24. Expressions of time

Italian has two expressions in asking for the time.

Che ora ɛ̀?
Che ore sono? } What time is it?

Che ora ɛ̀? is the more common expression, but you will also hear **Che ore sono?**

ɛ̀ l'una. It's one o'clock. **ɛ̀ mezzanɔtte.** It's midnight.
ɛ̀ mezzogiorno. It's noon. **Sono le diɛci.** It's ten o'clock.
Sono le tre e mɛzza (*or* **mɛzzo**). It's half past three.
Sono le nɔve meno un quarto. It's a quarter to nine.
L'aɛreo parte alle sẹdici e diɛci. The plane leaves at four ten P. M.

Before **una,** or before **mezzogiorno** or **mezzanɔtte,** the hour is expressed by **ɛ̀.** (The reason is that the word **ora** is understood.) Before other numbers the hour is expressed by **sono.** Minutes or parts of the hour are expressed by **e** after the hour and **meno** before the hour.

Schedules and official events employ the twenty-four hour system, starting at midnight. This is the system that is used in the military and in international aviation in the U.S. Midnight is the zero hour, noon is twelve o'clock. For the hours from noon to midnight, add twelve to the hour: one o'clock in the afternoon is thirteen o'clock, six o'clock in the evening is eighteen o'clock, etc.

25. Possessive adjectives

Possessive adjectives are those which indicate possession. In Italian the possessive adjective agrees in gender and number with the person or object possessed (and not with the possessor, as in English).

Il suo libro means *his* book or *her* book.
La sua casa means *his* house or *her* house.

The forms are as follows:

Masculine		*Feminine*		*Meaning*
Sing.	*Pl.*	*Sing.*	*Pl.*	
il mio	**i miɛi**	**la mia**	**le mie**	my
il tuo	**i tuɔi**	**la tua**	**le tue**	your (*fam. sing.*)
il suo	**i suɔi**	**la sua**	**le sue**	his, her, its
il Suo	**i Suɔi**	**la Sua**	**le Sue**	your (*pol. sing.*)
il nɔstro	**i nɔstri**	**la nɔstra**	**le nɔstre**	our
il vɔstro	**i vɔstri**	**la vɔstra**	**le vɔstre**	your (*fam. pl.*)
il loro	**i loro**	**la loro**	**le loro**	their
il Loro	**i Loro**	**la Loro**	**le Loro**	your (*pol. pl.*)

Notice that the definite article is used as part of the possessive adjective.

La mia lezione comịncia alle ụndici. My class begins at eleven.

Students squeeze in some kind of meal between classes.

However, the definite article is not used with certain words denoting a member of the family and unmodified (**padre, madre, fratεllo, sorεlla, cugino, zio, nipote,** etc.)

> **Tuo padre va in Itạlia con mio zio.** Your father is going to Italy with my uncle.

But if the noun is modified or is in the plural, the article is used.

> **Conosciamo il suo pịccolo fratεllo.** We know his little brother.
> **I nostri cugini ạbitano a Milano.** Our cousins live in Milan.

The article cannot be omitted if the possessive is **loro.**

> **La loro madre parte alle quattọrdici.** Their mother is leaving at two.

26. Direct object pronouns

The direct object is the person or thing which receives an action. For the first and second person the direct object can only be a person; so for the object pronouns all one has to decide is whether the object is singular or plural. When the direct object is the polite *you*, the singular form is **La** for both masculine and feminine, but in the plural **Li** is for the masculine and **Le** is for the feminine. Therefore, for persons the direct object pronouns are as follows:

	Singular		*Plural*	
1st person	**mi**	me	**ci**	us
2nd person	**ti**	you (*fam.*)	**vi**	you (*fam.*)
Polite form	**La**	you	**Li** (*m.*), **Le** (*f.*)	you

> **Ci accompagna alla stazione.** He accompanies us to the station.
> **Ɛcco Lisa Conti. La conosci?** Here's Lisa Conti. Do you know her?

In the third person the direct object may be a person or a thing. Therefore, in the third person there are four direct object pronouns, two for the singular and two for the plural.

3rd person	**lo**	him *or* it	**li**	them (*m.*)
	la	her *or* it	**le**	them (*f.*)

Li vediamo nel ristorante. We see them in the restaurant.
Il nụmero dọdici? Lo prɛnde quị. Number twelve? You get it here.

As you can see from the above examples, the direct object pronoun generally comes directly before the verb. However, when the direct object pronoun depends on an infinitive, it is attached to it after dropping the final **e** of the infinitive.

Non vɔgliono vederli ɔggi. They don't want to see them today.

27. Present indicative of andare, dare, fare, **and** venire

Here are four common verbs which are irregular in the present indicative:

	andare *to go*	dare *to give*	fare *to do, make*	venire *to come*
io	**vado**	**dɔ**	**fạccio** (*or* **fɔ**)	**vɛngo**
tu	**vai**	**dai**	**fai**	**viɛni**
egli, essa, Lɛi	**va**	**dà**	**fa**	**viɛne**
noi	**andiamo**	**diamo**	**facciamo**	**veniamo**
voi	**andate**	**date**	**fate**	**venite**
essi, esse, Loro	**vanno**	**danno**	**fanno**	**vɛngono**

WORD LIST

NOUNS

amico *m.* (**amica** *f.*) friend
caffɛ̀ *m.* coffee, breakfast
caffɛ̀ e latte (*or* **caffellatte**) *m.* coffee with milk
cena *f.* dinner (*evening*), supper
cioccolata *f.* (hot) chocolate
colazione *f.* breakfast, lunch
cucina *f.* cooking, kitchen
Luigi Louis
pasta *f.* (piece of) pastry
pranzo *m.* lunch, main meal
prɛzzo *m.* price
ristorante *m.* restaurant
self-service *m.* cafeteria
stɔria *f.* history

ADJECTIVES

eccellɛnte excellent
lịbero, -a free
mɛzzo, -a half
moderato, -a moderate

VERBS

accompagnare to accompany
conoscere to know
preferire (isco) to prefer

OTHER WORDS

ci to that place, there; — **vieni?** will you come?
domani tomorrow
magari in fact
perché because
presto quickly
subito immediately

EXPRESSIONS

Facciamo presto. Let's hurry.
Che ora è? What time is it?
a dieci tavole with ten tables
Arrivederci a più tardi. I'll see you later.

Related Vocabulary

NOUNS

caffè espresso *m.* black coffee
cappuccino *m.* coffee with hot milk
prima colazione *f.* breakfast (*American style*)
spremuta d'arancia *f.* orange juice

ADJECTIVES and EXPRESSIONS

bravo, -a fine
caldo, -a warm, hot
freddo, -a cold
fare colazione to have breakfast (*or* light lunch)

EXERCISES

I. Questions:

1. A che ora va a scuola Lei?
2. A che ora prende il caffè?
3. A che ora pranza Lei?
4. C'è un buon self-service all'università?
5. Che prende Lei per la prima colazione?
6. Prende spesso spremuta d'arancia?
7. A che ora è libero nel pomeriggio?
8. È grande un ristorante a dieci tavole?
9. È buona la cucina qui alla scuola?
10. Conosce Lei molte signorine?
11. Conosce molti giovani?
12. Che cosa fa Lei nel pomeriggio?

II. Supply the Italian for the possessive adjectives given in English:

1. Io faccio (*my*) lezione e Roberto fa (*his*) lezione.
2. Franco fa (*his*) lezioni e noi facciamo (*our*) lezioni.
3. Voi prendete (*your*) autobus e noi prendiamo (*our*) autobus.
4. Gli studenti prendono (*their*) caffè e latte in (*their*) camera.

5. I gi̤ovani prɛndono (*their*) libri e vanno a (*their*) lezioni.
6. Lɛi vede (*your*) amico e lui vede (*his*) amica.
7. Lɛi non vede (*your*) casa dall'università, ma io vedo (*my*) casa.
8. Voi preferite (*your*) banca perché non conoscete (*our*) banca.
9. Tu vuɔi (*your*) pastry e Luigi vuɔle (*his*) caffɛ̀.
10. Gli studɛnti pa̤rlano (*their*) inglese e il professore parla (*his*) italiano.

III. Change the phrases from the singular to the plural:

1. la sua lezione
2. il mio professore
3. la tua casa
4. il nɔstro pasto
5. la vɔstra cena
6. la loro ca̤mera
7. il loro zio
8. la mia poltrona
9. il nɔstro lɛtto
10. il loro tavolino
11. la Sua fermata
12. la nɔstra conversazione
13. il Suo ristorante
14. la vɔstra classe
15. la sua strada
16. il mio studɛnte

IV. Translate the following:

1. It's eleven o'clock.
2. It's half past four.
3. It's a quarter after five.
4. It's eight o'clock already.
5. It's noon now.
6. at two o'clock
7. at seven ten
8. at nine twenty
9. at twenty-three o'clock
10. at four P. M. (twenty-four hour system)
11. The plane leaves at three P. M. (twenty-four hour system).
12. The class begins at half past one.
13. Why don't you come at six?
14. Good-bye until eight.
15. The lesson ends at ten fifteen.

V. Verb forms. Supply the present indicative forms for the verbs in parentheses:

1. L'autista (andare, dare, fare, venire).
2. Luigi e Antɔnio (venire, fare, dare, andare).
3. Lɛi (volere, potere, dare, venire).
4. Io (venire, andare, dare, potere).
5. Noi (volere, finire, venire, fare).

VI. Use the Italian of each pair of sentences to translate the English:

1. Luigi accompagna Lisa. *Louis accompanies her.*
2. Lo studɛnte prɛnde l'a̤utobus alla stazione. *He takes it at the station.*
3. La sorɛlla presɛnta il fratɛllo all'amico. *She presents him to her friend.*
4. La signorina non conosce gli altri studɛnti. *The young lady does not know them.*
5. Noi prendiamo il caffɛ̀ alle ɔtto. *We take it at eight o'clock.*

6. Il professore comịncia la lezione alle ụndici. *He begins it at eight o'clock.*
7. Vẹndono la frutta a prɛzzo moderato. *They sell it at a moderate price.*
8. Possiamo andare al ristorante domani. *We can go there tomorrow.*
9. Franco non vuɔle spremuta d'arạncia. *Frank does not want it.*
10. Vẹdono gli studɛnti ogni giorno. *They see them every day.*

LETTURA (*Reading*)

■ *Il self-service in Itạlia*

Abbiamo un pịccolo ristorante vicino all'università. Anzi non ɛ̀ un ristorante; ɛ̀ un self-service. Il self-service ɛ̀ un ristorante di tipo americano. Per la prima colazione préndiamo un caffellatte o una cioccolata calda. Qualche vɔlta prendiamo anche una pasta, ma generalmente prendiamo soltanto una spremuta d'arạncia e un caffellatte. Per la colazione o per il pranzo andiamo a un altro ristorante in Via Toscana. Lì il pranzo ɛ̀ buɔno e i prɛzzi sono moderati. In Itạlia la cucina ɛ̀ eccellɛnte, anche nei pịccoli ristoranti.

Lesson 8

CURRENT USAGE

■ *In pensione*

IMPIEGATO: Buɔna sera, signọr Bonelli. Ha fatto una bɛlla passeggiata?
TURISTA: Hɔ fatto una pịccola passeggiata, ma adɛsso piɔve.
IMPIEGATO: Peccato! Generalmente fa bɛl tɛmpo quị in aprile. Non fa caldo e c'ɛ̀ sɛmpre un bɛl sole.
TURISTA: Ɔggi invece ha piovuto. — La mia chiave, per favore.
IMPIEGATO: Ɛcco la chiave. Abbiamo cambiato la Sua cạmera. La nuɔva cạmera ha più luce.
TURISTA: Bɛne, grạzie. Scu*s*i, vedo che lɛgge il giornale inglese. Dove ha imparato l'inglese?
IMPIEGATO: Hɔ viaggiato negli Stati Uniti. Hɔ studiato nel Texas e nella Califɔrnia.
TURISTA: Allora conosce bɛne gli Stati Uniti. Che studi ha fatto?
IMPIEGATO: Hɔ studiato il canto, ma ora lavoro quị di nɔtte, perché bi*s*ogna vịvere.
TURISTA: La mụ*s*ica ɛ̀ una lunga carriɛra. Va spesso all'ɔpera?
IMPIEGATO: Vado quando pɔsso. I biglietti sono cari.
TURISTA: Da noi ci sono biglietti gratis per studɛnti quando ci sono posti lịberi. Bi*s*ogna perɔ̀ aspettare fino all'ụltimo momento.
IMPIEGATO: Da noi non ci sono biglietti gratis nemmeno quando ci sono posti lịberi.
TURISTA: Ogni carriɛra ɛ̀ diffịcile. Io sono quị in Itạlia per studiare medicina. Da noi ɛ̀ molto diffịcile entrare in una buɔna scuɔla di medicina.
IMPIEGATO: Anche in Itạlia ɛ̀ diffịcile. Le ạuguro buɔna fortuna.
TURISTA: Buɔna fortuna anche a Lɛi col Suo canto. Vado in cạmera a studiare. Buɔna sera.

PRONUNCIATION AND SPELLING HINTS

The English *k*-sound

The **k**-sound in Italian is similar to the English *c* in *cat* or the *k* in *kite*. In spelling it is represented by **c** before **a, o,** or **u** (**ca, co, cu**), as in **casa, amico,** or **scu*s*i.** However, before **e** or **i** the *k*-sound is spelled **ch** (**che, chi**), and you must keep in mind that the *h* is just a spelling device to produce the **k**-sound. You have seen it in words like **anche, che, chi.** Pronounce the following words after the speaker and notice the spelling:

cạmera, casa, come, corto, scu*s*i, cugino
amiche, pɔche, perché, chi, pɔchi, ricchi

When the English *k*-sound is followed in Italian by a **y**-sound (called *yod*) before another vowel, it is spelled **chi** plus that vowel (**chia, chie,**

chio, chiu). You will see it in words like **chiama, chiɛsa** (*church*), **ɔcchio** (*eye*), **chiụdere** (*to close*). Pronounce the following words after the speaker:

chiamare, chiave, chiɛsa, chiɛde, chiɔdo (nail), **ɔcchio, chiụdere, chiuso**

In summary, the English *k*-sound presents a spelling rather than a pronunciation problem.

The English g-sound

The **g**-sound (or hard **g**) in Italian is similar to the English *g* in *go* or *gap*. In spelling it is represented by a **g** before **a, o,** or **u** (**ga, go, gu**). You see it in words like **pagare, albɛrgo, gusto** (*taste*). Again, before **e** or **i** the English *g*-sound is spelled with an **h** (**ghe, ghi**). The **h** is just a spelling device to produce the hard **g**-sound. You see it in words like **albɛrghi, laghi, lunghe.** Pronounce the following words after the speaker and notice the spelling:

paga, pago, lungo, lunga, gusto, gustoso
paghi, lunghi, lunghe, albɛrghi, laghi, paghe

When the English *g*-sound is followed in Italian by a **y**-sound before another vowel, it is spelled **ghi** plus that vowel (**ghia, ghie, ghio, ghiu**). There are only a few words in this category, but you should learn how to pronounce them when you see them in print, because in Italian the spelling generally gives you the pronunciation.

ghiotto (glutton), **ghiạccio** (ice), **ghianda** (acorn), **paghiamo**

Bear in mind, therefore, that in Italian spelling the letter **h** is used after **c** or **g** to make the "hard" sound before **e** or **i.**

The Italian long consonant

In Italian the double consonant in writing is really a long consonant in pronunciation. It is not two consonants in rapid succession, but a holding of the position of the vocal organs forming the consonant, thus giving an explosive quality to the sound when it is released. Learning to pronounce the double consonant is one of the most difficult skills for the English speaker to acquire, because the long consonant does not exist in English in the same way as it does in Italian. Moreover, the vowel preceding the long consonant is slightly shorter than the same vowel preceding the single consonant. Listen carefully to the following pairs and imitate exactly:

fɔto — ɔtto	**Rico — ricco**
cạcio — cạccio	**cela — cɛlla**
bɛla — bɛlla	**mese — messe**
ɛco — ɛcco	**ala — alla**

The long consonant occurs not only when there are two consonants between vowels, but also (1) at the beginning of a word, (2) when there is a single consonant following a preposition ending in a vowel, or (3) after words ending in an accented vowel. This type of long consonant varies greatly in the different regions of Italy. Listen carefully and imitate closely:

a‿che ora?	**ɛ̀‿di Roma**
tutti e‿due	**ciɔ̀‿che voglio**
più‿che mai	**già‿che viɛne**

STRUCTURE

28. Weather

Following are some of the common expressions about the weather:

Che tɛmpo fa ɔggi? How is the weather today?
Fa bɛl tɛmpo. The weather is fine.
Fa cattivo tɛmpo. The weather is bad.
Fa caldo. It's warm.
Fa molto caldo. It's hot.
Fa fresco. It's chilly.
Fa freddo. It's cold. **Fa molto freddo.** It's very cold.
Piɔve. It's raining. It rains.
Nẹvica. It's snowing. It snows.

With most expressions about the weather Italian uses the verb **fare.** Naturally there are some verbs which in themselves apply to the weather, such as **piɔvere** and **nevicare.**

29. Past participle

The past participle of regular verbs is formed by taking the stem and adding **-ato** for the first conjugation, **-uto** for the second, and **-ito** for the third. Notice the following models:

I	II	III
parlare to speak	**vẹndere** to sell	**finire** to finish, **dormire** to sleep
parlato spoken	**venduto** sold	**finito** finished, **dormito** slept

The past participle for regular verbs of the third conjugation always ends in **-ito,** even with **-isco** verbs. Many verbs have irregular past participles. Following are some of the common ones that you have had:

fare — fatto **dire — detto** **vedere — visto** (*or* **veduto**)
prɛndere — preso **venire — venuto**

The past participle may be used as an ordinary adjective, or, more commonly, to form compound tenses of verbs.

La lịngua parlata. The spoken language.
Ha parlato la lịngua italiana. He spoke the Italian language.

30. Present perfect (Passato prɔssimo)

The present perfect tense expresses an action which took place in the past, but in a period of time which is not over. It is therefore used for past actions which have taken place on the same day, in the same week, in the same month, etc. The period of time may be either expressed or understood. **Hɔ parlato** corresponds to *I have spoken* or *I spoke;* **Lɛi ha parlato** corresponds to *you have spoken* or *you spoke,* etc.

The present perfect is formed by the present tense of **avere** (in some cases **ɛssere**), followed by the past participle of the verb to be conjugated. In this lesson we study only the verbs which take **avere.** In Lesson 9 you'll study the verbs which take **ɛssere.** Here are the models:

	I	II	III
	parlare *to speak*	**vẹndere** *to sell*	**finire** *to finish*
io	**hɔ parlato**	**hɔ venduto**	**hɔ finito**
tu	**hai parlato**	**hai venduto**	**hai finito**
egli, essa, Lɛi	**ha parlato**	**ha venduto**	**ha finito**
noi	**abbiamo parlato**	**abbiamo venduto**	**abbiamo finito**
voi	**avete parlato**	**avete venduto**	**avete finito**
essi, esse, Loro	**hanno parlato**	**hanno venduto**	**hanno finito**

Abbiamo cambiato la Sua cạmera. We changed your room (today).
Hɔ studiato il canto. I studied singing (I have been studying).

31. Indirect object pronouns: Forms and position

The indirect object refers to the person to whom or for whom an action is done. For the first and second persons the indirect object pronouns are the same as the direct object pronouns. The third person pronouns, which include the polite *you,* are the forms on which you must concentrate. Here is the complete list of indirect object pronouns:

Singular	*Plural*
mi to *or* for me	**ci** to *or* for us
ti to *or* for you (*fam.*)	**vi** to *or* for you (*fam.*)
gli to *or* for him	**loro** to *or* for them
le to *or* for her	
Le to *or* for you (*pol.*)	**Loro** to *or* for you (*pol.*)

The indirect object pronouns generally precede the verb, in the same way as the direct object pronouns. However, the pronoun **loro** always comes after the verb and is not attached. When an object pronoun (other than **loro**) depends on an infinitive, it is attached to the infinitive after dropping the final **e.**

Gina vuɔle parlargli. Gina wants to talk to him.

There are further rules about the position of object pronouns, which you will learn when we take up command forms.

WORD LIST

NOUNS

biglietto *m.* ticket
caldo *m.* heat; **fa —**, it's warm; **fa molto —**, it's hot
canto *m.* singing, song
carriɛra *f.* career, line of work
chiave *f.* key
fortuna *f.* luck
freddo *m.* cold; **fa —**, it's cold
giornale *m.* newspaper
impiegato *m.* clerk
luce *f.* light
medicina *f.* medicine
momento *m.* moment
nɔtte *f.* night
ɔpera *f.* opera; work
passeggiata *f.* walk, stroll; **fare una —**, to take a stroll
posto *m.* place, seat
sole *m.* sun; sunshine
tɛmpo *m.* weather; time

ADJECTIVES

caldo, -a warm
diffịcile difficult, hard
freddo, -a cold
gratis free
tutto, -a all, the whole
ụltimo, -a last

VERBS

aspettare to wait (for)
augurare to wish
cambiare to change
entrare to enter
lavorare to work
piɔvere to rain
viaggiare to travel
vịvere to live

OTHER WORDS

fino (a) until
generalmente generally
sɛmpre always

EXPRESSIONS

fare una passeggiata to take a stroll
Peccato! Too bad!
fare gli studi to carry on studies
di nɔtte at night

Related Vocabulary

NOUNS

biglietteria *f.* ticket office
Eurɔpa *f.* Europe

ADJECTIVES

fạcile easy
impossịbile impossible
possịbile possible

VERBS

nevicare to snow
presentare to present
rispọndere to answer

EXPRESSIONS

di giorno during the day
di sera in the evening

EXERCISES

I. Questions:

1. Ha fatto una passeggiata Lɛi ɔggi?
2. Che tɛmpo fa adɛsso?

3. Fa freddo quị nell'invɛrno?
4. C'ɛ̀ sɛmpre un bɛl sole in mạggio?
5. Ha viaggiato Lɛi in Itạlia?
6. Stụdia il canto Lɛi, signorina?
7. Va spesso all'ɔpera?
8. Ha comprato biglietti per l'ɔpera?
9. Stụdia medicina Lɛi, signorina?
10. Ɛ̀ diffịcile la carriɛra del canto?
11. Quale carriɛra ɛ̀ fạcile?
12. Ha imparato molto Lɛi in questa classe?

II. Translate the following sentences about the weather:

1. How is the weather today?
2. The weather is bad where we are (**da noi**).
3. It's hot in the summer.
4. It's very cold in the winter.
5. It rains often in the spring.
6. It snows when it's cold.
7. Why don't you live in California?
8. The weather there is generally fine.
9. Has it rained here today?
10. Did it snow?
11. Is it hot in the spring?
12. Is it cold in the summer?

III. Supply the present perfect forms for the verbs in parentheses:

1. I giọvani (fare) una passeggiata.
2. Il signore (studiare) il canto.
3. Lɛi (comprare) i biglietti alla biglietteria.
4. Noi (cambiare) la cạmera.
5. Tu (lavorare) molto questa settimana.
6. Voi (finire) le lezioni di letteratura.
7. Noi (fare) gli studi a Roma.
8. Gli studɛnti (prɛndere) i posti lịberi.
9. Mio padre (viaggiare) in Eurɔpa.
10. Ɔggi (fare) molto caldo.
11. Questo mese (fare) freddo.
12. Questa settimana (piɔvere) molto.
13. Lɛi (studiare) medicina in Itạlia.
14. Gli alunni (studiare) all'università.
15. L'impiegato (prɛndere) l'ạutobus.
16. Gina (parlare) all'autista.
17. Voi (aspettare) due ore.
18. Tu (aspettare) fino all'ụltimo momento.

19. Noi (imparare) pɔco in classe.
20. Luigi non (imparare) i nụmeri da uno a venti.

IV. Rewrite the sentences, substituting indirect object pronouns for the words in italics:

1. Lisa parla spesso *al professore.*
2. Il professore non parla spesso *a Lisa.*
3. Noi diamo i biglietti *agli alunni.*
4. Tu non dai il biglietto *all'impiegato.*
5. Sua madre ha comprato un televisore *per Luigi.*
6. Suo padre ha comprato dei libri *per Lisa.*
7. La professoressa ha detto buɔn giorno *a Franco.*
8. Noi rispondiamo sụbito *ai giọvani.*
9. Io presɛnto il mio amico *a Gina.*
10. Essi presɛntano la loro madre *a Enzo.*
11. Perché non risponde *a Lisa?*
12. Rosa risponde sụbito *a Franco.*

V. Use the Italian of each pair of sentences to translate the English:

1. Ha fatto una bɛlla passeggiata? *Yes, I took a fine walk.*
2. Scusi, dove ha imparato l'inglese? *I learned English at the university.*
3. Fa bɛl tɛmpo nella primavɛra. *It's not fine weather in the summer.*
4. Fa caldo quị in giugno. *It's cold here in November.*
5. Lavoriamo di nɔtte. *The clerk does not work during the day.*
6. Vado all'ɔpera quando pɔsso. *She goes to the opera when she can.*
7. Non pɔssono andare a scuɔla di sera. *They work in the evening.*
8. Ci sono posti lịberi qualche vɔlta. *There are free tickets sometimes.*
9. Ogni carriɛra ɛ̀ diffịcile. *Even medical school is difficult.*
10. Le ạugura buɔna fortuna. *She wishes me good luck.*

LETTURA (*Reading*)

■ *Fa bɛl tɛmpo in Itạlia*

Da noi il tɛmpo ɛ̀ variạbile. Nell'invɛrno fa molto freddo e nell'estate fa caldo. Nella primavɛra, invece, fa bɛl tɛmpo e generalmente c'ɛ̀ un bɛl sole. Bisogna perɔ̀ aspettare fino ad aprile per il bɛl tɛmpo, perché in marzo piɔve e fa freddo. In Itạlia la primavera arriva alla fine di febbrạio. In aprile già fa caldo e le giornate sono bɛlle. Di giorno facciamo passeggiate e di sera conversiamo in salɔtto o ascoltiamo [*listen to*] l'ɔpera. Possiamo andare spesso all'ɔpera perché i biglietti non sono cari. Io sono quị in Itạlia per studiare il canto. In Itạlia anche gli uccɛlli [*birds*] cantano la mụsica operịstica [*operatic*].

The quiet waters of the Arno conceal the action on the Ponte Vecchio in Florence.

A ferry joins Sicily to the rest of Italy.

SECOND REVIEW LESSON

Cover the English part of the page and guess as much of the Italian as possible. Many of the new words are cognates of English words, so you should refer to the English only when you just can't make any sense of a word or phrase. You are not expected to remember all the new words, but you may recognize the meanings when you see or hear them next time.

■ *La geografia dell'Italia**

L'Italia è uno stivale nel Mediterraneo, con una palla di calcio al piede e una seconda palla a mezz'aria (la Sicilia e la Sardegna). Le Alpi sono alte montagne che separano il paese dal resto dell'Europa, come una siepe che protegge il giardino dai freddi del nord. Gli Appennini sono montagne minori che separano le regioni del Mar Tirreno dalle regioni del Mare Adriatico. Il grande stivale si bagna continuamente nel Mare Ionio, rinfrescandosi nell'estate e riscaldandosi nell'inverno. La natura ha provveduto tutte le comodità per questo piede unico che ha servito per tanti secoli come base della civiltà moderna.

Italy is a boot in the Mediterranean, with a football at its foot and a second one halfway in the air (Sicily and Sardinia). The Alps are high mountains which separate the country from the rest of Europe, like a hedge which protects the garden from the cold of the north. The Appennines are smaller mountains which separate the regions of the Tyrrhenian Sea from the regions of the Adriatic Sea. The big boot bathes continually in the Ionian Sea, cooling off in the summer and warming up in the winter. Nature has provided all the conveniences for this single foot which has served for so many centuries as the basis of modern civilization.

Le regioni dell'Italia sono venti, ma i vecchi Italiani in America ne ricordano soltanto sedici dai giorni quando studiavano la geografia in Italia. Dopo la Seconda Guerra Mondiale l'Italia formò tre nuove regioni nel nord, cioè la Valle d'Aosta, l'Alto Adige (Trentino), e la Venezia Giulia. Ultimamente poi, nell'Italia Centrale, il Molise si è separato dagli Abruzzi e forma una regione da sé. Ora gli abruzzesi in America devono decidere se sono veramente abruzzesi o molisani; ma chi ha mai sentito parlare di molisani in America?

The regions of Italy are twenty, but older Italians in America remember only sixteen from the days when they used to study geography in Italy. After the Second World War Italy formed three new regions in the north, namely Valle d'Aosta, Upper Adige (Trentino), and Venezia Julia. Lately, moreover, in Central Italy, Molise separated from Abruzzi and became a region of its own. Now the Abruzzesi in America have to decide whether they are really

* Remember that in the Review Lesson we do not give diacritical marks for pronunciation. The Italian is printed just as you would find it in any book.

Abruzzesi or Molisani; but who has ever heard of Molisani in America?

Alcune delle regioni dell'Italia sono più famose delle altre nella storia, e gli abitanti ci tengono alla loro storia. Fra gli Americani, tutti quelli che vengono dall'Italia sono Italiani, e basta. Ma fra gli Italiani si parla di piemontesi, lombardi, veneziani, toscani, abruzzesi, pugliesi, calabresi, siciliani, ecc. Altri sono conosciuti dalla città principale della regione; come, per esempio, torinesi, milanesi, genovesi, fiorentini, romani, pisani, napoletani, baresi, ecc. Avete notato quanti di questi nomi sono cognomi di famiglie italiane che conoscete? Anzi potete ricostruire la geografia dell'Italia dai cognomi che si trovano nell'elenco telefonico.

Some of the regions are more famous than others in history, and the inhabitants are proud of their history. Among Americans, everybody who comes from Italy is an Italian and that's that. But among Italians one mentions Piedmontese, Lombardians, Venetians, Tuscans, Abruzzese, Pugliese, Calabrese, Sicilians, etc. Others are known from the principal city of the region; as, for example, Turinese, Milanese, Genovese, Florentines, Romans, Pisans, Neapolitans, Barese, etc. Did you notice how many of these names are actually last names of families that you know? In fact, you can reconstruct the geography of Italy from the last names that you find in a telephone directory.

I grandi fiumi dell'Italia sono quattro, due nel nord e due nell'Italia centrale. L'Adige attraversa il Trentino (o Alto Adige) e il Veneto, e va a finire vicino a Venezia. Il Po forma la più grande e la più fertile pianura dell'Italia. Infatti la pianura del Po è il centro industriale e commerciale del paese. L'Arno attraversa la Toscana, cioè il centro culturale e artistico dell'Italia. E il Tevere passa per Roma e attraversa i secoli della storia umana. L'Italia intera è più piccola della California, ma ha più di cinquanta milioni di abitanti, con più di venti milioni di discendenti che sono qui in America. Possiamo bene parlare di un retaggio italiano nel mondo moderno.

There are four large rivers in Italy, two in the north and two in central Italy. The Adige crosses Trentino (or Upper Adige) and Veneto, and ends up near Venice. The Po forms the largest and most fertile plain in Italy. In fact, the valley of the Po is the industrial and commercial center of the country. The Arno flows through Tuscany, which is the cultural and artistic center of Italy. And the Tiber passes through Rome and crosses centuries of human history. The whole of Italy is smaller than California, but it has more than fifty million inhabitants, together with more than twenty million descendants who are here in America. We can well speak of an Italian heritage in the modern world.

Domande e risposte (Questions and Answers)

One student reads a statement and then asks a question based on it. Another student will answer the question with the original statement or something close to it. Continue the process with additional statements and questions of your own.

1. L'Italia ha la forma di uno stivale.	— Che forma ha l'Italia?
2. La Sicilia e la Sardegna sono due isole dell'Italia.	— Quali sono due isole dell'Italia?
3. Le Alpi sono montagne molto alte.	— Che sono le Alpi?
4. Gli Appennini sono montagne meno alte.	— Che sono gli Appennini?
5. Il Mar Tirreno è alla sinistra dell'Italia.	— Dov'è il Mar Tirreno?
6. Il Mare Adriatico è alla destra dell'Italia.	— Dov'è il Mare Adriatico?
7. L'Italia ha venti regioni adesso.	— Quante regioni ha l'Italia adesso?
8. Quattro regioni sono nuove dopo la Seconda Guerra.	— Quante regioni sono nuove dopo la Seconda Guerra?
9. Alcune regioni sono più famose delle altre.	— Sono più famose delle altre alcune regioni?
10. L'Italia ha quattro fiumi principali.	— Quanti fiumi principali ha l'Italia?
11. L'Italia è più piccola della California.	— L'Italia è più grande della California?
12. L'Italia ha più di cinquanta milioni di abitanti.	— Quanti abitanti ha l'Italia?

EXERCISES

I. Looking at the map at the beginning of the book, answer the following questions orally in class. The purpose of this exercise is to familiarize you with the map of Italy.

1. Qual è la città principale del Piemonte?
2. Qual è la città più grande della Lombardia?
3. In che regione è la città di Venezia?
4. Qual è la città principale della Liguria?
5. Sono nella Toscana Pisa e Firenze?
6. Bologna è lontana da Firenze?
7. Qual è la capitale d'Italia?
8. Qual è la città più grande della Campania?
9. In che regione è la città di Bari?

10. Calabria è vicina alla Sicilia?
11. Palermo e Messina, sono nella Sicilia?
12. La Sardegna è isola italiana?

II. Verb forms. Supply the present indicative forms for the verbs in parentheses:

1. Lei, signora, (finire, capire, preferire).
2. Anche tu (capire, finire, partire).
3. Noi studenti (aspettare, entrare, lavorare).
4. Voi impiegati (prendere, vedere, vendere).
5. Le signorine (comprare, studiare, imparare).
6. Io (fare, dare, venire).
7. Lei, signore, (volere, potere, venire).
8. Noi tutti (avere, essere, potere).
9. Voi alunni (conoscere, capire, potere).
10. Loro (capire, finire, partire).

The Alps attract skiers from everywhere.

III. Supply the present perfect forms for the verbs in parentheses:

1. Noi (fare) colazione alle sette.
2. Gina (lavorare) nella biglietteria.
3. Oggi (piovere) molto e (fare) freddo.

4. L'impiegato (augurare) buona fortuna.
5. I turisti (pranzare) all'albergo.
6. La signora (cambiare) la camera.
7. Voi (cominciare) gli studi.
8. Il professore (conversare) con gli studenti.
9. I fratelli (accompagnare) le sorelle.
10. Tu (finire) la colazione presto.

IV. Rewrite the sentences, substituting direct object pronouns for the words in italics:

1. Essi imparano *la lingua* presto.
2. Franco vede *gli amici* sull'autobus.
3. Lei conosce *la signorina?*
4. Compriamo *i biglietti* alla biglietteria.
5. I turisti pagano *la tariffa.*
6. Voi non conoscete *l'impiegato.*
7. Lei capisce bene *l'italiano.*
8. Mettono *il denaro* alla banca.
9. Vediamo *le studentesse* nel ristorante.
10. Tu presenti *la sorella* a Roberto.

V. Rewrite the sentences, substituting indirect object pronouns for the words in italics:

1. Lo studente risponde subito *alla professoressa.*
2. L'impiegato dà la chiave *al signore.*
3. Noi diamo la chiave *alle signorine.*
4. La madre ha comprato un biglietto *per Enzo.*
5. Il professore ha parlato *a me.*
6. La signora vende i biglietti *a noi.*
7. Voi rispondete bene *al professore.*
8. Io rispondo *a mia zia.*
9. Essi parlano *alla signora* nel salotto.
10. Noi parliamo *agli studenti* nell'aula.

VI. Supply the Italian for the possessive adjectives and prepositions given in English:

1. Abbiamo venduto (*our*) casa.
2. Hanno comprato (*their*) casa.
3. Lei prende (*your*) biglietti.
4. Io prendo (*my*) biglietti.
5. Tu vedi (*your*) padre.
6. Tu non vedi (*your*) fratelli.
7. Voi preferite (*your*) albergo.

8. Essi preferiscono (*their*) albergo.
9. (*Our*) classe d'italiano è piccola.
10. (*Her*) classe d'italiano è grande.
11. (*His*) madre non è americana.
12. (*Her*) fratello si chiama Carlo.
13. (*My*) professore viene dall'Italia.
14. (*Our*) università ha molti studenti.
15. (*Their*) scuola è piccola.
16. Ha cambiato (*his*) camera.
17. Ecco (*your*) chiave, signore.
18. Pranziamo (*in our*) ristorante.
19. Roberto va (*to his*) casa.
20. Gli alunni parlano (*to their*) professore.

Modern apartments are common
in the cities and in the suburbs.

Lesson 9

CURRENT USAGE

■ *Una vịsita*

Ɛnzo ha un cugino, Carlo, che ạbita in periferia, non lontano dall'università. Il cugino ɛ̀ venuto a prɛnderlo con la sua pịccola FIAT e l'ha portato all'appartamento dove ạbita. Quando sono arrivati Ɛnzo ha fatto molte domande al cugino perché vuɔle comprɛndere la vita italiana.

CARLO: Ɛccoci arrivati alla mia casa. Hɔ un pịccolo appartamento al quarto piano.

ɛNZO: Al quarto piano? Vuɔl dire al quinto piano all'u*s*o nɔstro. C'ɛ̀ l'ascensore?

CARLO: Sì, c'ɛ̀ un pịccolo ascensore, sufficiente per quattro persone. Ɛccolo quạ. Hɔ messo una moneta da diɛci lire e l'ascensore ɛ̀ salito.

ɛNZO: Cɔs'ɛ̀ questo? Bi*s*ogna pagare per l'ascensore? Questa sì che ɛ̀ una novità!

CARLO: Quị in Itạlia molti appartamenti sono così. L'ascensore non funziona se non mettiamo la moneta da diɛci lire.

ɛNZO: E se la moneta non c'ɛ̀?

CARLO: Allora c'ɛ̀ la scala. Ɛ̀ buɔna per mantenere la lịnea.

ɛNZO: Ma negli albɛrghi non bi*s*ogna pagare per l'ascensore, mi pare.

CARLO: Negli albɛrghi si paga in altro mɔdo. Per e*s*ɛmpio, quanto paghi tu per la cạmera?

ɛNZO: La cạmera con bagno? Diecimila lire al giorno, incluso il caffɛ̀.

CARLO: Bravo, il caffɛ̀ costa trecɛnto lire. L'albɛrgo può bɛne pagare le diɛci lire per l'ascensore. Con diecimila lire pago l'appartamento per una settimana.

ɛNZO: Da noi un appartamento così costa molto di più. Noi abbiamo una casa in periferia, fuɔri della città, con un bɛl prato tutt'intorno.

CARLO: Allora ɛ̀ un villino. Godete sɛmpre l'ạria fresca, senza inquinamento.

ɛNZO: Purtrɔppo c'ɛ̀ l'inquinamento anche fuɔri della città, ma molto meno. Perché non viɛni a vi*s*itarci lì in Amɛrica?

CARLO: Qualche giorno magari, ma prima dɛbbo fare fortuna quị in Itạlia.

SPELLING HINTS

The English *sk*-sound

The *sk*-sound, as in the English word *sky*, is represented in Italian as follows:

1. Beforc **a, o,** or **u** it is written **sc** (**sca, sco, scu**).

   scala (stairway), **scarpa** (shoe), **scɔpo** (purpose), **scuɔla**

2. Before **e** or **i** it is **sch** (**sche, schi**)

   schermo (screen), **scherzo** (jest), **Breschi, Schipa**

3. When followed by a y-sound (yod), it is spelled **schi** + vowel (**schia, schie, schio, schiu**).

   schiarire (to clarify), **schiɛna** (back), **schiɔppo** (rifle), **schiụdere** (to open)

The English *sh*-sound

The *sh*-sound, as in the English word *shoe,* is represented in Italian as follows:

1. Before **a, o,** or **u** it is **sci** (**scia, scio, sciu**).

   lasciare (to leave), **lạscio** (I leave), **sciupare** (to damage)

2. Before **e** or **i** it is **sc** (**sce, sci**).

   scẹndere (to go down), **capisci** (you understand), **scɛna** (scene), **sci** (skiing)

Notice that the **ch** in Italian is never pronounced like *ch* in English. It is always like the English *k*-sound.

Cherubini, perché, anche, bianchi (white), **pɔchi** (few)

STRUCTURE

32. Present perfect of verbs with ɛssere

In forming the present perfect and other compound tenses some verbs are conjugated with **ɛssere** instead of **avere**[1]; that means the correct forms of the present of **ɛssere** followed by the past participle. Remember that the past participle in this case is really an adjective and therefore has to agree in gender and number with the subject of the verb. Following are models of verbs conjugated with **ɛssere:**

---

[1] All transitive verbs (those which can take a direct object) are conjugated with **avere.** Intransitive verbs of motion are conjugated with **ɛssere.** The others you have to learn.

	I **andare** *to go*	II **cadere** *to fall*	III **partire** *to leave*
io	**sono andato, -a**	**sono caduto, -a**	**sono partito, -a**
tu	**sɛi andato, -a**	**sɛi caduto, -a**	**sɛi partito, -a**
egli	**ɛ̀ andato**	**ɛ̀ caduto**	**ɛ̀ partito**
essa	**ɛ̀ andata**	**ɛ̀ caduta**	**ɛ̀ partita**
Lɛi	**ɛ̀ andato, -a**	**ɛ̀ caduto, -a**	**ɛ̀ partito, -a**
noi	**siamo andati, -e**	**siamo caduti, -e**	**siamo partiti, -e**
voi	**siɛte andati, -e**	**siɛte caduti, -e**	**siɛte partiti, -e**
essi	**sono andati**	**sono caduti**	**sono partiti**
esse	**sono andate**	**sono cadute**	**sono partite**
Loro	**sono andati, -e**	**sono caduti, -e**	**sono partiti, -e**

33. Some verbs conjugated with ɛssere

Here is a list of some common verbs conjugated with **ɛssere.** The verbs that have a regular past participle are in the left column and those that have an irregular past participle are in the right column.

andare to go
cadere to fall
costare to cost
entrare to enter
partire to leave
salire to go up
sembrare to seem

ɛssere (*p.p.* **stato**) to be
parere (*p.p.* **parso**) to seem
venire (*p.p.* **venuto**) to come
vịvere (*p.p.* **vissuto**) to live (*sometimes conjugated with* **avere**)

Il cugino ɛ̀ venuto a prɛnderlo. The cousin came to get him.
I giọvani sono saliti all'appartamento. The young men went up to the apartment.

34. Agreement of past participles

When a verb is conjugated with **ɛssere** the past particle agrees in gender and number with the subject.

La cugina ɛ̀ venuta a prɛnderli. The cousin came to get them.
Sono arrivati alle quattro. They arrived at four o'clock.

When a verb is conjugated with **avere** the past participle remains unchanged unless there is a direct object pronoun preceding the verb. If the direct object pronoun comes before the verb, the past participle agrees with it in gender and number.

Li abbiamo accompagnati. We accompanied them.
Le hɔ viste all'albɛrgo. I saw them in the hotel.

Telephoning in Italy
is complicated.

35. Irregular past participles

In Section 29 you learned the past participles of some common verbs, namely **fare — fatto, prɛndere — preso, dire — detto, venire — venuto,** and **vedere — visto** (*or* **veduto**). Here are the irregular past participles of some other common verbs you have had:

ɛssere — stato, -a	**rispọndere — risposto**	**inclụdere — incluso**
mẹttere — messo	**vịvere — vissuto, -a**	**comprɛndere — compreso**

Costa diecimila lire, incluso il caffɛ̀. It costs ten thousand lire, including coffee.

Non mi hanno risposto. They did not answer me.

36. Numerals. Cardinal numbers from 20 on

20	**venti**	70	**settanta**
30	**trenta**	80	**ottanta**
40	**quaranta**	90	**novanta**
50	**cinquanta**	100	**cɛnto**
60	**sessanta**		

To form the numerals from one multiple of ten to the next multiple notice the following rules:

For the 1 and the 8, drop the last vowel of the multiple of ten and add **uno** or **ɔtto: ventuno, ventɔtto, trentuno, trentɔtto,** etc.

For the 3, add the word **tre** to the multiple and add an accent on the **tre: ventitré, trentatré,** etc.

For the other numbers, simply add the single digit to the number: **ventisɛi, trentanɔve, cinquantaquattro,** etc.

For the hundreds, the single digit comes before the word **cɛnto** and is attached to it.

200	**duecɛnto**	600	**seicɛnto**
300	**trecɛnto**	700	**settecɛnto**
400	**quattrocɛnto**	800	**ottocɛnto**
500	**cinquecɛnto**	900	**novecɛnto**

The word for 1000 is **mille,** but the word for thousands is **mila** (*f.*). To form the words for thousands, place the smaller number before the word **mila** and attach it: **duemila, tremila,** etc. In Italian you can use the word **mila** with any number before it and speak of as many thousands as you want; but with the hundreds you can only go up to **novecɛnto** and then it turns into the thousand series.

Ci sono mille e quattrocɛnto abitanti. There are fourteen hundred inhabitants.

From one million on the numbers are: **un milione, due milioni,** etc., with the smaller number written separately.

WORD LIST

NOUNS

appartamento *m.* apartment
ạria *f.* air
ascensore *m.* elevator
Carlo Charles
città *f.* city
cugino *m.* (**cugina** *f.*) cousin
domanda *f.* question
esɛmpio *m.* example
FIAT *f.* *make of car*
inquinamento *m.* pollution
lịnea *f.* line; figure
mɔdo *m.* way
moneta *f.* coin; — **da diɛci lire** *f.* ten-lire coin
periferia *f.* outskirts, suburbs
piano *m.* floor, story
scala *f.* stairway, stairs
villino *m.* (*separate*) house
vịsita *f.* visit

ADJECTIVES

fresco, -a fresh, cool
quarto, -a fourth
quinto, -a fifth
sufficiɛnte enough, sufficient

VERBS

abitare to live
comprɛndere *irr.* to understand
godere to enjoy
funzionare to work, function
includere (*p.p.* **incluso**) to include
mantenere to keep, maintain

parere *irr.* to seem
salire *irr.* to go up; **ɛ̀ salito** it went up
visitare to visit

OTHER WORDS

fuɔri outside
prima *adv.* first
purtrɔppo still
senza without

EXPRESSIONS

Questa sì che ɛ̀ una novità. This is really something new.
Mi pare. It seems to me, I think.
Bravo! Fine!
molto di più much more; **molto meno** much less
tutt'intorno all around
Dɛbbo fare fortuna. I must make some money.

Related Vocabulary

abbastanza *adv.* enough, sufficiently
automɔbile *f.* (*or* **mạcchina** *f.*) car
bastante *adj.* enough, sufficient
collɛgio *m.* boarding school; campus
problɛma *m.* problem
scala mɔbile *f.* escalator
stamattina (*or* **stamane**) this morning

EXERCISES

I. Questions (based on the text):

1. Chi ạbita in periferia, non lontano dall'università?
2. Con che mạcchina ɛ̀ venuto il cugino?
3. Perché ha fatto molte domande Ɛnzo?
4. A che piano ɛ̀ l'appartamento di Carlo?
5. Per che cɔsa ɛ̀ buɔna la scala?
6. Nell'albergo di Ɛnzo, ɛ̀ incluso il caffɛ̀ con la cạmera?
7. Bisogna pagare per l'ascensore nell'albɛrgo?
8. La famiglia di Ɛnzo ạbita fuɔri della città, in periferia?
9. C'ɛ̀ inquinamento anche fuɔri della città?
10. Carlo vuɔle visitare l'Amɛrica qualche giorno?

II. Questions (between students):

1. A che ora sɛi arrivato stamattina?
2. Con chi sɛi venuto a scuɔla?
3. Avete un pịccolo appartamento quị all'università?
4. Costa molto un appartamento?
5. Ạbiti in collɛgio quest'anno?
6. C'ɛ̀ una scala mɔbile nell'appartamento?
7. C'ɛ̀ un ascensore sufficiente per quattro persone?

8. Avete un bɛl prato tutt'intorno alla vɔstra casa?
9. C'ɛ̀ inquinamento nella vɔstra città?
10. Ɛ̀ un gran problɛma l'inquinamento?

III. Supply the present perfect forms for the verbs in parentheses:

1. Stamattina noi (andare) al musɛo.
2. Anche le nɔstre cugine (venire) al musɛo.
3. Noi tutti (partire) alle ɔtto e mɛzza.
4. Questo mese io (ɛssere) sɛmpre in casa.
5. Dove (andare) Lɛi?
6. Perché non (entrare) anche Lɛi?
7. Gli amici (salire) sụbito al quinto piano.
8. La signorina (cadere) sulla scala mɔbile.
9. Voi, perché non (venire) a prɛndere il caffɛ̀ stamane?
10. I biglietti (costare) trecɛnto lire.
11. La colazione mi (costare) duemila lire.
12. La mạcchina (partire) sụbito, mi pare.
13. Gina e la cugina (andare) all'aeropɔrto.
14. Io non (entrare) nel salɔtto. Tu perché non (salire) con l'ascensore?

IV. Supply the present perfect forms for the verbs in parentheses; be careful about the agreement of the past participle:

1. Lɛi (vedere) la città.
2. Noi (comprare) i biglietti.
3. Io (aspettare) i cugini.
4. Voi (comprɛndere) le lezioni.
5. La madre (godere) l'ạria fresca.
6. Tu (visitare) i musɛi.
7. Loro (prɛndere) l'ascensore.
8. Lɛi (portare) la mạcchina.
9. L'impiegato (dare) le chiavi al signore.
10. Noi (capire) la lezione.

1a. Lɛi l'(vedere).
2a. Noi li (comprare).
3a. Io li (aspettare).
4a. Voi le (comprɛndere).
5a. La madre l'(godere).
6a. Tu li (visitare).
7a. Loro l'(prɛndere).
8a. Lɛi l'(portare).
9a. L'impiegato le (dare) al signore.
10a. Noi l'(capire).

V. Repeat the sentence every time you supply orally each of the numbers given in parentheses:

1. Bisogna pagare (10, 20, 30) lire per l'ascensore.
2. Abitiamo al quarto piano, al nụmero (88, 99, 66).
3. Nella nɔstra classe ci sono (23, 34, 19) studɛnti.
4. La colazione ɛ̀ costata (700, 900, 1000) lire nella pensione.
5. Il pranzo, invece, ɛ̀ costato (2000, 3500, 4000) lire.
6. Il biglietto per Roma costa (600, 800, 350) lire.
7. Ora conoscete i nụmeri da 1 a 1,000,000.

8. Nell'aeropɔrto ci sono (200, 500, 150) aeroplani.
9. La signora ha pagato le (2000, 5000, 8000) lire all'autista.
10. Io ạbito al nụmero (17, 18, 38).

VI. Translate the following sentences:

1. He takes me to the apartment.
2. The elevator is not working today.
3. The cousin lives on the fourth floor.
4. They take us to the airport.
5. We buy them (*m.*) at the station.
6. The bus takes them (*f.*) to the museum.
7. I visit you in the summer.
8. Do you visit her in the winter?
9. This is really something new for the tourist.
10. The young lady wants to keep her figure.

LETTURA (*Reading*)

■ *In periferia*

I nɔstri cugini ạbitano in periferia, fuɔri del cɛntro di Milano. Hanno un bɛll'appartamento di cịnque stanze, al terzo piano. Nell'appartamento ci sono il salɔtto, la cucina, due cạmere da lɛtto, e una grande stanza da bagno. Negli appartamenti italiani la cucina e la stanza da bagno sono grandi e spaziose — non pịccole, come quị in Amɛrica. Quest'estate siamo andati a visitare i cugini di Milano e abbiamo visto il loro appartamento. Per salire al terzo piano c'ɛ̂ un pịccolo ascensore, sufficiɛnte per quattro persone. Mia madre e i miɛi zii hanno preso l'ascensore, i miɛi cugini ed io abbiamo preso la scala, e siamo arrivati tutti insiɛme al terzo piano. Bɛlla invenzione, l'ascensore!

Shop windows have attractive displays.

Lesson 10

CURRENT USAGE

■ *In un negɔzio*

FRANCO: Buɔn giorno. Quelle cravatte lì in vetrina, posso vederne alcune?

IMPIEGATO: Con piacere. Ɛ per Lɛi?

FRANCO: Nɔ, ɛ̀ per mio padre, per il suo compleanno.

IMPIEGATO: Per il compleanno? Bravo! Ɛ un bɛl pensiɛro. Ɛcco, le abbiamo in questa cassetta. Guardi, che bɛi colori di fantaʂia.

FRANCO: I colori sono bɛlli, ma mi sembrano trɔppo vivaci. Mio padre ɛ̀ un professore della vɛcchia scuɔla. Preferisce colori meno vivaci.

IMPIEGATO: Ɛccone un'altra cassetta. C'ɛ̀ una bɛlla cravatta azzurra col rosso. Che ne dice?

FRANCO: Bɛlla davvero. Anche questa marrone col verde ɛ̀ bɛlla. Quanto costano?

IMPIEGATO: L'azzurra costa cinquemila lire; questa marrone, un pɔco di più. Costa ottomila lire. Sono di pura seta tutt'e due.

FRANCO: Prɛndo la marrone, ma per settemila.

IMPIEGATO: Scuʂi, signore, i prɛzzi sono fissi. Non possiamo fare sconti nemmeno per gli studɛnti.

FRANCO: Peccato! Lɛi sa che noi studɛnti abbiamo pɔco denaro.

IMPIEGATO: Lo comprɛndo. Anch'io sono stato studɛnte. Ma non sono altro che un impiegato qui, e i prɛzzi sono fissi.

FRANCO: Va bɛne, la prɛndo per ottomila. Ora una maglia di lana per me.

IMPIEGATO: Cɛrto, subito. Con maniche, o senza maniche?

FRANCO: Con maniche, e con collo a vu.

IMPIEGATO: Abbiamo una bɛlla ʂvendita di maglie di lana. Siamo in fine di stagione e i prɛzzi sono veramente bassi. Di che miʂura?

FRANCO: Nella miʂura americana, il quaranta.

IMPIEGATO: Allora corrisponde al cinquanta in Italia. Ɛcco una maglia grigia, di fantaʂia. Ɛ prɔprio per Lɛi.

FRANCO: Infatti, la prɛndo volentiɛri.

IMPIEGATO: Ha fatto due bɛgli acquisti, signore. Buɔn giorno e grazie.

PRONUNCIATION HINTS

Close and open e's **and** o's

Repeat the following words after the tape or the speaker, with particular attention to the distinction between the close **e** and open **ɛ**, close **o** and open **ɔ**.

Close **e**	*Open* **ɛ**	*Close* **o**	*Open* **ɔ**
e (*and*)	ɛ̀ (*is*)	ogni	ɔggi
invece	insiɛme	allora	allɔggio
spesso	sɛmpre	giọvane	cɔmodo
perché	Lɛi	sole	scuɔla
quello	fratɛllo	dove	perɔ̀
inglese	Robɛrto	molto	mɔdo

Voiceless and voiced s's **and** z's

Repeat after the tape or the native speaker, paying special attention to the distinction between what we have indicated as voiceless **s** and voiced ***s***, voiceless **z** and voiced ***z***.

Voiceless **s**	*Voiced* ***s***	*Voiceless* **z**	*Voiced* ***z***
così	mụ*s*ica	stanza	pran*z*o
famoso	u*s*o	senza	pran*z*are
casa	mu*s*ɛo	marzo	mɛ*zz*o
scala	*s*bạglio	zio	*z*ɛro
studɛnte	*s*vẹndita	prɛzzo	a*zz*urro

STRUCTURE

37. Demonstrative adjectives

In English you can indicate something near the speaker (*this, these*), or something far away from the speaker (*that, those*). In Italian there is an additional demonstrative indicating something near the person spoken to. For the present we shall study only the first two types, which are more common, because in Italian the demonstrative for the person spoken to is disappearing from conversation.

questo, questa	this	Refers to that which is near the speaker.
questi, queste	these	
quel, quello, quella	that	Refers to that which is not near the speaker.
quei, quegli, quelle	those	

The demonstrative adjective always comes before the noun it modifies and agrees with it in gender and number.

Vɔglio questa cravatta e questi fazzoletti. I want this necktie and these handkerchiefs.

Pɔsso vedere quelle mạglie lì in vetrina? May I see those sweaters there in the window?

Notice the six forms of the demonstrative for *that* and *those* and remember that there is an added form with an apostrophe (**quell'**). The best way to learn the forms for **quello** is to remember that they correspond to the forms of the definite article and are used in the same way.

Definite Article	*Demonstrative*	*Examples*
il	**quel**	il negɔzio — **quel negɔzio**
lo	**quello**	lo studɛnte — **quello studɛnte**
la	**quella**	la mạglia — **quella mạglia**
l'	**quell'**	l'albɛrgo — **quell'albɛrgo**
i	**quei**	i prɛzzi — **quei prɛzzi**
gli	**quegli**	gli sconti — **quegli sconti**
le	**quelle**	le miṡure — **quelle miṡure**

38. The adjective bɛllo

The adjective **bɛllo** generally comes before the noun, unless the quality itself is emphasized. Before the noun it has six forms (plus one with the apostrophe), just like the definite article or the adjective **quello.**

Singular	*Plural*	
bɛl	**bɛi**	*before masculine nouns other than special ones* il bɛl negɔzio — i bɛi negɔzi
bɛllo	**bɛgli**	*before special masculine nouns* un bɛllo sconto — dei bɛgli sconti
bɛlla	**bɛlle**	*before feminine nouns* la bɛlla casa — le bɛlle case

Bɛllo and **bɛlla** drop the last vowel and take an apostrophe (**bɛll'**) before words beginning with a vowel.

un bɛll'albɛrgo **una bɛll'aula**

Whenever the adjective **bɛllo** is used after the noun, it has only four forms, like any other similar adjective (**bɛllo, bɛlla, bɛlli, bɛlle**).

Sono colori veramente bɛlli. They are really beautiful colors.

39. Purpose

The purpose for which an action is done is expressed by **per** followed by the infinitive.

Vanno a Roma per vedere il Vaticano. They are going to Rome to see the Vatican.
Siamo qui per studiare. We are here to study.

40. The particle ne

The particle **ne** is a direct object pronoun which refers to something that has been mentioned before. It represents a combination of **di** + a pronoun and has a variety of meanings according to the context: *of it, of them, about it, about them, some of it, some of them,* etc.

Che ne dice? What do you think of it?
Pɔsso vederne alcune? May I see some of them?

41. Present indicative of sapere, dovere, and dire

You have seen some of these verb forms already. Let us summarize them so you can remember them.

	sapere *to know*	dovere *to have to, must*	dire *to say*
io	**sɔ**	**dɛvo (dɛbbo)**	**dico**
tu	**sai**	**dɛvi**	**dici**
egli, essa, Lɛi	**sa**	**dɛve**	**dice**
noi	**sappiamo**	**dobbiamo**	**diciamo**
voi	**sapete**	**dovete**	**dite**
essi, esse, Loro	**sanno**	**dɛvono (dɛbbono)**	**dicono**

WORD LIST

NOUNS

acquisto *m.* purchase; **fare acquisti** to make purchases
cassetta *f.* drawer, tray
cravatta *f.* necktie
collo a vu *m.* V-neck
compleanno *m.* birthday
denaro *m.* money
lana *f.* wool; **di lana** woolen
maglia *f.* sweater
manica *f.* sleeve
misura *f.* size
negɔzio *m.* store
pensiɛro m. thought
sconto *m.* discount
seta *f.* silk
stagione *f.* season
vetrina *f.* showcase, (shop) window

ADJECTIVES

azzurro, -a dark blue
basso, -a low
fisso, -a fixed, set
grigio, -a grey
marrone brown, maroon

puro, -a pure
rosso, -a red
verde green
vivace bright

VERBS

corrispọndere *irr.* to correspond
guardare to look (at)

OTHER WORDS

alcuni, -e some

nemmeno not even
prɔprio *adv.* just
volentiɛri *adv.* willingly

EXPRESSIONS

Guardi! Look.
di fantasia fancy, imaginative
non ... altro che only
Di che misura? What size?
È prɔprio per Lɛi. It's just made for you.

Related Vocabulary

camịcia *f.* shirt
cappɛllo *m.* hat
fazzoletto *m.* handkerchief
occasione *f.* bargain; opportunity
chiaro, -a light (*in color*)
scuro, -a dark, somber

EXERCISES

I. Questions (based on text):

1. Nel negɔzio, ci sono cravatte in vetrina?
2. Per chi vuɔle comprare Franco la cravatta?
3. Preferisce colori vivaci il padre?
4. Quanto costa la cravatta azzurra col rosso?
5. Quanto costa la cravatta marrone col verde?
6. Sono fissi i prɛzzi in quel negɔzio?
7. Pɔssono fare sconti per gli studɛnti in quel negɔzio?
8. Sono di pura seta tutt'e due le cravatte?
9. C'è una svẹndita in mạglie di lana?
10. Quanti acquisti ha fatto Franco?

II. Questions (between students):

1. Quando è il Suo compleanno?
2. Preferisce Lɛi colori di fantasia, o colori scuri?
3. Ha Lɛi cravatte di pura seta?
4. Ha Lɛi molto denaro, o pɔco denaro?
5. Ha Lɛi una mạglia con mạniche, o senza mạniche?
6. La Sua mạglia ha il collo a vu?
7. Che colori sa in italiano?
8. Compra Lɛi quando i prɛzzi sono bassi?
9. Siamo adɛsso in fine di stagione?
10. Va Lɛi volentiɛri a scuɔla?

Fruit and vegetable markets are on every corner.

III. Supply the correct forms of the present indicative for each verb as indicated:

1. (dire) (*a.* Noi ______ *b.* Voi ______) buɔn giorno a tutti.
2. (dire) (*a.* Gli studɛnti ______ *b.* Mia madre ______) che fa caldo.
3. (sapere) (*a.* Io ______ *b.* Tu non ______) quando comịncia l'autunno.
4. (sapere) (*a.* Lɛi ______ *b.* Loro ______) le misure italiane.
5. (dovere) (*a.* Ɛnzo ______ *b.* I cugini ______) partire per Firɛnze.
6. (dovere) (*a.* Voi ______ *b.* Noi ______) finire il lavoro.
7. (dire) (*a.* Io ______ *b.* Essi ______) che non fa freddo.
8. (sapere) (*a.* Voi non ______ *b.* Noi non ______) la lezione di ɔggi.
9. (dovere) (*a.* Esse ______ *b.* Io ______) imparare i nụmeri.
10. (potere) (*a.* Tu ______ *b.* Voi ______) venire all'ɔpera.

IV. Complete the following sentences with the correct forms of **quello:**

1. ______ chiave non ɛ̀ per ______ cạmera.
2. Lɛi dɛve presentare ______ biglietti a ______ impiegato.
3. ______ misura ɛ̀ trɔppo pịccola per ______ giọvane.
4. ______ studɛnti impạrano da ______ professore.
5. ______ negɔzio ha molte cravatte in ______ vetrina.
6. ______ appartamenti in ______ città sono trɔppo cari.

7. ______ ascensore non ɛ̀ sufficiɛnte per ______ persone.
8. ______ biglietteria non vende ______ biglietti.
9. ______ colori sono trɔppo vivaci per ______ signore così vɛcchio.
10. ______ albɛrgo non ɛ̀ lontano da ______ aeropɔrto.

V. Complete the following sentences with the correct forms of **bɛllo:**

1. Ɛ̀ un ______ pensiɛro comprare queste ______ cravatte.
2. Ɛ̀ una ______ occasione per vedere un ______ musɛo.
3. I ______ giọvani desịderano le ______ giọvani.
4. Abbiamo un ______ prato intorno al nɔstro ______ villino.
5. Ci sono dei ______ villini nella nɔstra ______ città.
6. Le nɔstre ______ montagne hanno una ______ ạria fresca.
7. C'ɛ̀ un ______ sole, ma io sɛnto un ______ freddo.
8. In quel negɔzio hanno dei ______ sconti in questa ______ stagione.
9. Facciamo una ______ passeggiata e vediamo dei ______ colori.
10. La vita ɛ̀ ______ quando il tɛmpo ɛ̀ ______.

VI. Use the Italian of each pair of sentences to translate the English:

1. Lɛi ha comprato una camịcia grịgia. *I bought a red shirt.*
2. Quel negɔzio vende molti cappɛlli. *This store does not sell hats.*
3. Noi preferiamo colori vivaci. *You prefer dark colors.*
4. Ɔggi ɛ̀ il compleanno di mia sorɛlla. *Today is my brother's birthday.*
5. Possiamo vedere una mạglia di lana? *We don't have any woolen sweaters.*
6. Le abbiamo in questa cassetta. *We don't have them in that tray.*
7. Non sono altro che un impiegato qui̦. *He is only an employee there.*
8. Vuɔle una mạglia col collo a vu. *I don't want a V-neck sweater.*
9. Non pɔssono fare sconti. *Can you give a discount?*
10. Anch'io sono stato studɛnte. *Were you a student, too?*

VII. Translate the following sentences:

1. This morning we went to a store to buy some neckties.
2. My friend bought a blue tie with red (in it).
3. Instead I bought a brown tie with green (in it).
4. The handkerchiefs are fine for my brother's birthday.
5. Those ties are both pure silk.
6. The prices are low, and they are fixed prices.
7. May I see a woolen sweater?
8. This size is too small for you.
9. You must buy size fifty.
10. We are having a sale on these sweaters.

LETTURA (*Reading*)

■ *I negɔzi italiani*

In ogni grande città ci sono bɛi negɔzi, specialmente vicino agli albɛrghi principali. I turisti generalmente fanno molti acquisti quando viạggiano in Itạlia, perché ci sono bellịssimi artịcoli. Cọmprano cravatte, mạglie, camịcie, scarpe [*shoes*], borse [*handbags*], e tanti altri artịcoli. I prɛzzi sono cari per gli Italiani, ma per gli Americani non sẹmbrano così cari. Nell'estate, e specialmente in agosto, ci sono svẹndite dappertutto [*everywhere*] e i prɛzzi sono più bassi. I prɛzzi sono fissi, ma qualche vɔlta fanno uno sconto anche quando c'ɛ̀ una svẹndita. Le cravatte di seta sono prɔprio bɛlle, con bɛi colori di fantasia, e con prɛzzi anche loro di fantasia. Le scarpe italiane sono eleganti, e con le mạglie e le camịcie si fanno bɛgli acquisti. Ma gli acquisti più pregiati [*prized*] dai turisti sono le borse di pɛlle [*leather*] fiorentina, che cɛrto sono le più bɛlle borse del mondo [*world*].

A quiet moment in traffic on the Piazza Venezia in Rome

Lesson 11

CURRENT USAGE

■ *Sugli ạutobus di Roma*

Mi *s*vẹglio prɛsto la mattina quị in Via Vɛneto perché la strada ɛ̀ rumorosa. Il trạffico comịncia prima delle sɛi. Cerco di riposarmi a lɛtto per una mɛ*zz*'ora, ma finalmente mi alzo perché ɛ̀ inụtile restare lì a ɔcchi apɛrti. Mi alzo, mi lavo, mi vɛsto, mi pɛttino, e sono pronta per la colazione. Ɔggi ɛ̀ fɛsta per me e hɔ deci*s*o di girare per la città in ạutobus. S'impara molto quando si gira così, senza destinazione. Però ɛ̀ diffịcile tornare in pensione quando non si conosce bɛne la strada.

A. — Mi dica, signore, quale nụmero torna alla Pɔrta Pinciana?
B. — Prɛnda il trentaquattro, scenda alla prima fermata dopo il Tẹvere, e cambi al novantanɔve.

Scendo alla prima fermata dopo il Tẹvere e prɛndo il pullman nụmero 99. Sul pullman domando all'autista:

A. — Vado bɛne per Pɔrta Pinciana?
C. — No, signorina, Lɛi dɛve andare nell'altro sɛnso. Scenda e prɛnda il pullman sull'altro lato della strada.

Scendo, attravɛrso la strada e aspɛtto alla prima fermata. Viɛne l'ạutobus e sụbito salgo e mi fạccio il biglietto. Domando a una signora:

A. — Vado bɛne per Pɔrta Pinciana?
D. — Non sɔ, signorina. Non sono di quị. Domandi a questo signore.
E. — Nɔ, signorina. Lɛi dɛve andare nell'altro sɛnso.
A. — Non ɛ̀ questo il novantanɔve?
E. — Nɔ, questo ɛ̀ l'ɔtto. Può scẹndere alla prɔssima fermata e prɛndere il 99.
A. — Non fanno la stessa strada tutti e due gli ạutobus?
E. — Fanno la stessa strada soltanto quị. Pɔi si sepạrano.

Scendo alla fermata seguɛnte e salgo sul 99. Sụbito domando all'autista:

A. — Scu*s*i, si ferma vicino a Pɔrta Pinciana?
B. — Sì, signorina. Scenda quị e cammini per cinquanta mɛtri. Pɔrta Pinciana ɛ̀ lì a dɛstra.

Infatti sono già in Via Vɛneto. Com'ɛ̀ bɛlla Pɔrta Pinciana dopo tante difficoltà!

SPELLING HINTS

The English *k*- and *ch*-sounds

These two sounds are troublesome in Italian spelling because the same letter **c** is used for both of them. You have learned that **c** is pronounced like the English *k* before **a, o,** or **u** (**ca, co, cu**), but to produce the *k*-sound before **e** or **i** you must add an **h** after the **c** (**che, chi**). Likewise you have learned that **c** is pronounced like the English *ch* before **e** or **i** (**ce, ci**), but to produce the *ch*-sound before **a, o,** or **u** you must add an **i** after the **c** (**cia, cio, ciu**). Now let us review the spelling of words which contain both of these sounds:

English k-*sound:* **casa, amico, amiche, freschi, chi, perché, cugino**
English ch-*sound:* **amici, camịcia, invece, cioɛ̀, piacere, ciuco**

The English *g*- and *j*-sounds

These two sounds cause the same difficulty in Italian as the two previous ones because they are both represented by the letter **g.** Starting from the written letter, remember that **g** is pronounced "hard" (*g* as in English *go*) before **a, o,** or **u** (**ga, go, gu**). To produce the "hard **g**" sound before **e** or **i** you must add an **h** after the **g** (**ghe, ghi**). Remember that the **g** is pronounced "soft" (*g* as in English *gentle* or *j* as in *job*) before **e** or **i.** To differentiate, we shall refer to the "soft **g**" as the *j*-sound. To produce this sound in Italian you must add an **i** after the **g** before **a, o,** or **u** (**gia, gio, giu**). Let us review the spelling of words which contain both of these sounds:

English "hard" g-*sound:* **magari, godere, augurare, laghi, paghe** (payments)
English j-*sound:* **cugino, gentile, giorno, viạggia, Giusɛppe, giù** (down)

Letters missing from the Italian alphabet

The Italian alphabet has five letters less than the English alphabet. Italian has no *j, k, w, x, y.* Any of these letters may be found in foreign words, but they are not part of normal Italian spelling. In the older spelling **j** was used as the semiconsonantal **i,** and you will see it in proper names (Rajna, Ojetti), but this need not concern you.

STRUCTURE

42. Polite commands

When a command or request is given to a person whom you are addressing in the **Lɛi** form (or to more than one person, whom you are addressing as **Loro**), the imperative is really a form of the present subjunctive, which you will learn in Lesson 20. We give you here the imperative forms for **Lɛi** and **Loro** for regular verbs of all three conjugations.

	I	II	III	
(Lɛi)	**parli**	**venda**	**parta**	**finisca**
(Loro)	**pạrlino**	**vẹndano**	**pạrtano**	**finịscano**

Scenda alla fermata seguɛnte. Get off at the next stop.
Cammịnino per cinquanta mɛtri. (*Plural*) Walk for fifty meters.

In these polite command forms the plural is always formed by adding **-no** to the singular, as you can see from the examples, regardless of whether the verbs are regular or irregular.

The negative of these polite command forms is made by simply placing **non** before the verb. With polite command forms object pronouns come directly before the verb, both in the affirmative and the negative.

Parta nel pomerịggio, non aspɛtti la sera. Leave in the afternoon; don't wait for the evening.
Mi pɔrti alla stazione. Take me to the station.

43. Polite command forms of irregular verbs

For irregular verbs, frequently the polite command form can be derived from the first person singular of the present indicative by changing the final **o** to **a.**

Infinitive	*Present Indicative*	*Command (Sing.)*	*Command (Pl.)*
andare	vado	**vada**	**vạdano**
dire	dico	**dica**	**dịcano**
fare	fạccio	**fạccia**	**fạcciano**
venire	vɛngo	**vɛnga**	**vɛngano**
volere	vɔglio	**vɔglia**	**vɔgliano**

Mi dica, signore, ɛ̀ lontano l'aeropɔrto? Tell me, sir, is the airport far?
Ci fạcciano un favore. Do us a favor.

44. Reflexive verbs

A reflexive verb is one in which the action reverts back to the subject, as you can see in the following sentences:

Roberto si vede nello spɛcchio. Robert sees himself in the mirror.
I ragazzi si lạvano nella stanza da bagno. The children wash themselves in the bathroom.

In Italian you recognize reflexive verbs by the fact that the infinitive has the reflexive pronoun **si** attached. (The final **e** is dropped: **fermare — fermarsi.**) Many verbs are reflexive in Italian but not in English; in other words you do not use the reflexive pronoun *myself, yourself,* etc., in the English equivalent. Following are the forms of the present indicative of two common regular verbs, used reflexively:

	lavarsi *to wash (oneself)*	**vestirsi** *to dress (oneself)*
io	**mi lavo**	**mi vεsto**
tu	**ti lavi**	**ti vεsti**
egli, essa, Lεi	**si lava**	**si vεste**
noi	**ci laviamo**	**ci vestiamo**
voi	**vi lavate**	**vi vestite**
essi, esse, Loro	**si lạvano**	**si vεstono**

45. Reflexive for a general subject

The reflexive form of the verb in the third person can express the idea that anyone is performing or can perform the action involved; it does not have to be a particular individual.

S'impara molto quando si viạggia. One learns a great deal when one travels.

This general idea is sometimes expressed by the passive voice in English. In this passive construction the object of the verb becomes the technical subject, and if that object is plural, the verb is in the plural.

In questo negɔzio si parla inglese. English is spoken in this store.
Si vẹdono molti turisti in Via Vεneto. Many tourists are seen on the Via Veneto.

46. Present perfect of reflexive verbs

All reflexive verbs are conjugated with **εssere,** and the past participle agrees in gender and number with the subject. Notice the conjugation of **riposarsi** *to take a rest:*

io	**mi sono riposato, -a**	noi	**ci siamo riposati, -e**
tu	**ti sεi riposato, -a**	voi	**vi siεte riposati, -e**
egli	**si ὲ riposato**	essi	**si sono riposati**
essa	**si ὲ riposata**	esse	**si sono riposate**
Lεi	**si ὲ riposato, -a**	Loro	**si sono riposati, -e**

WORD LIST

NOUNS

destinazione *f.* destination
difficoltà *f.* difficulty
fɛsta *f.* holiday
lato *m.* side
mattina *f.* morning
mɛtro *m.* meter (39.37″)
ɔcchio m. eye
pɔrta *f.* door; gate: **Pɔrta Pinciana** *f.* *an ancient gate in Rome*
sɛnso *m.* direction
Tẹvere *m.* Tiber
trạffico *m.* traffic
Via Vɛneto *f.* *an important street in Rome*

ADJECTIVES

inụtile useless
primo, -a first
prɔssimo, -a next, coming
rumoroso, -a noisy
seguɛnte next, following
stesso, -a same

VERBS

* **alzarsi** to get up
attraversare to cross
camminare to walk
decịdere (*p.p.* **deciso**) to decide
* **fermarsi** to stop
girare to turn
* **lavarsi** to wash (oneself)
* **pettinarsi** to comb one's hair
* **restare** to stay, remain
* **riposarsi** to rest
* **separarsi** to separate, go a different way
* **svegliarsi** to wake up
* **tornare** to go back, return
* **vestirsi** to get dressed, dress (oneself)

OTHER WORDS

ancora still
finalmente finally
pɔi then

EXPRESSIONS

cercare di to try to
a ɔcchi apɛrti with eyes open
Vado bɛne per ... ? Am I going O.K. for . . . ?
Mi fạccio il biglietto. I get my ticket.
Fanno la stessa strada. They take the same route.

EXERCISES

I. Questions (on personal experience):

1. Si svẹglia prɛsto Lɛi la mattina?
2. Si alza sụbito Lɛi?
3. Cerca di riposarsi ancora quando si svẹglia?
4. Si lava nella stanza da bagno?
5. Si vɛste nella cạmera da lɛtto?
6. Si pɛttina nella stanza da bagno?

---

* From this lesson on the asterisk before a verb indicates that it is normally conjugated with **ɛssere.**

Finally off on vacation

7. Gira Lɛi spesso per la città?
8. Gira senza destinazione qualche vɔlta?
9. Viạggia Lɛi in mạcchina o in ạutobus?
10. Conosce bɛne le strade della città?
11. Si riposa spesso Lɛi in classe?
12. Si ferma dopo la classe, o va sụbito a casa?

II. Change the sentences from statements to polite command forms:

1. Lɛi compra della frutta.	1a. Loro cọmprano i biglietti.
2. Lɛi prɛnde l'ạutobus.	2a. Loro prɛndono l'aeroplano.
3. Lɛi finisce il Suo lavoro.	3a. Loro finịscono le Loro lezioni.
4. Lɛi parte prima delle sɛtte.	4a. Loro pạrtono prɛsto la mattina.
5. Lɛi viɛne alla mia casa.	5a. Loro vɛngono alla nɔstra casa.
6. Lɛi domanda a un signore.	6a. Loro domạndano alle signorine.
7. Lɛi fa una domanda.	7a. Loro fanno una passeggiata.
8. Lɛi va al ristorante.	8a. Loro vanno all'aeropɔrto.
9. Lɛi dice buɔna sera a tutti.	9a. Loro dịcono buɔn giorno all'impiegato.
10. Lɛi si ferma alla stazione.	10a. Loro si fẹrmano in Via Vɛneto.

III. Change the sentences from the present to the present perfect:

1. Tu ti ѕvegli prεsto ogni mattina.
2. Il giọvane si alza prima delle sεtte.
3. L'ạutobus si ferma a Pɔrta Pinciana.
4. La signorina prima si lava e pɔi si pεttina.
5. Io prima mi vεsto e pɔi mi pεttino.
6. Noi ci vestiamo nella stanza da bagno.
7. Il pullman si ferma alla fermata seguεnte.
8. Lεi si alza alle due del pomeṛiggio.
9. I turisti si ạlzano prεsto ogni giorno.
10. L'automɔbile si ferma in Via Vεneto.

IV. Complete the following sentences in some meaningful way:

1. Andiamo bεne per ______?
2. Il turista si fa il biglietto per ______
3. Tutti e due gli ạutobus fanno ______
4. La signorina cerca di ______
5. Io rεsto a lεtto per mεzz'ora a ______
6. Facciamo una bεlla passeggiata ______
7. Il villino ha un bεl prato ______
8. Quando fa freddo noi ______
9. Quando fa caldo voi ______
10. Attravεrsi la strada e vada ______

V. Translate the following sentences:

1. One learns a great deal when one travels.
2. They speak English and Italian on the plane.
3. Excuse me, where can I get the bus?
4. That bus goes in the opposite direction.
5. Get down here and take number sixty-six.
6. It's difficult to get back to the hotel when one does not know the way.
7. We waited at the first stop and the bus did not come.
8. After so many difficulties, why don't you take a taxi?
9. Walk a hundred meters and you can see your pensione.
10. Take a plane when you go to Milan.

LETTURA (*Reading*)

■ *I motεl in Itạlia*

Adεsso quando viaggiamo in Itạlia vediamo che le strade sono ɔttime [*excellent*]. Le autostrade fọrmano una rete [*network*] complεta che connεtte le grandi città. Spesso però le strade sono piεne di curve; si sale e si scende per le montagne che attravɛrsano l'Itạlia. Lungo le autostrade ci sono molti motɛl, generalmente fuɔri delle città. I motɛl sono puliti, con buɔne cạmere da lɛtto, e con stanza da bagno o con dọccia [*shower*]. Noi Americani che facciamo la dọccia ogni mattina preferiamo la dọccia al bagno. Il prɛzzo delle cạmere ɛ̀ più ragionẹvole che negli albɛrghi. C'ɛ̀ sɛmpre un buɔn ristorante con un bar, dove si mạngia e si beve bɛne. Generalmente c'ɛ̀ anche un salɔtto con un televi*s*ore. Gli impiegati sono corte*s*i e rispọndono alle domande dei turisti con gentilezza. Vale la pena [*it's worth while*] fermarsi un pɔco fuɔri della città e stare al motɛl quando si viạggia in Itạlia.

Unusual view of St. Mark's from the Dogi Palace side

Lesson 12

CURRENT USAGE

■ *Venɛzia*

CLẠUDIA: Gina, dove passerai questi tre giorni di vacanza?
GINA: Andrɔ̀ a Venɛzia con Lisa, che ɛ̀ veneziana.
CLẠUDIA: Andrete in mạcchina?
GINA: Nɔ, ɛ̀ trɔppo distante. Andremo in trɛno. I trɛni italiani sono cɔmodi e veloci. Partiremo domani alle ɔtto di mattina e saremo a Venɛzia alle tre del pomerịggio.
CLẠUDIA: Ci sɛi mai stata a Venɛzia?
GINA: Nɔ, sarà la mia prima vịsita. Venɛzia ɛ̀ bɛlla come nelle pellịcole?
CLẠUDIA: Anzi più bɛll'ancora. La troverai più fantạstica che nelle pellịcole.
GINA: In Amɛrica dịcono che la città ɛ̀ in grande perịcolo di affondare.
CLẠUDIA: Il perịcolo di affondare c'ɛ̀ sɛmpre, ma il govɛrno sta facɛndo restạuri, con l'aiuto che viɛne da tutte le parti del mondo.
GINA: Finalmente vedrɔ̀ Piazza San Marco, con la sua gloriosa basịlica.
CLẠUDIA: Cɛrto visiterete il Palazzo dei Dɔgi e vedrete l'arte dei famosi artisti veneziani: Tiziano, il Tintoretto, Giovanni Bellini, e tanti altri.
GINA: Faremo anche una passeggiata sulla Riva degli Schiavoni, e magari faremo una gita in gọndola.
CLẠUDIA: Adɛsso le gọndole sono principalmente per turisti. I Veneziani non hanno tɛmpo di ascoltare mandolini e chitarre. Viạggiano su vaporetti e motoscafi invece di gọndole. La gọndola ɛ̀ un anacronismo.
GINA: Anacronismo sì, ma in gọndola potremo entrare nei canali grandi e piccoli, e vedere le case artịstiche che fanno parte della vita veneziana. Rivedremo in fantasia il mondo di Goldoni e sentiremo la mụsica di Vivaldi. La vita prosạica ɛ̀ sɛmpre fra i piɛdi. Soltanto nei canali di Venɛzia sparịscono i sẹcoli e si ritrɔva la poesia.

PRONUNCIATION HINTS

Intonation

Intonation refers to the significant variations in the pitch of the voice which characterize an utterance. Each language has its own basic intonation patterns which distinguish it from another language. In addition, each language has intonation patterns which vary from region to region. For example, in the United States the intonation is one of the characteristic differences between the English of the Northeast and that of the Midwest or the South. This type of regional variation is not significant in conveying meaning and should be screened out when imitating the native speaker.

Italian intonation varies greatly from English intonation, of course.

But it also varies from one region of Italy to another, and particularly from the people of northern and those of southern Italy. Yet cultured people speak the same standard Italian, regardless of their place of origin. It is important for you as students to approximate the significant intonation patterns of the native speaker and get away from your English patterns when you are speaking Italian. Listen carefully to the following short sentences, mimic the intonation, and then compare the intonation that you would use in English.

Lɛi ɛ̀ italiano, signore?	Are you Italian, sir?
Com'ɛ̀ bɛlla Pɔrta Pinciana!	How beautiful is Porta Pinciana!
Vɛngo subito, signorina.	I'll be right over, Miss.
Non sono di qui.	I am not from here.

Now imitate carefully the intonation of longer sentences after your speaker:

Prɛnda l'autobus sull'altro lato della strada.
Scenda qui e cammini per cinquanta mɛtri.
Ha fatto due bɛgli acquisti, signore. Buɔn giorno e grazie.

STRUCTURE

47. Future

The future tense expresses the idea that an action is going to take place later on, as for example "We'll see you next week." In Italian the future of regular verbs is formed as follows:

For the first and second conjugations, drop the **-are** or **-ere** of the infinitive and add the endings: **-erɔ̀, -erai, -erà, -eremo, -erete, -eranno.**

For the third conjugation, drop the **-ire** of the infinitive and add the endings: **-irɔ̀, -irai, -irà, -iremo, -irete, -iranno.** These endings take the place of *shall* or *will* in English. Notice the following model verbs:

	I		II		III	
io	**parlerɔ̀**	I'll speak, *etc.*	**venderɔ̀**	I'll sell, *etc.*	**finirɔ̀**	I'll finish, *etc.*
tu	**parlerai**		**venderai**		**finirai**	
egli, essa, Lɛi	**parlerà**		**venderà**		**finirà**	
noi	**parleremo**		**venderemo**		**finiremo**	
voi	**parlerete**		**venderete**		**finirete**	
essi, esse, Loro	**parleranno**		**venderanno**		**finiranno**	

As for verbs which are irregular in the future, once you learn the first person singular the rest of the forms always follow a regular pattern. For example:

1st person singular of the future of **andare** to go: **andrɔ̀**
Complete future: **andrɔ̀, andrai, andrà, andremo, andrete, andranno**

Here are some common verbs for you to remember:

avere to have	**avrɔ̀, avrai, avrà, avremo, avrete, avranno**
dovere to have to	**dovrɔ̀, dovrai, dovrà, dovremo, dovrete, dovranno**
ɛssere to be	**sarɔ̀, sarai, sarà, saremo, sarete, saranno**
fare to do, make	**farɔ̀, farai, farà, faremo, farete, faranno**
potere to be able	**potrɔ̀, potrai, potrà, potremo, potrete, potranno**
vedere to see	**vedrɔ̀, vedrai, vedrà, vedremo, vedrete, vedranno**
venire to come	**verrɔ̀, verrai, verrà, verremo, verrete, verranno**
volere to wish, want	**vorrɔ̀, vorrai, vorrà, vorremo, vorrete, vorranno**

Sarà la mia prima visita. It will be my first visit.
Faremo una gita in gondola. We'll take a trip in a gondola.

48. Present progressive

You learned that the present tense has three equivalents in English. **Io studio** may mean *I study, I do study,* or *I am studying.* However, when an action is actually in progress, Italian expresses that action by the verb **stare** plus the gerund, which is the verb form ending in **-ndo. Il trɛno sta passando** means *The train is passing right now.* The gerund for all verbs ends in **-ndo,** but notice that it ends in **-ando** for the first conjugation and **-endo** for the second and third. The present indicative of **stare** is irregular: **stɔ, stai, sta, stiamo, state, stanno.**

I	II	III
parlando *speaking*	vendɛndo *selling*	finɛndo *finishing*

Il govɛrno sta facɛndo restauri. The government is making restorations.
Stiamo imparando i vɛrbi. We are learning the verbs (right now).

49. Imperative

The imperative is the form of the verb which indicates a command or a request. In Lesson 11 you learned the polite command forms. If a command is given to people you are addressing in the **tu** or **voi** form, the endings for the regular conjugations are as follows:

	I	II	III	
(tu)	parl-**a** *speak*	vend-**i** *sell*	fin-**isci** *finish*	part-**i** *leave*
(voi)	parl-**ate** *speak*	vend-**ete** *sell*	fin-**ite** *finish*	part-**ite** *leave*

When a person is requested not to do something, that is called a negative command. For the **tu** form alone, the negative command is different from the affirmative command. For the **tu** form the infinitive of the verb is used for the negative command.

I	II	III
non parlare don't speak	**non vendere** don't sell	**non finire** don't finish

Parla a Luigi, ma non parlare a Roberto. Talk to Louis, but don't talk to Robert.

When a command is given to a group which includes the speaker, the verb is in the first person plural. In English it is translated by *let's*. This command is always the same as the first person plural of the present indicative, both for the affirmative and for the negative.

I	II	III
ascoltiamo let's listen	**vendiamo** let's sell	**partiamo** let's leave

When we group together the various types of command forms, we get the following table for the complete imperative:

	I	II	III	
(io)	———	———	———	———
(tu)	**parla (non parlare)**	**vendi (non vendere)**	**finisci (non finire)**	**parti (non partire)**
(Lei)	**parli**	**venda**	**finisca**	**parta**
(noi)	**parliamo**	**vendiamo**	**finiamo**	**partiamo**
(voi)	**parlate**	**vendete**	**finite**	**partite**
(Loro)	**parlino**	**vendano**	**finiscano**	**partano**

Train travel is popular in Italy, especially with young people.

50. Relative pronouns

The most common relative pronoun in Italian is **che,** corresponding to *who, whom, which,* or *that.* The relative pronoun is never omitted in Italian. **Che** may be used as the subject or the object of a verb, but it cannot be used after a preposition. The most common relative pronoun after a preposition is **cui,** corresponding to *whom* or *which.*

Andrɔ̀ con Liṣa, che ɛ̀ veneziana. I'll go with Lisa, who is a Venetian.
Ɛcco la piazza di cui mi hanno parlato. Here's the square they told me about.

There are other relative pronouns, which you will learn later on. For the present you can get along with these two.

WORD LIST

NOUNS

aiuto *m.* help
anacronismo *m.* anachronism
arte *f.* art
artista *m. or f.* artist
basịlica *f.* basilica, cathedral
chitarra *f.* guitar
gita *f.* tour, trip
gọndola *f.* gondola
govɛrno *m.* government

mandolino *m.* mandolin
mondo *m.* world
motoscafo *m.* motor boat
parte *f.* part
pellịcola *f.* film
poeṣia *f.* poetry
piɛde *m.* foot
restạuro *m.* restoration
sẹcolo *m.* century
trɛno *m.* train
vacanza *f.* (*or* **vacanze** *f. pl.*) vacation
vaporetto *m.* steamer

ADJECTIVES

artịstico, -a artistic
distante far, distant
fantạstico, -a fantastic
glorioso, -a glorious
proṣạico, -a prosaic
veneziano, -a Venetian

VERBS

affondare to sink
ritrovare to find again
rivedere *irr.* to see again
***sparire** (**isco**) to disappear
trovare to find

OTHER WORDS

domani tomorrow
principalmente principally, mainly
in fantaṣia in (our) imagination

EXPRESSIONS

andare in trɛno to go by train
fare una gita to take a tour
fra i piɛdi under foot

PEOPLE AND PLACES

Giovanni Bellini *famous painter (1426–1516)*
Carlo Goldoni *famous Italian playwright (1707–1793)*
Tintoretto (Iạcopo Robusti) *great Venetian painter, pupil of Titian (1518–1594)*
Tiziano Vecɛllio *Titian, the greatest painter of the Venetian school (1477–1576)*
Vivaldi, Antɔnio *one of the greatest composers (1675–1741)*

EXERCISES

I. Questions:

1. Dove passerà Gina i tre giorni di vacanza?
2. Come andranno a Venɛzia le due ragazze?
3. Venɛzia ɛ̀ bɛlla come nelle pellịcole?
4. Ɛ̀ in perịcolo di affondare la città di Venɛzia?
5. Che sta facɛndo il govɛrno?
6. Da dove viɛne l'aiuto per i restạuri?
7. Quale piazza ha una gloriosa baṣịlica?
8. Che palazzo famoso conosce Lɛi a Venɛzia?
9. Quali artisti veneziani conosce Lɛi?
10. Ci sono vaporetti e motoscafi a Venɛzia?
11. Conosce Lɛi la mụṣica di Vivaldi?
12. Sono artịstiche le case sui canali?

II. Supply the future forms for the verbs in parentheses:

1. Domani noi (partire) alle nɔve.
2. Lɛi (partire) con i Suɔi amici.
3. Alla stazione tu (comprare) i biglietti.
4. Voi non li (comprare) all'aeropɔrto.
5. Gli studɛnti (visitare) i cugini.
6. Voi (visitare) molte città.
7. Dove (prɛndere) Lɛi l'ạutobus?
8. A chi (vẹndere) Lɛi l'automɔbile?
9. Il professore ci (dare) le lezioni.
10. L'impiegato le (dire) buɔna sera.
11. Il govɛrno (fare) i restạuri.
12. Noi (vedere) la basịlica di San Marco.
13. Quando (sentire) Lɛi la mụsica di Vivaldi?
14. I sẹcoli (sparire) quando noi (ɛssere) a Venɛzia.
15. Lì noi (ritrovare) la poesia della vita.
16. Dove (andare) Loro per le vacanze?
17. Tu non (potere) partire domani.
18. La pellịcola (ɛssere) veramente bɛlla.
19. I Veneziani non (prɛndere) la gọndola.
20. Soltanto i turisti la (prɛndere).

III. Change the verbs in italics from the present to the future:

1. Quando *siamo* alla stazione *prendiamo* il trɛno.
2. *Vɛngo* la mattina e *parto* nel pomerịggio.
3. *Fanno* una gita in gọndola e *vẹdono* i canali.
4. Tu non *puoi* capire e non *vuoi* venire con noi.
5. Quando *vɛngono* gli amici, li *vediamo.*
6. Lisa *va* al ristorante e *fa* colazione.
7. Voi *partite* alle sɛtte e *arrivate* alle diɛci.
8. I sẹcoli *sparịscono* e la poesia *rɛsta.*
9. Gli artisti *finịscono* i restạuri e *tọrnano* alle loro case.
10. Lɛi *dɛve* visitarci quando *viɛne* a Milano.

IV. Use the Italian declarative sentence to help you translate the English imperative (command) sentence:

1. Noi finiamo la lezione. *Let's finish the lessons now.*
2. Noi vendiamo i libri. *Let's sell the book to Charles.*
3. Tu guardi la televisione nel salɔtto. *Look at televison here.*
4. Tu vịsiti i cugini a Nạpoli. *Visit the cousin in Naples.*
5. Tu compri l'automɔbile ɔggi. *Don't buy the car today.*
6. Voi dite buɔn giorno al professore. *Say good evening to the professor.*
7. Voi prendete l'ạutobus in piazza. *Don't get the bus in the square.*

8. Tu dai il biglietto all'autista. *Don't give the ticket to the driver.*
9. Noi finiamo la colazione alle ɔtto. *Let's finish breakfast at nine.*
10. Voi andate in salɔtto. *Go to the living room.*

V. Supply the Italian for the relative pronouns given in English:

1. Il sẹcolo in (*which*) viviamo.
2. La poesia (*which*) leggiamo in classe.
3. I cugini con (*whom*) viaggiamo.
4. Il motoscafo (*which*) hanno comprato.
5. Le vacanze (*which*) prenderanno.
6. Il vaporetto con (*which*) pạrtono.
7. Il mandolino (*which*) hɔ visto.
8. L'aiuto (*which*) hanno ricevuto.
9. I restạuri (*which*) faranno.
10. La basịlica in (*which*) entriamo.

VI. Translate the following sentences:

1. They'll go by train, and they'll be there in five hours.
2. Gina, have you ever been to Venice?
3. They tell me that the city is in danger of sinking.
4. The government is making restorations.
5. Aid is coming from all parts of the world.
6. We'll finally see Saint Mark's Square and its cathedral.
7. Do you want to take a tour in a gondola?
8. I'll see again the canals and the artistic houses.
9. Prosaic life is always under foot.
10. Have you seen the motorboats and the steamers?

LETTURA (*Reading*)

■ *I trɛni italiani*

I trɛni in Itạlia sono cɔmodi e veloci [*fast*]. Le grandi città hanno vạrie stazioni e il turista dɛve sapere da quale stazione parte il trɛno che vuɔle. Bisogna comprare il biglietto prima di salire sul trɛno, altrimenti [*otherwise*] il biglietto costa il venti per cɛnto di più. I trɛni hanno la prima e la seconda classe, ma in alcuni trɛni c'ɛ̀ soltanto la prima classe, e bisogna pagare anche un supplemento. Il turista che vuɔle viaggiare molto puɔ̀ comprare un biglietto chiamato "Europass". Con questo biglietto puɔ̀ viaggiare liberamente in molti paesi dell'Eurɔpa occidentale, e sɛmpre in prima classe. Sui trɛni c'ɛ̀ generalmente un "self-service" dove sɛrvono cibi [*foods*] caldi e cibi freddi. Per una persona sola ɛ̀ cɔmodo viaggiare in trɛno.

The fountain in the municipal square in Perugia is one of the masterpieces of Nicola Pisano.

The Annunciation by Botticelli is in the Lehman Collection of The Metropolitan Museum of Art, New York.

THIRD REVIEW LESSON

Cover the English part of the page and guess as much of the Italian as possible. Many of the words are cognates of English words, so you should refer to the English only when you just can't make any sense of a word or phrase. You are not expected to remember all the new words, but you may recognize the meanings when you hear them next time.

■ *L'arte in Italia**

L'Italia è il paese dell'arte. I quadri dei più famosi artisti italiani si trovano in tutti i grandi musei del mondo. L'opera dei grandi scultori si vede non soltanto nei musei, ma nei giardini pubblici, nelle piazze, nei grandi palazzi, nelle stazioni, negli aeroporti — dappertutto. I grandi edifici delle città del mondo s'ispirano all'architettura italiana, che a sua volta prende ispirazione dall'arte greca. Il turista in Italia trova l'arte dovunque si volge: nelle chiese, nei cimiteri, nelle fontane, nei negozi, e finanche negli oggetti della vita giornaliera. Il culto del bello fa parte del temperamento italiano. La vita è bella, e perché non goderla?

Italy is the country of art. The paintings of the most famous Italian artists are to be found in all the great museums of the world. The works of the great sculptors can be seen not only in museums, but in parks, squares, great palaces, stations, airports — everywhere. The great buildings of cities in the world are inspired by Italian architecture, which in turn is inspired by Greek art. The tourist in Italy finds art wherever he turns: in churches, cemeteries, fountains, stores, and even in articles of daily life. The cult of beauty is part of the Italian temperament. Life is beautiful, and why not enjoy it?

I tre campi principali dell'espressione artistica sono la pittura, la scultura, e l'architettura. Il periodo più famoso dell'arte italiana va dal tredicesimo al sedicesimo secolo, ma certo non si ferma lì. In questo breve periodo di quattro secoli troviamo alcuni degli artisti più conosciuti del mondo — pittori, scultori, e architetti. Spesso lo stesso artista è famoso in tutti e tre i campi. Del dodicesimo e tredicesimo secolo abbiamo a Pisa una meraviglia di architettura: il Battistero, il Duomo, e la Torre Pendente. Nel Battistero troviamo uno dei famosi pulpiti di Nicola Pisano, sommo scultore del tredicesimo secolo. A Firenze in quel periodo si costruisce Santa Maria Novella, e si comincia Santa Croce — entrambe in-

The three main fields of artistic expression are painting, sculpture, and architecture. The most famous period of Italian art extends from the thirteenth to the sixteenth century, but naturally it does not stop there. In this brief period of four centuries we find some of the best known artists in the world — painters, sculptors, and architects. Frequently the same artist is famous in all three fields. From the twelfth and thirteenth centuries we have in Pisa an architectural marvel: the Baptistry, Cathedral, and Leaning Tower. In the Baptistry we find one of the famous pulpits

* The Review Lessons do not have diacritical marks for pronunciation.

comparabili per la loro finezza. Alla fine del secolo la pittura moderna comincia il suo sviluppo con Cimabue, maestro di Giotto. Di questo sommo pittore Giotto possiamo ammirare gli affreschi non soltanto a Firenze, ma anche a Padova e ad Assisi. Fra il quattordicesimo e quindicesimo secolo l'Italia produce pittori come Fra Angelico da Fiesole, Duccio da Siena, Ghirlandaio, e Botticelli. Fra il quindicesimo e sedicesimo secolo produce quattro artisti che non saranno mai sorpassati: Leonardo da Vinci, Michelangelo, Raffaello, e Tiziano. Le loro pitture sono sparse per tutto il mondo, ma la maggior parte dei loro capolavori resta sempre in Italia. A Milano troviamo "Il Cenacolo," di Leonardo; a Firenze, "La Madonna del Granduca," di Raffaello; a Roma, la Cappella Sistina, di Michelangelo; a Venezia, i ritratti di uomini illustri dipinti da Tiziano. L'elenco degli artisti italiani è interminabile.

Fra gli scultori abbiamo già ricordato uno dei maggiori, Nicola Pisano. Seguono altri scultori ammirati da tutti: Mino da Fiesole, Donatello, Verrocchio, Ghiberti, Michelangelo, Canova. Quale studente d'arte non ha visto a Firenze il "San Giorgio," di Donatello, o le Cappelle Medicee, di Michelangelo? Chi mai va a Roma e non si ferma a vedere il Mosè, o la Pietà, di Michelangelo? Quanto all'architettura, basta ricordare in questa breve introduzione alcuni capolavori indi-

of Nicola Pisano, supreme sculptor of the thirteenth century. In Florence during that period there is the construction of Santa Maria Novella and the beginning of Santa Croce, both unsurpassed for their charm. At the end of the century modern painting begins its development with Cimabue, the teacher of Giotto. We can admire the frescoes of the supreme painter Giotto not only in Florence, but also in Padua and Assisi. Between the fifteenth and sixteenth centuries Italy produces painters of the calibre of Fra Angelico of Fiesole, Duccio of Siena, Ghirlandaio and Botticelli. Between the fifteenth and sixteenth centuries it produces four artists who will never be surpassed: Leonardo da Vinci, Michelangelo, Raphael, and Titian. Their paintings are scattered throughout the world, but most of their masterpieces remain in Italy. In Milan we find "The Last Supper," of Leonardo; in Florence, "The Madonna of the Granduke," of Raphael; in Rome, the Sistine Chapel, of Michelangelo; and in Venice, the portraits of illustrious men painted by Titian. The list of Italian artists is endless.

Among the sculptors we have already mentioned one of the greatest, Nicola Pisano. There follow other sculptors admired by everybody: Mino of Fiesole, Donatello, Verrocchio, Ghiberti, Michelangelo, Canova. What student of art has not seen the "San Giorgio," of Donatello, in Florence? or the Medici Chapels of Michelangelo? Who can ever go to Rome and not menticabili: Piazza San Pietro, a Roma; le fontane di Tivoli, vicino a Roma; il Palazzo dei Dogi, a Venezia; il Duomo, e il Campanile di Giotto, a Firenze; la cattedrale di Monreale, vicino a Palermo. Da un estremo all'altro dell'Italia l'arte attraversa i secoli e arriva ai nostri giorni. Il tempo passa e il modo di esprimersi artisticamente si sviluppa in modi diversi, ma l'amore del bello è eterno nello spirito italiano.

stop to see the "Moses," or "The Pietà" of Michelangelo? As for architecture, let us mention in this brief introduction a few of the unforgettable masterpieces: Saint Peter's square, in Rome; the fountains at Tivoli, near Rome; the Dogi Palace, in Venice; the Duomo and Giotto's bell tower, in Florence; the cathedral of Monreale, near Palermo. From one end of Italy to the other, art crosses centuries and reaches our times. Time passes by and the means of artistic expression develop in various ways, but the love of beauty is eternal in the Italian spirit.

REFERENCE GLOSSARY ON ITALIAN ART

New Places

Assisi: Small ancient city in central Italy, birthplace of Saint Francis. Giotto's frescoes are in the upper cathedral.

Fiesole: Ancient Etruscan city on the hills outside of Florence; now just a picturesque town with works of art.

Monreale: Small city outside of Palermo, in Sicily, famous for its twelfth-century Norman cathedral and monastery, with Byzantine mosaics.

Padova (Padua): Important city near Venice, home of the second oldest university in Italy. Giotto's famous frescoes are in the chapel of the Scrovegni.

Palermo: Largest and most important city in Sicily and one of the main harbors in Italy. Palermo is the place where Italian literature began.

Pisa: The most important city in Tuscany next to Florence, situated near the mouth of the Arno river. It is an outstanding university center.

Siena: Historically and artistically one of the most important cities of Tuscany, with a marked medieval character. It is the home of a medieval horse race known as the "Palio di Siena."

Tivoli: Small city some twenty miles from Rome, famous for the gardens and fountains of Villa d'Este.

Artists

(Fra) Angelico da Fiesole (known as Beato Angelico; 1387–1455): Dominican friar whose religious paintings achieved unequaled perfection.

(Il) Botticelli, Sandro (1444?–1510): Florentine painter with a highly characteristic style, as evidenced in his "Birth of Venus," or his "Spring." He has many paintings in Florence and frescoes in the Sistine Chapel, in Rome.

Canova, Antonio (1757–1822): The greatest Italian sculptor of the nineteenth century, whose best known work is "The Three Graces." Many consider him the greatest Italian sculptor after Michelangelo.

Cimabue, Giovanni (end of 13th – beginning of 14th): Innovator in art who exercised great influence on the development of the Florentine school.

Donatello (Donato di Betto Bardi; 1386–1466): One of the greatest and most influential sculptors, whose many masterpieces are to be found in Florence, Rome, Padua, and other cities of northern Italy.

Duccio da Siena (Duccio di Buoninsegna; end of 13th – beginning of 14th): Initiator of the Sienese school of painting, whose masterpiece is being reconstructed in the Duomo of Siena.

Ghiberti, Lorenzo (1378–1455): Universal genius of Florence, famous as painter, sculptor, architect, goldsmith, and writer. He is best known for the "Gate of Paradise," on the Baptistry in Florence.

Ghirlandaio, Domenico (1449–1494): Great Florentine painter whose religious paintings contain remarkable portraits of contemporary celebrities. Famous frescoes in Santa Maria Novella in Florence and the Sistine Chapel in Rome.

Giotto di Bondone (1266–1337): One of the greatest painters of all times because his work was the foundation of the most flourishing period of Italian art. In architecture he designed the famous Campanile next to the Duomo, in Florence.

Leonardo da Vinci (1452–1519): The greatest universal genius, famous as painter, sculptor, architect, engineer, scientist. His "Mona Lisa" is the greatest attraction in the Louvre in Paris. His notebooks are a constant source of amazement.

Michelangelo Buonarroti (1475–1564): Perhaps the greatest artistic genius, famous as architect, painter, sculptor, and poet. The dome of Saint Peter's, the Sistine Chapel, and the *Pietà* are among his masterpieces best known in this country.

Mino da Fiesole (1430?–1484): Sculptor whose delicate work influenced later artists.

Nicola Pisano (1200?–1278 or 1287): Greatest sculptor of the thirteenth century, famous for his pulpits in Pisa and Siena, and the fountain in Perugia.

Raffaello Sanzio da Urbino (1483–1520): One of the best loved of Italian painters, considered by some the greatest painter and by others not so great. His paintings are the center of attraction in many museums, including the National Gallery in Washington.

Tiziano Vecellio (1490?–1576): Greatest painter of the Venetian school and one of the greatest painters of portraits, as well as religious themes. His masterpieces are in major galleries throughout the world.

Verrocchio, Andrea del (1435–1488): Great painter and sculptor under whom Leonardo da Vinci began to study painting.

Works of Art

Battistero di Pisa: The Baptistry is one of the three architectural masterpieces in the Piazza del Duomo in Pisa. It was begun in 1152 and represents one of the best examples of Romanesque architecture.

Campanile di Giotto: Bell tower designed by Giotto in Florence, next to the Duomo.

Cappelle Medicee: The Medici chapels attached to the church of San Lorenzo in Florence. They contain the famous tombs designed by Michelangelo.

Cappella Sistina: The Sistine chapel in the Vatican in Rome contains the most famous frescoes of Michelangelo, including "The Last Judgement."

Cattedrale di Monreale: One of the finest examples of Norman architecture, containing excellently preserved Byzantine mosaics.

Il Cenacolo: "The Last Supper," of Leonardo da Vinci, is considered one of the finest murals of all times, even though the colors are fading and the paint has deteriorated. It is in Santa Maria delle Grazie, in Milan.

Duomo di Firenze: This beautiful cathedral in green and white marble, whose dome was designed by Brunelleschi, is the center of attraction in Florence. It was built in the fourteenth century on the site of an older cathedral, Santa Reparata, which was rediscovered after the flood of 1966.

Duomo di Pisa: The Duomo is one of the three architectural masterpieces in the Piazza del Duomo. It was begun in 1063 and finished more than a century later. Excellent example of Pisan architecture.

La Madonna del Granduca: One of the many masterpieces of Raffaello. It is in the Uffizi gallery in Florence and is admired for the perfection of colors and gentleness of expression. For the believer, this is the ideal heavenly expression.

Il Mosè: This marvelous statue of Moses, which Michelangelo carved for the tomb of Pope Julius II, is in San Pietro in Vincoli, a small church in Rome.

Palazzo dei Dogi: The Ducal Palace in Venice was built mainly in the fifteenth century and is one of the finest examples of the decorative style of Venetian architecture.

Piazza San Pietro: The tremendous square in front of Saint Peter's in Rome, built with colonnades in the shape of a key, with two enormous and superbly beautiful fountains.

La Pietà: Michelangelo made several statues depicting the "Descent from the Cross." The best known one is in Saint Peter's, carved when the artist was only twenty-three. This statue was exhibited in the United States at the World's Fair in 1957.

San Giorgio: One of the most famous statues of Donatello in which he established his individual style. It is in the Bargello, in Florence.

Santa Croce: This beautiful church in Florence dates back to the thirteenth century and serves as the final resting place of famous people. It is the Italian Westminster Abbey.

Torre Pendente: The Leaning Tower of Pisa is the third of the architectural masterpieces in the Piazza del Duomo, which is also known as the Field of Wonders (Campo dei Miracoli). It was begun in 1174 and leans a bit more as each century goes by.

> NOTE: You and your teacher will wonder why so many other important names have not been included. This list is intended to whet your curiosity and encourage you to add to the list on your own.

Domande e risposte (Questions and Answers)

One student reads a statement and then asks a question based on it. Another student will answer the question with the original statement or something close to it. Continue the process with additional statements taken from the selection and make up questions on your own.

1. Il periodo più famoso dell'arte italiana va dal tredicesimo al sedicesimo secolo.

Question: Qual è il periodo più famoso dell'arte italiana?

2. Spesso lo stesso artista è famoso in tutti e tre i campi dell'arte.

Question: Ci sono artisti famosi in tutti e tre i campi dell'arte?

3. A Pisa possiamo vedere il Battistero, il Duomo, e la Torre Pendente.

Question: Quali tre monumenti d'arte possiamo vedere a Pisa?

4. Due famose chiese di Firenze sono Santa Maria Novella e Santa Croce.

Question: Quali sono due famose chiese di Firenze?

5. Tre pittori famosi sono Fra Angelico, Domenico Ghirlandaio, e Sandro Botticelli.

Question: Quali sono tre pittori famosi?

6. "Il Cenacolo" è l'affresco più famoso di Leonardo da Vinci.

Question: Qual è l'affresco più famoso di Leonardo da Vinci?

7. La Cappella Sistina è conosciuta per gli affreschi di Michelangelo.

Question: Perché è conosciuta la Cappella Sistina?

8. La Madonna del Granduca è un capolavoro di Raffaello.

Question: Qual è uno dei capolavori di Raffaello?

9. La Cattedrale di Monreale è vicino a Palermo, nella Sicilia.

Question: Dove si trova la Cattedrale di Monreale?

10. Nicola Pisano, Donatello, e Michelangelo sono tre dei più famosi scultori.

Question: Quali sono tre dei più famosi scultori?

The Allegory of Obedience by Giotto, in the church of St. Francis in Assisi

EXERCISES

I. Scrivete queste proposizioni completamente in italiano (*Write these sentences completely in Italian.*):

1. Questa settimana (*we have learned*) i nomi di molti artisti, ma (*we do not remember them*).
2. Oggi (*I went*) in un negozio e (*I bought*) delle belle cravatte.
3. Questo mese mio fratello (*left*) per Roma, dove (*he will study*) all'università.
4. Quest'estate mio padre e mia madre (*will go*) in Europa e (*they will visit*) il Vaticano.
5. (*We have not seen*) la Torre Pendente perché (*we have not been*) a Pisa.
6. Carlo (*has taken*) l'ascensore e (*he went up*) al quarto piano.
7. (*They arrived*) all'albergo e (*they have taken*) una camera con bagno.
8. Gli studenti (*live*) in periferia e (*they take*) l'autobus ogni giorno.
9. Qui (*we can enjoy*) l'aria fresca perché (*there isn't any*) inquinamento.
10. Quando (*did they leave*) per Venezia e a che ora (*will they arrive*)?

II. Sostituite il sostantivo in corsivo con un pronome (*Substitute a pronoun for the noun in italics.*):

1. In quel negozio non vendono *maglie di lana.*
2. Troviamo *l'arte* anche negli oggetti di vita giornaliera.
3. Abbiamo *le cravatte di seta* in questa cassetta.
4. Enzo visita volentieri *i cugini.*
5. Gli studenti non comprendono bene *le lezioni.*
6. I Veneziani preferiscono *i vaporetti* alle gondole.
7. Dove compreranno *i biglietti?*
8. Carlo presenta *gli amici* al suo professore.
9. Quando Lei andrà in Italia, vedrà *il Battistero.*
10. Non vedranno *gli amici* questo pomeriggio.

III. Mettete i seguenti verbi al futuro (*Put the following verbs in the future.*):

1. Il turista (andare) a Milano e (vedere) "Il Cenacolo."
2. Noi studenti (potere) fare una gita nell'estate e (venire) a visitarvi.
3. (Essere) aperti i negozi quando Lei (arrivare)?
4. La mamma (riposarsi) due ore e poi (alzarsi).
5. Tu (lavarsi) e (pettinarsi) nella sala da bagno.
6. Voi (camminare) in Via Veneto e (fermarsi) nei negozi.
7. L'impiegato ti (parlare) in italiano e tu lo (comprendere).
8. Lei (attraversare) la strada e (entrare) nel museo.
9. Gli anni (sparire) e l'arte (restare) per sempre.
10. Il professore (fare) una domanda e gli alunni (rispondere).

IV. Traducete le seguenti frasi (*Translate the following sentences.*):

A. (*Polite singular*)

1. Come and (to) see me.
2. Finish the lesson.
3. Leave tomorrow.
4. Answer in English.
5. Take the bus.
6. Talk with the teacher.
7. Take a walk.
8. Say "Good Morning."
9. Wait for me at the corner.
10. See "The Last Supper."

B. (*Polite plural*)

1. Rest a bit.
2. Come back tomorrow.
3. Answer in Italian.
4. Stop in Assisi.
5. Go to the airport.
6. Cross the street.
7. Get up early.
8. Do not dine on the Via Veneto.
9. Wait for us here.
10. Tell us where you are going.

V. Scrivete frasi originali con le seguenti espressioni (*Write original sentences, using the following expressions.*):

1. tutt'intorno
2. molto di più
3. non ... altro che
4. una maglia di fantasia
5. cercare di
6. a occhi aperti
7. andiamo bene per ...
8. andare in treno
9. fare una gita
10. essere fra i piedi

VI. (Optional) Refer to the selection, "L'arte in Italia," and write answers to the following questions:

1. Ci sono grandi musei nella Sua città?
2. Si trova l'arte nei cimiteri italiani?
3. A quale arte s'ispira l'architettura italiana?
4. Si trova a Firenze la Torre Pendente?
5. In quale città è Santa Croce?
6. Quale artista ha dipinto molti ritratti di uomini illustri?
7. Quali cappelle sono famose per la scultura di Michelangelo?
8. In che città si trova Piazza San Pietro?
9. In che città si trova il Palazzo dei Dogi?
10. Vicino a quale grande città troviamo la Cattedrale di Monreale?
11. In quali città troviamo affreschi di Giotto?
12. Quali capolavori di architettura conosce Lei?
13. Quale statua famosa di Michelangelo conosce Lei?
14. In che chiesa troviamo "Il Cenacolo" di Leonardo da Vinci?
15. In che museo si trova la "Mona Lisa"?

PART TWO

Lesson 13

CURRENT USAGE

■ *Dal barbiɛre*

TURISTA: Per favore, dove trɔvo un barbiɛre quị vicino?
VỊGILE: In quella via di fronte, a dɛstra della fontana.
TURISTA: La mạcchina la lạscio quị?
VỊGILE: Sì, se ha messo il disco. Qui ɛ̀ zɔna-disco.
TURISTA: Ma la mạcchina ɛ̀ noleggiata e non mi hanno dato nessụn disco. Sono straniɛro. Come fạccio?
VỊGILE: Può lasciare un fɔglio di carta, scrivɛndo l'ora in cui si ɛ̀ fermato. Lasci il fɔglio di carta in bɛlla vista.
TURISTA: Diạmine! Non hɔ né carta né matita. Come fạccio?
VỊGILE: Bɛne, sono io il vịgile. Va a farsi tagliare i capelli? Vada pure, ché non La disturbo.
TURISTA: Tante grạzie. Lɛi ɛ̀ molto gentile.

Il signore entra dal barbiɛre.

BARBIɛRE: Si accɔmodi, signore. Solo i capelli, o capelli e barba?
TURISTA: Solo i capelli. La barba ɛ̀ già fatta. Perɔ stia attɛnto al tạglio, perché sono straniɛro, e da noi il tạglio ɛ̀ differɛnte.
BARBIɛRE: Sì, signore, l'hɔ già notato. Manterrɔ̀ lo stesso tạglio. Da voi si fa tutto con la macchinetta elɛttrica.
TURISTA: Appunto. Buzz! buzz! e in cịnque minuti ɛ̀ fatto. Ma adɛsso non lavọrano così nemmeno in Amɛrica.
BARBIɛRE: Noi invece lavoriamo sɛmpre con le fɔrbici. Anzi, per dar migliọr tạglio facciamo col rasọio, ma costa di più.
TURISTA: Vedo che lavora molto bɛne con le fɔrbici. Non vale la pena pagare di più per il rasọio.
BARBIɛRE: Grạzie, signore; ɛ̀ molto gentile. Bagniamo i capelli, o li lasciamo asciutti?
TURISTA: Lasciạmoli asciutti. Così va bɛne. Quanto ɛ̀?
BARBIɛRE: Fạccia il favore di pagare alla cassa. Buɔn giorno e buɔn viạggio.

STRUCTURE

51. Orthographical changes in verbs

Verbs ending in **-care** or **-gare** (like **dimenticare** *to forget,* or **pagare** *to pay*) add an **h** to the stem whenever the ending begins with **e** or **i.** This is done in order to preserve the hard *k*- or hard *g*-sound of the stem. Notice the present indicative, polite command forms, and future of the verb **pagare:**

Present: pago, **paghi,** paga, **paghiamo,** pagate, pạgano
Polite Command Forms: **paghi, pạghino**
Future: **paghero̊, pagherai, pagherà, pagheremo, pagherete, pagheranno**

Verbs ending in **-ciare** or **-giare** (like **lasciare** *to leave,* or **mangiare** *to eat*) drop the **i** of the stem when the ending begins with an **i** or an **e.** Notice the forms of **mangiare:**

Present: mangio, **mangi,** mangia, **mangiamo,** mangiate, mạngiano
Polite Command Forms: **mangi, mạngino**
Future: **mangerɔ̀, mangerai, mangerà, mangeremo, mangerete, mangeranno**

52. Comparison of adjectives

The comparative form of an adjective expresses a greater degree of the quality of the adjective, as for example: *long — longer; small — smaller; difficult — more difficult.* In Italian this comparative is generally formed by placing **più** before the adjective: **lungo — più lungo; pịccolo — più pịccolo; diffịcile — più diffịcile.**

The superlative of an adjective expresses the highest degree of the quality of that adjective: *long — longest; small — smallest; difficult — most difficult.* In Italian this superlative is formed by adding the appropriate definite article before the **più** of the comparative:

la più lunga strada the longest road
il più pịccolo libro the smallest book
le più diffịcili lezioni the most difficult lessons

If the comparison expresses a lesser rather than a greater degree, the word **meno** is used instead of **più.**

Quella strada ɛ̀ meno lunga di questa. That street is not as long as this one.
La lezione ɛ̀ meno diffịcile di quella di iɛri. The lesson is less difficult than yesterday's.

53. Irregular comparatives

In Italian as well as in English there are some adjectives which change their form altogether in the comparative and superlative, as for example: *good, better, best; bad, worse, worst.* Notice the comparative and superlative of some of the common adjectives that you have learned:

grande, maggiore, il maggiore (mạssimo)[1]

[1] The forms **mạssimo, ɔttimo,** and **pɛssimo** are called absolute superlatives and will be taken up later.

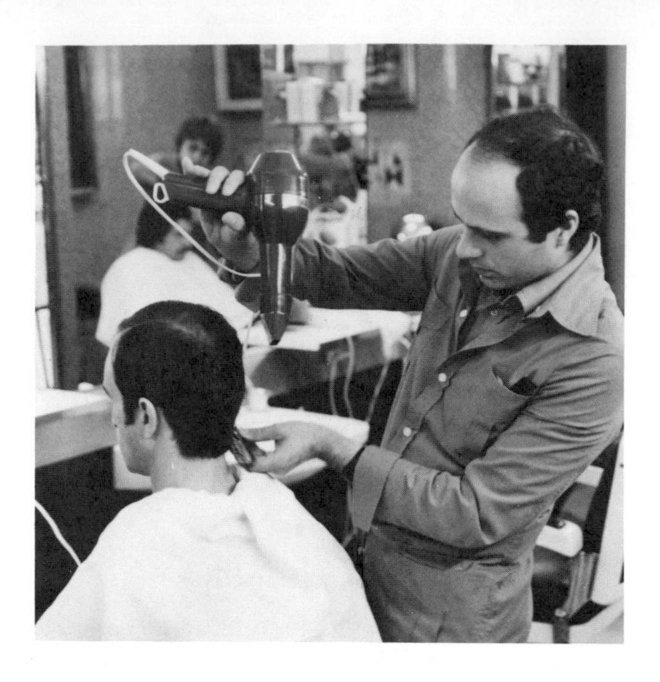

buɔno, migliore, il migliore (**ɔttimo**)
cattivo, peggiore, il peggiore (**pɛssimo**)

The adjective **grande** has a regular as well as an irregular comparative. The regular comparative generally refers to size; the irregular comparative refers to age (*older*) or importance (*greater*).

Questa casa è più grande di quella. This house is larger than that one.
Carlo è il fratɛllo maggiore. Charles is the older brother.
Dante è il maggiọr poɛta. Dante is the greatest poet.

54. "Than" in comparisons

The word "than" in comparisons is usually rendered by **di** before nouns, pronouns, and numerals.

L'aeroplano è più rạpido del trɛno. The plane is faster than the train.
Il vịgile è più alto di me. The traffic cop is taller than I.
Ci sono più di venti studɛnti. There are more than twenty students.

Later you will learn more about the word "than" in comparisons.

55. "In" after a superlative

The word "in" after a superlative is generally translated by **di.**

Michelangelo è il maggiọr artista del mondo. Michelangelo is the greatest artist in the world.
Clạudia è la più intelligɛnte della classe. Claudia is the most intelligent one in the class.

56. Special meaning of da

The preposition **da** + a word denoting a person indicates the place where that person is normally found or where he works. It is translated *at the home of, at the place of,* etc.

Andiamo dal barbiɛre. We go to the barber's.
Da voi si fa tutto con la macchinetta elɛttrica. Where you come from they do everything with the clippers.

ESERCIZI (*Exercises*)

I. Rispondete alle seguɛnti domande personali (*Answer the following personal questions.*):

1. Va Lɛi spesso dal barbiɛre?
2. Abbiamo zɔne-disco per le mạcchine in questa città?
3. Ha Lɛi noleggiato una mạcchina per venire a scuɔla?
4. Ha Lɛi un fɔglio di carta e una matita?
5. Dove va Lɛi per farsi la barba?
6. Si fa la barba ogni giorno?
7. Dove va per farsi tagliare i capelli?
8. Lavora con la macchinetta elɛttrica il Suo barbiɛre?
9. Lavora con le fɔrbici?
10. Lạscia Lɛi asciutti i capelli quando va dal barbiɛre?
11. Dove paghiamo quando tutto ɛ̀ fatto?
12. Sono sɛmpre gentili i vịgili della città?

II. Completate con le forme del presɛnte indicativo e del futuro (*Complete with the proper forms of (1) the present indicative and (2) the future*):

1. Noi (cercare) di comprɛndere.
2. Tu (cercare) di venire prɛsto.
3. Gli studɛnti (cercare) un buɔn albɛrgo.
4. Dove (lasciare) Lɛi la mạcchina?
5. Io (lasciare) un fɔglio di carta.
6. Noi (pagare) alla cassa.
7. Voi (pagare) i biglietti.
8. I turisti (viaggiare) in Eurɔpa.
9. Io (viaggiare) sɛmpre nell'estate.
10. Noi (mangiare) al ristorante.
11. Tu (cominciare) a parlare.
12. Il barbiɛre (cominciare) a tagliare i capelli.

III. Formate frasi comparative seguɛndo il modello (*Make up comparative sentences, following the model.*):

MODEL: i miɛi capelli — asciutti — i tuɔi capelli
I miɛi capelli sono più asciutti dei tuoi capelli.

1. la vɔstra casa — bɛlla — la nɔstra casa
2. questa via — lunga — quella via
3. la mia mạcchina — vɛcchia — la Sua mạcchina
4. questo fɔglio — grande — quel fɔglio
5. il barbiɛre — giọvane — vịgile
6. le fɔrbici — nuɔve — rasọio
7. l'invɛrno — freddo — primavɛra
8. l'estate — calda — l'autunno
9. gennạio — lungo — febbrạio
10. le alunne — intelligɛnti — gli alunni
11. i musɛi — interessanti — le stazioni
12. Roma — importante — Palɛrmo

IV. Traducete (*Translate.*):

1. The barber is on that street to the right of the fountain.
2. This is a disk zone and you cannot leave the car without a disk.
3. Write on a sheet of paper the hour when you stopped.
4. Are you going to get a haircut?
5. Go right ahead; I won't bother you.
6. Please be careful with the styling, because I am a foreigner.
7. With the electric clippers, in five minutes it's all done.
8. Here we always work with scissors.
9. We also work with a razor in order to give a better styling.
10. Please pay the cashier near the door.

WORD LIST

NOUNS

barbiɛre *m.* barber
capelli *m. pl.* hair
carta *f.* paper
cassa *f.* cashier's window, cashier
disco *m.* disk
fɔglio *m.* sheet
fontana *f.* fountain
fɔrbici *f. pl.* scissors
mạcchina *f.* car
macchinetta elɛttrica *f.* (electric) clippers
matita *f.* pencil
rasọio *m.* razor
straniɛro *m.* foreigner
via *f.* street
viạggio *m.* trip, journey
vịgile *m.* traffic cop
vista *f.* sight; **in bɛlla —**, in full view
zɔna *f.* zone; **zɔna-disco** *f.* disk zone

ADJECTIVES

asciutto, -a dry
attɛnto, -a careful; **stare — a** to be careful with
differɛnte different
elɛttrico, -a electric
gentile kind
migliore (**miglior**) better
nessuno (**nessun**), **-a** no, any (*negative*)

VERBS

***accomodarsi** to make oneself comfortable
bagnare to wet, bathe
disturbare to disturb, bother
lasciare to leave
noleggiare to rent (*a car*)
notare to notice
scrivere *irr.* to write
tagliare to cut

EXPRESSIONS

di fronte opposite
Come faccio? What do I do?
Diamine! Hell!
Vada pure. Go right ahead.
farsi tagliare i capelli to get a haircut
farsi la barba to shave, get a shave
Non vale la pena. It's not worth while.
Faccia il favore di pagare ... Please pay . . .

Related Vocabulary

penna *f.* pen
bagnato, -a wet
importante important
intelligɛnte intelligent
interessante interesting
secco, -a dry
dimenticare (*or* ***dimenticarsi**) to forget
ricordare (*or* ***ricordarsi**) to remember

LANGUAGE PRACTICE

The ability to use a language depends on your ability to get the gist of the subject matter and guess individual words from the context. In the Language Practice we deal with simple topics containing words and constructions which you may not have had, but which are within your reach. Try to understand without looking up words and check your understanding by asking each other questions.

Leggete senza tradurre e pɔi rispondete oralmente alle domande (*Read without translating and then answer the questions orally.*):

■ *La cinematografia*

La cinematografia[1] ɛ̀ una delle grandi industrie in Italia. Alla periferia di Roma l'industria ha creato un cɛntro che pɔrta appunto il nome di Cinecittà. Lì si girano[2] molte pellicole[3] non soltanto in italiano, ma anche in

[1] movie industry. [2] are taken. [3] films.

altre lịngue, come l'inglese, il francese, il tedesco,[4] ecc. I registi[5] italiani sono molto rinomati[6] e conosciuti in tutto il mondo. Alcuni dei registi sono forse più rinomati degli attori e delle attrici.[7] Insiɛme ai nomi di Sophia Lorẹn e di Marcɛllo Mastroianni vediamo i nomi di Fellini, Rossellini, Visconti, Wertmüller, ecc. Spesso nelle pellịcole italiane gli attori pạrlano in dialɛtto. Lo studɛnte cɛrto non puɔ̀ capire i dialɛtti, ma la pellịcola pɔrta sɛmpre i sottotịtoli[8] o ɛ̀ doppiata[9] in inglese. Ɛ̀ un buɔn esercịzio ascoltare l'italiano delle pellịcole.

Il cịnema italiano ɛ̀ molto apprezzato[10] perché ɛ̀ naturale e realịstico. Pɔrta sullo schermo[11] una sincerità che rɛnde le pellịcole vere ɔpere d'arte.

Domande

1. Ɛ̀ una grande indụstria la cinematografia in Itạlia?
2. Dov'ɛ̀ Cinecittà?
3. Si gịrano pellịcole in vạrie lịngue?
4. Sono rinomati i registi italiani?
5. Ɛ̀ fạcile capire i dialɛtti italiani?
6. Ascolta Lɛi l'italiano delle pellịcole?
7. Sono una vera ɔpera d'arte alcune pellịcole?
8. Conosce Lɛi alcune pellịcole italiane?

---

[4] German. [5] directors. [6] outstanding. [7] actresses. [8] subtitles [9] dubbed.
[10] appreciated. [11] screen.

Main door of the Duomo of Orvieto

Lesson 14

CURRENT USAGE

Il Trecɛnto

Il sɛcolo decimoquarto fu il più importante della letteratura italiana. In quel sɛcolo, chiamato il Trecɛnto, vịssero i tre maggiori scrittori italiani: Dante Alighiɛri, Francesco Petrarca, e Giovanni Boccạccio. Dante fu il maggiọr poɛta italiano ed ɛ̀ considerato da molti il maggiọr poɛta del mondo. Il[1] Petrarca fu uno dei migliori poɛti e il più importante umanista dei suɔi tɛmpi. Il Boccạccio fu il migliore scrittore di prɔse e uno dei più geniali novelliɛri del mondo.

Dante passɔ̀ la prima parte della vita a Firɛnze e pɔi molti anni girando per vạrie città dell'Itạlia. Morì a Ravenna nel 1321 (mille trecɛnto ventuno). Il Petrarca nạcque in Toscana, ma prɛsto andɔ̀ a vịvere in Frạncia, vicino alla città di Avignone. Viaggiɔ̀ per molte città della Frạncia e dell'Itạlia. Il Boccạccio passɔ̀ i primi anni della sua vita a Nạpoli e pɔi visse quasi sɛmpre in Toscana.

Il Petrarca nạcque nel 1304 (mille trecɛnto e quattro), quando Dante aveva[2] già trentanɔve anni. Scrisse bellịssime poesie in italiano e molte cɔse in latino. Il Boccạccio nạcque nel 1313 (mille trecɛnto trẹdici), e aveva soltanto ɔtto anni quando morì Dante, ma fu uno dei suɔi più grandi ammiratori. Studiɔ̀ la vita e gli scritti del famoso poɛta e commentɔ̀ parte della Divina Commɛdia, ciɔ̀è i primi diciassɛtte canti dell'Infɛrno. Dante, il Petrarca, e il Boccạccio servịrono di modɛllo ai migliori scrittori d'Eurɔpa ed ɛbbero un grande influsso sulla letteratura europɛa.

Non ɛ̀ il caso quị di discụtere le ɔpere di questi tre sommi autori, ma forse ci sono studɛnti che non conọscono nemmeno l'ɔpera principale di ognuno. Dante Alighiɛri compose la Divina Commɛdia; il Petrarca ɛ̀ famoso per il *Canzoniɛre;* e il Boccạccio ɛ̀ conosciuto dappertutto per il suo *Decamerone.* Andate in bibliotɛca e cominciate a lɛggere, se non l'avete già fatto.

SPELLING HINTS

Writing from sounds

A. Listen to the following words and write them from dictation:

ala — alla	vene — venne	sono — sonno	dici — dicci
cane — canne	pene — penne	pɔso — pɔsso	vịsi — vissi
pani — panni	case — casse	ɛco — ɛcco	rɔṣe — rosse

[1] The article is used before the surname of many famous people, but not always, nor with every famous person.

[2] (Another past tense.) Dante was already thirty-nine years old.

B. Now write the following from dictation:

pɔco — pɔchi	luɔgo — luɔghi	amica — amiche	larga — larghe
ɛco — ɛchi	lungo — lunghi	ɔca — ɔche	lunga — lunghe
fuɔco — fuɔchi	largo — larghi	vacca — vacche	paga — paghe

STRUCTURE

57. Past absolute

In Lessons 8 and 9 you learned the first of the past tenses in Italian, namely the present perfect (**passato prɔssimo**). Now you are learning another of the past tenses, namely the past absolute or past definite (**passato remɔto**). The past absolute indicates an action which took place at a definite time in the past and is not mentally connected with the present by the speaker. The past absolute is used in relating historical events, or in talking about personal events which are now over.

Dante compose la Divina Commedia. Dante wrote (*lit.*, composed) the Divine Comedy.

Carlo andɔ̀ in Itạlia l'anno scorso. Charles went to Italy last year.

(Just remember at this point that Italian past tenses can express certain shades of meaning which cannot be expressed by the verb alone in English.)

Notice the endings of regular verbs in the past absolute.

	I	II	III
	parlare	**vẹndere**	**finire**
io	parl-**ai**	vend-**ei** (-**ɛtti**)[1]	fin-**ii**
tu	parl-**asti**	vend-**esti**	fin-**isti**
egli, essa, Lɛi	parl-**ɔ̀**	vend-**e** (-**ɛtte**)	fin-**ì**
noi	parl-**ammo**	vend-**emmo**	fin-**immo**
voi	parl-**aste**	vend-**este**	fin-**iste**
essi, esse, Loro	parl-**ạrono**	vend-**ẹrono** (-**ɛttero**)	fin-**ịrono**

58. Irregular verbs in the past absolute

Many verbs are irregular in the past absolute. Notice the irregular verbs used in this lesson.

[1] In the second conjugation, verbs sometimes have the alternate endings given in parentheses.

ɛssere	**avere**	**nascere** *to be born*	**vivere** *to live*	**scrivere** *to write*
fui *I was*	**ɛbbi** *I had*	**nacqui** *I was born*	**vissi** *I lived*	**scrissi** *I wrote*
fosti	**avesti**	**nascesti**	**vivesti**	**scrivesti**
fu	**ɛbbe**	**nacque**	**visse**	**scrisse**
fummo	**avemmo**	**nascemmo**	**vivemmo**	**scrivemmo**
foste	**aveste**	**nasceste**	**viveste**	**scriveste**
furono	**ɛbbero**	**nacquero**	**vissero**	**scrissero**

Notice the similarity between **vivere** and **scrivere.** Many verbs are irregular like these two in the past absolute. Once you learn the first and second person singular, the rest follows a regular pattern.

59. Ordinal numerals

The ordinal numerals from the first to the tenth are as follows:

1st	**primo, -a**	6th	**sɛsto, -a**
2nd	**secondo, -a**	7th	**sɛttimo, -a**
3rd	**tɛrzo, -a**	8th	**ottavo, -a**
4th	**quarto, -a**	9th	**nɔno, -a**
5th	**quinto, -a**	10th	**dɛcimo, -a**

After the tenth the simple way to make the ordinal from the cardinal number is to drop the last vowel and add **-ɛsimo**[1].

undici — undicɛsimo, venti — ventɛsimo, mille — millɛsimo

60. Metric system

For weights and measures Italian uses the metric system, which is used for scientific measurements throughout the world (and is in process of being adopted in the United States). The most common units are:

mɛtro meter = *39.37 inches*
chilɔmetro kilometer = *1000 meters (5/8 of a mile)*
centimetro centimeter = *1/100 of a meter (1 inch = 2.34 centimeters)*
grammo gram (*unit of small weight: one ounce is about 30 grams*)
ettogrammo (**ɛtto**) = *100 grams*
chilogrammo kilogram = *1000 grams (2 1/5 lbs.)*
litro liter = *about 1 quart (1.026 quart)*

[1] There is another, more complicated way of forming the ordinal of numbers above ten: it is to give the ordinal of ten or its multiple followed by the ordinal of the number less than ten. Thus: **decimoquarto** *fourteenth;* **ventɛsimo secondo** *twenty-second.* However, as far as you are concerned, this complicated form is for recognition purposes only.

Mi dia due ɛtti di quel formạggio.	Give me two hectograms (*about a quarter of a pound*) of that cheese.

ESERCIZI

I. Domande:

1. Quale fu il sɛcolo più importante della letteratura italiana?
2. Quali tre autori famosi vịssero in quel sɛcolo?
3. Chi ɛ̀ considerato da molti (e dall'autore) il maggiọr poɛta del mondo?
4. Scrisse poesie in italiano il Petrarca?
5. Fu gran novelliɛre il Boccạccio?
6. Dove passɔ̀ Dante la prima parte della sua vita?
7. Dove viaggiɔ̀ molto il Petrarca?
8. Quanti anni aveva il Boccạccio quando morì Dante?
9. Fu grande ammiratore di Dante il Boccạccio?
10. Ɛbbero un grande influsso questi tre scrittori importanti?

The tomb of the greatest Italian poet is modestly at the end of a narrow street in Ravenna.

II. Cambiate i vɛrbi in corsivo dal presɛnte al passato remɔto (*Change the verbs in italics from the present to the past absolute.*):

1. Nell'estate Franco *viạggia* in Itạlia e *impara* la lịngua.
2. I turisti *arrịvano* con l'ạutobus e *pạrtono* col trɛno.
3. Io *fermo* la mạcchina e *lạscio* il disco.
4. Essi *vẹndono* la frutta e *cọmprano* il vino.
5. Tu *finisci* la lezione, ma non la *capisci.*
6. Voi *partite* in giugno e *tornate* in agosto.
7. Mia sorɛlla *sɛrve* il pranzo e *sparisce.*
8. Gli studɛnti *sɛntono* l'ɔpera, ma non la *capịscono.*
9. Voi *dormite* quando *parla* il professore.
10. I genitori *arrịvano* e i ragazzi *pạrtono.*

III. Date il passato remɔto dei vɛrbi fra parɛntesi (*Supply the past absolute forms of the verbs in parentheses.*):

1. Dante (nạscere) a Firɛnze e (morire) a Ravenna.
2. Il Petrarca (vịvere) in Frạncia e (viaggiare) in Itạlia.
3. Gli scrittori (avere) un grande influsso e (servire) da modɛllo.
4. Lisa (scrịvere) al cugino e gli (mandare) i libri.
5. L'estate scorsa io (andare) a Firɛnze e (studiare) all'università.
6. I miɛi parɛnti (partire) in giugno e (arrivare) in lụglio.
7. I suɔi genitori (lasciare) l'Itạlia e (andare) in Amɛrica.
8. Il Boccạccio (scrịvere) il *Decamerone* e (commentare) l'*Infɛrno.*
9. I tre famosi scrittori (nạscere) in Toscana, ma non (vịvere) sɛmpre in Toscana.
10. Noi (ɛssere) in Sicịlia e (visitare) la cattedrale di Monreale.

IV. Completate le seguɛnti frasi (*Complete the following sentences.*)

1. Il nụmero ordinale dopo l'undicɛsimo ɛ̀ ______.
2. Il nụmero ordinale prima del quinto ɛ̀ ______.
3. Il sɛcolo quattordicɛsimo fu prima del sɛcolo ______.
4. Il sɛcolo ventunɛsimo sarà dopo ______.
5. Il fịglio ɛ̀ sɛmpre più giọvane del ______.
6. La nonna ɛ̀ più vɛcchia della ______.
7. Il mɛtro ɛ̀ più ______ del centịmetro.
8. Cɛnto centịmetri fanno ______.
9. Mille grammi fanno ______.
10. Il litro ɛ̀ quasi ______ al quart.

V. Date il passato prɔssimo nella prima metà della frase e il passato remoto nella seconda metà (*Supply the present perfect in the first half of the sentence and the past absolute in the second.*):

1. Quest'anno io (studiare) l'italiano; l'anno scorso (studiare) il francese.
2. Ɔggi gli amici (pranzare) con noi; iɛri (pranzare) con voi.

3. Questa settimana tu (imparare) i numeri; la settiman scorsa (imparare) i mesi.
4. Ɔggi Gina (finire) la dɛcima lezione; iɛri (finire) la nɔna.
5. Questo mese Lɛi (viaggiare) in Eurɔpa; il mese scorso (viaggiare) negli Stati Uniti.
6. Noi (pagare) adɛsso perché Lɛi (pagare) iɛri.
7. Questo poɛta (nascere) nel 1950; Dante (nascere) nel 1265.
8. Il novelliɛre (morire) adɛsso; il Boccaccio (morire) nel 1375.
9. Io (arrivare) questa mattina; mio cugino (arrivare) iɛri.
10. Adɛsso noi (comprare) la frutta; iɛri Lɛi (comprare) il caffɛ̀.

WORD LIST

NOUNS

Alighiɛri: Dante Alighiɛri *greatest Italian poet (1265–1321)*
ammiratore *m.* admirer
Avignone *city in southern France*
bibliotɛca *f.* library
Giovanni Boccaccio *greatest Italian prose writer (1313–1375)*
canto *m.* canto
Canzoniɛre *m.* *collection of poems by Petrarch*
Divina Commɛdia *f.* Divine Comedy
Decamerone *collection of 100 short stories by Boccaccio*
Eurɔpa *f.* Europe
Francia *f.* France
Infɛrno *m.* Hell (*first part of the Divine Comedy*)
influsso *m.* influence
latino *m.* Latin
modɛllo *m.* model
novelliɛre *m.* short-story writer
ɔpera *f.* work
Petrarca Petrarch *one of the most important Italian poets and humanists (1304–1374)*
poɛta *m.* poet
prɔsa *f.* prose; **scrittore di prɔse** *m.* prose writer
Ravenna *city in Romagna, in north central Italy*
scritto *m.* writing
scrittore *m.* writer
Trecɛnto (*or* **sɛcolo decimoquarto**) fourteenth century
umanista *m.* humanist

ADJECTIVES

bellissimo, -a very beautiful
decimoquarto, -a fourteenth
europɛo, -a European
geniale genial
maggiore *adj.* greater, major; **il maggiore** the greatest
maturo, -a mature
migliore *adj.* better; **il migliore** the best
principale main, principal
sommo, -a supreme
vari, varie various

OTHER WORDS

forse perhaps
ognuno, ognuna each one
quasi almost
se if

VERBS

commentare to write a commentary (on)

comporre *irr.* to compose, write (a poem)
considerare to consider
lɛggere *irr.* to read
***morire** (*p.p.* **mɔrto**) to die
***nascere** (*p.p.* **nato**) to be born
servire to serve

EXPRESSIONS

non ɛ̀ il caso this is not the time

Related Vocabulary

genitori *m. pl.* parents
iɛri yesterday
ordinale ordinal
parɛnte *m.* relative
passato, -a past
scorso, -a past
uguale equal

LANGUAGE PRACTICE

Leggete senza tradurre e pɔi rispondete oralmente alle domande (*Read without translating and then answer the questions orally.*):

■ *Il gɛnio umano*

Dovunque[1] leggiamo in un libro italiano non troviamo altro che superlativi: il maggior poɛta, il migliore scultore, il miglior pittore, il più grande scienziato,[2] il più grande compositore,[3] — e sɛmpre "del mondo." Ɛ̀ difficile credere che una piccola nazione abbia avuto[4] tanti gɛni. Fatto sta che questa ɛ̀ una malattia[5] contagiosa, e molti Italiani si credono gɛni appunto[6] perché sono Italiani.

Ma insomma,[7] che ci possiamo fare! Se la natura ha voluto dare a questa piccola nazione un Dante, un Michelangelo, un Raffaɛllo, un Galilɛo, un Verdi, e tanti altri — perché dire di nɔ? E se pɔi la natura ha voluto mettere tutto insiɛme in un Leonardo da Vinci, si dɛve dire che non ɛ̀ vero? Alcune nazioni hanno petrɔlio, altre carbone,[8] altre diamanti, e altre ... dɛbbono sopravvivere[9] col gɛnio umano.

Domande

1. Troviamo molti superlativi quando leggiamo un libro italiano?
2. Chi ɛ̀ il maggior poɛta del mondo per Lɛi?
3. Chi ɛ̀ il più grande compositore?

---

[1] wherever. [2] scientist. [3] composer. [4] has had. [5] disease. [6] just. [7] after all. [8] coal. [9] survive.

4. Chi ὲ il più grande scienziato?
5. Chi ὲ un vero gɛnio per Lɛi?
6. Quali nazioni hanno molto petrɔlio?
7. Quali nazioni hanno carbone?
8. Ὲ importante il petrɔlio nei nɔstri giorni?
9. Ha Lɛi un diamante, signorina?
10. Ci sono molti gɛni in questa classe?

On the autostrada from Florence to Pisa

Lesson 15

CURRENT USAGE

■ *Le città nell'invɛrno*

C'ɛ̀ una bɛlla differɛnza nelle città italiane fra l'estate e l'invɛrno. Nell'estate le città sono tutte in movimento. I passanti che si vẹdono per le strade sono in gran parte forestiɛri, ma ci sono anche molti Italiani che gịrano di quạ e di là. Fanno passeggiate, si fẹrmano ai caffɛ̀, s'incọntrano con gli amici, vanno a fare acquisti, si divɛrtono dappertutto. Sui marciapiɛdi non si puɔ̀ passare né da un lato né dall'altro. Quando si attravɛrsa la strada c'ɛ̀ perịcolo di lasciarci la pɛlle.

Nell'invɛrno invece, le città sẹmbrano mɔrte. In Piazza della Repụbblica, a Firɛnze — prɔprio nessuno. Cɛrto c'ɛ̀ diviɛto di parchẹggio, ma non si vẹdono mạcchine da parcheggiare. Non si puɔ̀ sedere ai caffɛ̀ perché fa freddo. I pɔchi tassì gialli stanno lì ad aspettare i cliɛnti, mentre nell'estate sono i cliɛnti che aspɛttano i tassì. A Pisa, nella Piazza del Duɔmo, si vede qualche turista — ma sɛmpre uno alla vɔlta, senza comitive. Nel Cimitero — soltanto i mɔrti. A Roma, Via Vɛneto ɛ̀ spopolata: né turisti, né forestiɛri, né fɔlla, né persona viva. Roma ɛ̀ una città de*s*ɛrta la sera. Eppure questa ɛ̀ la famosa Via Vɛneto che hɔ sɛmpre visto così affollata. Fatto sta che ɛ̀ la prima vɔlta che sono venuto d'invɛrno — e forse sarà l'ụltima.

A me piace vedẹr movimento e vita. Mi piace il sole che batte sui turisti seduti ai caffɛ̀. Mi pịacciono i marciapiɛdi affollati di signorine che passẹggiano. Mi piace l'inquinamento delle automɔbili che pạssano in fila interminạbile. Mi pịacciono le imprecazioni che i pedoni lạnciano agli autisti che non si fẹrmano ai semạfori. Questo silɛnzio delle strade de*s*ɛrte non ɛ̀ per me. Ma la colpa ɛ̀ mia. D'invɛrno si sta a casa a lavorare e non si va girando per il mondo. Anche col freddo intɛnso delle nɔstre regioni, si sɛnte più calore fra la prɔpria famịglia che nelle strade de*s*ɛrte di pae*s*i lontani.

Useful Expressions

in movimento in motion, bustling
in gran parte mostly, for the most part
girare di quạ e di là to go about here and there
né da un lato né dall'altro neither on one side nor on the other
c'ɛ̀ perịcolo di lasciarci la pɛlle there is danger of losing one's life
diviɛto di parcheggio no parking (sign)
mạcchine da parcheggiare cars to be parked
stare ad aspettare to be waiting
uno alla vɔlta one at a time

d'invɛrno in winter
girare per il mondo to go all over the world
fra la prɔpria famịglia at home, in one's own family

STRUCTURE

61. The verb piacere

Piacere is the only verb in Italian which can be used to translate the English verb *to like.* When used in this sense,[1] **piacere** has only the third person singular and the third person plural in each tense. It is conjugated with **ɛssere.**

Present Indicative	**piace, piạcciono**
Future	**piacerà, piaceranno**
Present Perfect	**ɛ̀ piaciuto (-a), sono piaciuti (-e)**
Past Absolute	**piạcque, piạcquero**

Since Italian has no verb meaning *to like,* English sentences containing that verb must be reworded, using the verb *to please.*

I like Rome. — *Rome is pleasing to me.*

The sentence then translates directly into Italian by using the third person of **piacere** and placing that which pleases after the verb.

I like Rome. = *Rome is pleasing to me.* = **Mi piace Roma.**

If that which pleases is singular, the verb **piacere** is in the singular. If that which pleases is in the plural, the verb is in the plural (always in the third person).

He likes the young ladies. = *The young ladies are pleasing to him.* = **Gli piạcciono le signorine.**

If that which pleases is an action, the verb **piacere** is in the singular and the action is in the infinitive.

We like to work. = *To work is pleasing to us.* = **Ci piace lavorare.**

Notice that the subject in English (*I, he, we*) becomes the indirect object in Italian (**mi, gli, ci**). If the subject in English is a noun instead of a pronoun, that noun must be introduced by **a** in Italian, because it becomes an indirect object.

Mary likes to sing. = *To sing is pleasing to Mary.* = **A Maria piace cantare.**

---

[1] With the meaning *to please,* **piacere** has all forms. Present indicative: **piạccio, piaci, piace, piacciamo, piacete, piạcciono.**

62. Disjunctive personal pronouns: Forms and uses

The disjunctive personal pronouns are those which are used independently of a verb (as distinguished from conjunctive personal pronouns, which can be used only when they depend on a verb). The forms of the disjunctive personal pronouns are as follows:

Singular	*Plural*
me me	**noi** us
te you (*fam.*)	**voi** you (*fam.*)
lui him (**esso** it)	**loro** (**essi**) them (*m.*)
lɛi her (**essa** her, it)	**loro** (**esse**) them (*f.*)
Lɛi you (*pol.*)	**Loro** you (*pol.*)
sé (*reflexive third person*)	himself, herself, themselves, *etc.*

The disjunctive personal pronouns are used:

1. After prepositions.

   L'invɛrno non ɛ̀ per me. Winter is not for me.

2. In exclamations.

   Beato te che puɔi viaggiare! Lucky you who can travel!

3. For emphasis or contrast, in which case the pronoun follows the verb.

   Vɔgliono vedere Lɛi, non me. They want to see you, not me.

4. **Lui, lɛi,** and **loro** are used after the verb **ɛssere,** as predicate nominatives (which means that the person after the verb *to be* is the same as the subject).

   Ɛ̀ lui; sono loro. It is he; it is they.

5. **Lui, lɛi,** and **loro** are used in a compound subject.

   Io, lui, e lɛi siamo arrivati insiɛme. He, she, and I arrived together.

6. **Lui** and **lɛi** are now used commonly in conversation as the subject of a verb, instead of the more traditional **egli** and **essa.**

   Lui non ci entra. He does not come into this matter.

63. The particles ci, vi, and ne

Ci is used to indicate any vague place or topic, or a place which has previously been mentioned or implied. It may be translated by *here,* *there, to this place, to that place,* or *about it.* In literary Italian **vi** is often used instead of **ci.**

Ci andiamo spesso. We go there often.
Ci penseremo bɛne. We'll give it plenty of thought.
Vi tornạrono dopo molti anni. They went back there after many years.

Ci and **vi** cannot be used when there is any emphasis on the place mentioned. (**Lì** or **là** are used instead.)

The particle **ne** as a pronoun is a direct object and means *of it, of them, some of it, some of them,* etc.

Ne prendiamo soltanto due. We'll take only two of them.

As an adverb, the particle **ne** refers to a place previously mentioned or implied, with the meaning *from there, from that place,* etc.

Se ne vẹnnero delusi. They came back from there disillusioned.

The position of **ci, vi,** and **ne** with respect to the verb is the same as that of conjunctive personal pronouns (cf. 26, 31). These particles come before the verb except with infinitives, affirmative imperatives (not polite commands), and participles.

Vogliamo andarci insiɛme? Shall we go there together?
Non ci andiamo mai. We never go there.

64. Irregular past absolute

Following are some more of the common verbs irregular in the past absolute:

dare to give	**diɛdi (dɛtti), desti, diɛde (dɛtte), demmo, deste, diɛdero (dɛttero)**
dire to say	**dissi, dicesti, disse, dicemmo, diceste, dịssero**
fare to do	**feci, facesti, fece, facemmo, faceste, fẹcero**
mẹttere to put	**misi, mettesti, mise, mettemmo, metteste, mịsero**
prɛndere to take	**presi, prendesti, prese, prendemmo, prendeste, prẹsero**
vedere to see	**vidi, vedesti, vide, vedemmo, vedeste, vịdero**
venire to come	**venni, venisti, venne, venimmo, veniste, vẹnnero**

ESERCIZI

I. Domande:

1. C'ɛ̀ una differɛnza fra l'estate e l'invɛrno nelle città italiane?
2. Nell'estate ci sono molti forestiɛri nelle città?
3. Fa Lɛi molte passeggiate nell'invɛrno?

4. In quale città ɛ̀ Piazza della Repụbblica?
5. In quale città ɛ̀ Piazza del Duɔmo?
6. Sa Lɛi se ɛ̀ famoso il Cimitero di Pisa?
7. Sa Lɛi se ɛ̀ affollata Via Vɛneto nell'estate?
8. C'ɛ̀ molto inquinamento quando ci sono molte automɔbili?
9. Ci sono semạfori nelle strade principali di questa città?
10. Piace a Lɛi girare per paesi lontani?

II. Ripetete la frase ogni vɔlta quando traducete le parɔle fra parɛntesi (*Repeat the sentence each time as you translate the words in parentheses.*):

1. Mi piace (*music, the opera, the university*).
2. Non mi piạcciono (*deserted streets, distant countries*).
3. Ti piace (*intense cold, the heat of summer*).
4. Le piace (*to travel in winter, to stay at home*)?
5. Ci piạcciono (*good restaurants, Italian cafés*).
6. Non le piace (*to wait for a taxi, to cross the street*).
7. Piace loro (*to see museums, to meet friends*).
8. Vi piạcciono (*the beautiful churches, the crowded sidewalks*).
9. Ai professori piace (*to read the lesson, to remain in silence*).
10. A Lisa piạcciono (*small cars, big buses*).

III. Traducete, usando il passato prɔssimo (*Translate, using the present perfect.*):

1. He took a walk with us.
2. She sat at the café with him.
3. The guard talked with them.
4. Did they arrive with you?
5. We saw him and her in the museum.
6. They visited you, not him.
7. She and I arrived together.
8. I crossed the street with her.
9. He came to Italy with me.
10. Did you dine at their house? (*Use* **da**).

IV. Traducete l'inglese col passato remɔto (*Translate the English with the past absolute.*):

1. (*I saw*) i passanti sui marciapiɛdi.
2. I forestiɛri (*did not come*) nell'invɛrno.
3. Il turista (*did not see*) nessuno nel Duɔmo.
4. Il vịgile (*took*) l'ạutobus in Via Vɛneto.
5. I pedoni (*did not see*) il semạforo.
6. Lɛi (*gave*) il biglietto all'impiegato.
7. Voi (*came*) da paesi lontani.

8. Io (*saw*) i marciapiɛdi affollati.
9. Quella (*was*) la prima e l'ụltima vɔlta.
10. Le comitive (*came*) in piazza per prɛndere il pullman.
11. I turisti (*looked at*) il semạforo prima di attraversare.
12. Lɛi (*took*) una passeggiata per le strade desɛrte.
13. Noi (*took*) il trɛno per Milano.
14. Essi (*took*) l'aɛreo per Palɛrmo.
15. Che (*did they say*) i pedoni agli autisti?

V. Traducete (*Translate.*):

1. He doesn't like to travel in winter.
2. It's cold, and the streets are deserted.
3. No one stops at the cafés on the sidewalks.
4. In summer, on the other hand, the cities are bustling.
5. Foreigners and Italians go about here and there.
6. I don't like the pollution from the cars.
7. The pedestrians are in danger of losing their lives.
8. We met our friends yesterday.
9. Are you waiting for a taxi?
10. The passersby are mostly foreigners.

Bologna has miles of covered sidewalks.

WORD LIST

NOUNS

calore *m.* heat, warmth
cimitɛro *m.* cemetery
cliɛnte *m.* customer
colpa *f.* blame, fault
comitiva *f.* group, committee
diffɛrɛnza *f.* difference
diviɛto *m.* restriction; — **di parchẹggio** *m.* no parking (sign)
famịglia *f.* family
fila *f.* line, row
fɔlla *f.* crowd
forestiɛro *m.* foreigner
imprecazione *f.* curse, swear-word
marciapiɛde *m.* sidewalk
mɔrto *m.* dead (person)
movimento *m.* motion, movement
paese m. country
parchẹggio *m.* parking
passante *m.* passerby
pedone *m.* pedestrian
persona *f.* person
regione *f.* region
semạforo *m.* traffic light
silɛnzio *m.* silence

ADJECTIVES

affollato, -a crowded
desɛrto, -a deserted
giallo, -a yellow
intɛnso, -a intense
interminạbile endless
lontano, -a distant, far (away)
pɔchi, pɔche few
spopolato, -a uncrowded, deserted
vivo, -a alive

VERBS

bạttere to beat
***divertirsi** to have a good time, enjoy oneself
lanciare to cast
parcheggiare to park
sedere (*or* ***sedersi**) to sit (sit down)
sentire to feel; hear

OTHER WORDS

dappertutto everywhere, all over
eppure and yet, still
fra between, among
nessuno, nessuna no one
quạ *adv.* here
su on, upon

LANGUAGE PRACTICE

Leggete senza tradurre e pɔi rispondete oralmente alle domande (*Read without translating and then answer the questions orally.*):

■ *La passeggiata*

La passeggiata ɛ̀ una delle più bɛlle usanze[1] italiane. Parẹcchie[2] persone cammịnano insiɛme conversando. I vɛcchi amici fanno la passeggiata alla stessa ora ogni giorno. La passeggiata non ha né destinazione né scɔpo[3] particolare. Si fa soltanto per il piacere della compagnia. Passeg-

[1] customs. [2] several. [3] purpose.

giando si gɔde la compagnia degli amici e delle persone che si incọntrano lungo il passẹggio.[4] L'usanza ɛ̀ così comune che all'ora del passẹggio si vẹdono vɛcchi e giọvani, signore e signorine, amici e parɛnti, operai[5] e professori.

L'ora predilɛtta[6] ɛ̀ l'ora del tramonto,[7] quando ɛ̀ passato il calore del giorno e comịncia il fresco della sera. Per l'Italiano la passeggiata ɛ̀ una necessità della vita. Sɛnte il bisogno di vịvere in compagnia, di scambiare[8] pensiɛri, di rọmpere[9] il silɛnzio della solitụdine. La passeggiata ɛ̀ più piacẹvole[10] del teatro o del cịnema — e cɛrto più econɔmica. Con la passeggiata ci si ripɔsa, si mantiɛne l'amicịzia, e si consɛrva la salute.[11]

Domande

1. Ɛ̀ una bɛll'usanza la passeggiata?
2. Fa Lɛi una passeggiata con gli amici?
3. Si incọntrano molte persone lungo il passẹggio?
4. A che ora si fa generalmente la passeggiata?
5. Ɛ̀ passato il calore del giorno al tramonto?
6. Sɛnte Lɛi il bisogno di vịvere in compagnia?
7. Preferisce Lɛi la solitụdine?
8. La passeggiata ɛ̀ buɔna per la salute?

[4] along the walk. [5] workmen. [6] favorite. [7] sundown. [8] exchange. [9] break. [10] pleasant. [11] health.

Lesson 16

CURRENT USAGE

■ *I nɔstri pasti*

Quando eravamo a Roma parecchi anni fa, abitavamo in una buɔna pensione in Via di Pɔrta Pinciana e prendevamo mɛzza pensione. Adɛsso quella pensione fa parte di un albɛrgo, perché la pensione coi pasti non si trɔva più a Roma. Perciɔ̀ preferiamo ricordare quella prima vịsita.

Generalmente facevamo la prima colazione in cạmera. Non appena eravamo desti, chiamavamo al telɛfono e sụbito ci portạvano la colazione: spremuta d'arạncia, caffellatte, e panini con burro e marmellata. Di quando in quando andavamo nella sala da pranzo per fare una colazione più complɛta, con uɔva e salcịccia.

Per il mezzogiorno preparavamo noi stessi qualche cɔsa da mangiare in cạmera — quando sentivamo appetito. Andavamo a un supermercato lì vicino e compravamo tutto il necessạrio: pane, formạggio, mortadɛlla, olive e frutta di ogni spɛcie, con una bottịglia di buɔn vino. Il supermercato ɛra cɔmodo perché lì si trovava tutto a portata di mano, senza girare di quạ e di là. Così facevamo una buɔna colazione senza spɛndere trɔppo.

La sera pɔi andavamo a pranzo nella sala da pranzo al quarto piano. Di là c'ɛra una vista stupɛnda della città, perché Via di Pɔrta Pinciana ɛ̀ sulla collina e dọmina gran parte della vɛcchia Roma. Si mangiava bɛne e il servịzio ɛra magnịfico. Ora invece la grande sala da pranzo non c'ɛ̀ più, e bisogna pranzare nei ristoranti lì vicini. I pasti sono buɔni, ma i prɛzzi sono esagerati. Bisogna pagare molto, e per di più bisogna soffrire la mụsica che si ɔffre ai turisti, che non sɛmpre ricɔrdano la città in cui si trɔvano. Viạggiano in comitive e prạnzano a ɔcchi chiusi e a bocca apɛrta, mentre la guida che li traspɔrta si divɛrte con i prɔpri amici. Io invece stɔ lì a pensare: "Come fanno i Romani con questi prɛzzi e col loro pịccolo stipɛndio?"

Useful Expressions

parecchi anni fa several years ago
a mɛzza pensione at half pension (breakfast and one meal)
far parte di to be a part of
fare la prima colazione to have breakfast
non appena as soon as, no sooner
di quando in quando from time to time
sentire appetito to feel hungry
tutto il necessạrio whatever is (was) needed
a portata di mano nearby, within reach
per di più besides, in addition
in comitiva in a group, with a group

a ɔcchi chiusi with eyes shut, blindly
a bocca apɛrta gaping, with mouths wide open
Come fanno ... ? How do they manage . . . ?

STRUCTURE

65. Imperfect

The imperfect expresses a continued, customary, or repeated action, or a state of being in the past. If we say: *When we were in Rome we used to live in a boarding house,* the first clause expresses a continued action and the second clause a customary action. Both verbs are expressed in the imperfect tense: **Quando eravamo a Roma, abitavamo in una pensione.** A description or state of being in the past is also expressed by the imperfect tense: **La vista ɛra stupɛnda.** *The view was stupendous.*

The imperfect is generally regular in Italian, even for most verbs which are otherwise irregular. It is formed by taking the infinitive, dropping the last three letters, and adding the following endings to the stem which remains:

I		II		III	
comprare		**vendere**		**finire**	
compr-**avo**	*I bought, I used to buy*	vend-**evo**	*I sold, I used to sell*	fin-**ivo**	*I finished, I used to finish*
compr-**avi**		vend-**evi**		fin-**ivi**	
compr-**ava**		vend-**eva**		fin-**iva**	
compr-**avamo**		vend-**evamo**		fin-**ivamo**	
compr-**avate**		vend-**evate**		fin-**ivate**	
compr-**ạvano**		vend-**ẹvano**		fin-**ịvano**	

66. Verbs irregular in the imperfect

The imperfect of the verb **ɛssere** is as follows:

ɛro, ɛri, ɛra, eravamo, eravate, ɛrano

For other irregular verbs, learn the first person singular of the imperfect, and the rest of the forms always follow the one pattern. Notice two of the common irregular verbs:

dire to say **dicevo, dicevi, diceva, dicevamo, dicevate, dicẹvano**
fare to do **facevo, facevi, faceva, facevamo, facevate, facẹvano**

67. Distinction between the imperfect, present perfect, and past absolute

To help you to decide which to use of the three past tenses you now know, try to remember:

1. Any description or state of being in the past is expressed by the imperfect. This means that expressions of time or age are normally in the imperfect.

   La casa ɛra gialla. The house was yellow.
   Ɛrano le diɛci di sera. It was ten o'clock in the evening.
   Suo padre aveva trentanɔve anni. His father was thirty-nine years old.

2. Events which happened recently or are connected with the present mentally by the speaker are in the present perfect (**passato prɔssimo**).

   Si sono fermati alla stazione. They stopped at the station (a short while ago).

3. Events which took place in the past and are completely over are expressed in the past absolute (**passato remɔto**).

   Dante morì a Ravenna. Dante died in Ravenna.

4. When one event interrupted another which was going on, the continuing event is in the imperfect and the interrupting one is in the past absolute or present perfect.

   Mentre viaggiạvano si fermạrono a Milano. While they were traveling they stopped in Milan.

68. Sapere **and** conọscere

There are two verbs in Italian which mean *to know.* **Sapere** means to know a fact, to know something through acquired knowledge.

Luigi sa il francese. Louis knows French.

Conọscere means to know people, or to know something through long acquaintance.

Conosce mio cugino? Do you know my cousin?
Non conọscono il paese. They don't know the country.

Sapere, when followed by an infinitive, means to know how to. (**Conọscere** cannot be used this way.)

Lisa sa cantare bɛne. Lisa knows how to sing very well.

ESERCIZI

I. Domande (*Imagine that you and your family were in Rome a few years ago.*):

1. Abitavate in una pensione o in un albɛrgo?
2. Prendevate mɛzza pensione, o pensione complɛta?
3. Faceva Lɛi la prima colazione in cạmera?
4. Che portạvano per la colazione?
5. Ɛra lontano il supermercato?
6. Vendẹvano vino nel supermercato?
7. Si poteva fare una buɔna colazione senza spɛndere trɔppo?
8. A che piano ɛra la sala da pranzo?
9. Ɔffrono pensione complɛta adɛsso a Roma?
10. Sono esagerati i prɛzzi anche per i Romani?
11. Preferisce Lɛi viaggiare solo, o in comitiva?

II. Completate le seguɛnti frasi con verbi nell'imperfɛtto (*Supply the imperfect forms of the verbs in parentheses.*):

1. I turisti (viaggiare) in pullman e (visitare) i musɛi.
2. I forestiɛri (prɛndere) il caffɛ̀ e (guardare) le signorine.
3. Lɛi (andare) al supermercato e (comprare) la frutta.
4. Lɛi non (fare) colazione in cạmera quando (ɛssere) desto.

5. La vista della città (ɛssere) stupɛnda mentre noi (pranzare).
6. Io (soffrire) molto quando (vedere) i prɛzzi.
7. Tu (avere) un buɔno stipɛndio quando (lavorare) a Roma.
8. Voi (comprare) pane e formạggio e (fare) colazione.
9. I ragazzi (sentire) appetito e (volere) mangiare.
10. Io (chiamare) al telɛfono e pɔi (alzarsi).

III. Completate le seguɛnti frasi col primo vɛrbo nell'imperfɛtto e il secondo nel passato remɔto (*Supply the imperfect forms for the first verb in each sentence and the past absolute for the second.*):

1. Mentre voi (fare) colazione il tassì (arrivare).
2. Mentre la guida (preparare) i biglietti il trɛno (partire).
3. Quando noi (ɛssere) nel supermercato, (comprare) tutto il necessạrio.
4. Gli studɛnti (ɛssere) in bibliotɛca quando (incontrare) gli amici.
5. Mentre Lisa (passeggiare) in piazza, (vedere) la professoressa.
6. Io e Antɔnio (andare) a pranzo quando (sentire) il telɛfono.
7. Il servịzio (ɛssere) magnịfico, ma il pasto non ci (piacere).
8. Mentre tu (visitare) il Duɔmo, io (fare) colazione.
9. Quando il Boccạccio (ɛssere) giọvane, (andare) a Nạpoli.
10. Mentre il Petrarca (vịvere) in Frạncia, (visitare) molte città.

IV. Traducete:

1. We don't know the lesson today.
2. Your brother knows where we are.
3. They know how to speak Italian.
4. You know the cardinal numbers.
5. We don't know the cardinal numbers yet.
6. They know their professor.
7. Do you know my friend Charles?
8. Charles knows you very well.
9. The guide knows the country.
10. We know how to travel.

V. Usate in frasi complɛte in italiano (*Use in complete Italian sentences.*):

1. spremuta d'arạncia
2. qualche cɔsa da mangiare
3. di quando in quando
4. parecchi giorni fa
5. far parte di
6. sentire appetito
7. panini con burro
8. tutto il necessạrio
9. far colazione
10. diviɛto di parchẹggio

WORD LIST

NOUNS

appetito *m.* appetite, hunger
bottiglia *f.* bottle
burro *m.* butter
collina *f.* hill
formaggio *m.* cheese
guida *f.* guide
mano *f.* hand; **a portata di —**, within reach
marmellata *f.* marmalade
mezzogiorno *m.* noon
mortadɛlla *f.* Bologna sausage
oliva *f.* olive
panino *m.* roll
salciccia *f.* sausage
servizio *m.* service
spɛcie *f.* kind
spremuta d'arancia *f.* orange juice
stipɛndio *m.* salary, wages
supermercato *m.* supermarket
telɛfono *m.* telephone
uɔvo *m.* (*pl.* **uɔva** *f.*) egg

ADJECTIVES

desto, -a awake
esagerato, -a excessive
magnifico, -a magnificent, fine
necessario, -a necessary
stupɛndo, -a stupendous
trɔppo, -a too much; **trɔppi, -e** too many

VERBS

dominare to dominate
offrire (*p.p.* **offɛrto**) to offer
preparare to prepare
soffrire (*p.p.* **soffɛrto**) to suffer
spɛndere *irr.* (*p.p.* **speso**) to spend
trasportare to transport, carry around

OTHER WORDS

appena hardly; **non —**, as soon as, no sooner
fa ago
lì vicino nearby
mentre while
trɔppo *adv.* too much

LANGUAGE PRACTICE

Leggete senza tradurre e pɔi rispondete oralmente alle domande (*Read without translating and then answer the questions orally.*):

■ *La serenata*

La serenata ɛ̀ la musica che si suonava di sera o di nɔtte in onore della fidanzata[1] o di qualche signorina che piaceva molto. Il giovane che voleva onorare una ragazza in questo mɔdo riuniva[2] un gruppo di tre o quattro amici. Alcuni cantavano e alcuni suonavano. Gli strumenti favo-

[1] fiancée. [2] collected.

riti per la serenata ɛrano mandolini e chitarre, ma si potẹvano usare anche violini, flạuti,[3] e altri strumenti dal suɔno dolce.[4] Non hɔ mai sentito parlare di una serenata con tamburo,[5] cornetta, trombone, tuba, o contrabasso,[6] ma forse altri paesi hanno altre usanze.[7] La giọvane ascoltava e magari[8] lasciava cadere[9] qualche fiore, se non qualche sospiro.[10]

Ora la serenata non ɛ̀ altro che un tɛma musicale, che si incontra nella mụsica dei compositori romạntici. Se gli amici che vɔgliono fare la serenata non fanno parte di un sindicato,[11] non possono suonare in pụbblico. Le vɛcchie usanze sparịscono e rɛsta soltanto il ricɔrdo dei tɛmpi romạntici.

Domande

1. Quando si suonava la serenata?
2. In onore di chi si faceva la serenata?
3. Quali ɛrano gli strumenti favoriti?
4. Suɔna Lɛi tamburo o cornetta?
5. Piace a Lɛi la mụsica del contrabasso?
6. Conosce Lɛi alcune serenate famose?

---

[3] flutes. [4] sweet sound. [5] drum. [6] double bass. [7] customs. [8] even. [9] dropped. [10] sigh. [11] labor union.

La Scala in Milan is the center of musical activity in Italy.

FOURTH REVIEW LESSON

■ *La musica in Italia**

Nell'Italia la musica è indispensabile come l'aria che si respira. Non è un semplice passatempo° per le ore di svago,° né un esercizio intellettuale sulle leggi° del contrappunto.° La musica che non desta° le emozioni non è altro che un semplice frastuono.° Per l'Italiano la musica è lo specchio° dei suoi sentimenti. Quando si sente allegro,° vuole canti gioiosi;° quando si sente triste,° vuole musica di consolazione;° quando prega° in chiesa, vuole musica di meditazione;° e quando è di fronte° alla morte,° vuole musica funebre.° Niente di quelle battute° cerebrali° che richiedono° spiegazioni del musicologo° e che ci lasciano indifferenti.

pastime / leisure
laws / counterpoint
arouse
noise / mirror
happy
joyful / sad
consolation / prays
meditation / before / death
funereal / measures / cerebral
require / musicologist

L'Italia è il paese della melodia che non si scorda mai.° Gli uccelli cantano la gioia della natura. Le campane° suonano la preghiera° del nuovo giorno. Gli operai fischiano° l'accompagnamento° al lavoro. Le mietitrici° cantano stornelli° di amore. I gondolieri vogano° con dolce armonia. Ogni festa familiare° viene celebrata con musica speciale. Ogni regione ha musica caratteristica del suo spirito: la siciliana, la danza piemontese, gli stornelli romani, la tarantella napoletana, ecc., ecc. L'italiano è lingua musicale appunto perché ha eliminato dal linguaggio suoni aspri° e stonati.°

is never forgotten
church bells
prayer / whistle
accompaniment / reapers
refrains / row
family party
harsh
discordant

I compositori di canzoni popolari sono tanti che non serve° ricordarne i nomi. I compositori di musica seria, invece, sono conosciuti da tutti i veri amanti° di musica. E voi studenti che ancora non li conoscete, aprite gli orecchi° e ascoltate bene quando sentite la radio. Vedrete quanti compositori antichi° e moderni sono italiani. Eccone° alcuni dei maggiori: Giovanni da Palestrina, Claudio Monteverdi, Arcangelo Corelli, Antonio Vivaldi, Alessandro e Domenico Scarlatti, Luigi Boccherini, Ottorino Respighi, Mario Castelnuovo-Tedesco. Coi compositori italiani c'è sempre melodia, anche nelle composizioni ultra-moderne.

it's useless
lovers
ears
ancient / here you have

L'Italia è rinomata° soprattutto° per l'opera, ma per apprezzare° l'opera bisogna comprenderla. La musica operistica° riflette° tutte le emozioni umane. Anche quando la trama° di un'opera sembra ridicola,° i motivi° musicali toccano° il cuore. Nell'opera restiamo così assorti° nelle vicende° dei protagonisti° che il ridicolo si fa sublime. Quando Aïda entra nella tomba° di Radames, la logica della situa-

famous / above all
appreciate
operatic / reflects
plot / ridiculous / themes
touch / absorbed
actions / leading characters
tomb

* Review Lessons do not have diacritical marks for pronunciation.

zione non importa di fronte° all'amore che preferisce la morte. Quando Leporello recita° il catalogo° degli amori° di Don Giovanni, chi mai si ferma a contare matematicamente le donne conquistate? ° L'opera rappresenta la vita della fantasia e gl'Italiani vivono di fantasia, poiché° la vita giornaliera° è troppo prosaica. L'opera forma un mondo a parte,° che acquista° maggior bellezza° con ogni ripetizione. Se non conoscete i compositori operistici, cominciate coi migliori: Giuseppe Verdi, Giacomo Puccini, Gioacchino Rossini, Gaetano Donizetti, Vincenzo Bellini, Ruggiero Leoncavallo, Pietro Mascagni, e l'austriaco° che era più italiano degli Italiani, Wolfgang Amadeus Mozart.

Dove manca° la musica, manca il sole.

against
recites / catalog / love affairs
conquered
since
daily
apart / acquires / beauty
Austrian
is lacking

REFERENCE GLOSSARY ON ITALIAN MUSIC

Classical Composers

Luigi Boccherini (1743–1805): Prolific composer of chamber music, concertos, and symphonies, who lived in Spain part of his life and shows Spanish influence. His compositions are being recognized more and more.

Mario Castelnuovo-Tedesco (1895–1968): One of the outstanding modern composers, who lived in the United States. He composed operas, choral works, and many concertos.

Arcangelo Corelli (1653–1713): Great composer of violin music and particularly of *concerti grossi*. One of his best known works is the Christmas concerto.

Claudio Monteverdi (1567–1643): One of the greatest figures in the development of music, both symphonic and operatic.

Giovanni da Palestrina (1524–1594): One of the most prolific and influential composers, particularly of religious music.

Ottorino Respighi (1879–1936): One of the best known Italian composers of the twentieth century. His most popular symphonic poems are "Fountains of Rome" and "Pines of Rome."

Alessandro Scarlatti (1660–1725) and Domenico Scarlatti (1685–1757): Father and son, who exercised tremendous influence in the development of music. Domenico is considered the father of modern piano playing.

Antonio Vivaldi (1675–1741): One of the greatest composers of concertos for violin and other instruments, whose genius was not fully recognized until recent years.

Operatic Composers

Vincenzo Bellini (1801–1835): Born in Sicily, in his short life he came to be one of the greatest and most melodic composers of opera. His masterpiece is "Norma."

Gaetano Donizetti (1797–1848): One of the most prolific composers of opera, who wrote at least sixty-four operas, along with many other works. His best known opera is "Lucia di Lammermoor."

Ruggiero Leoncavallo (1858–1919): Italian composer whose fame rests primarily on the opera "Pagliacci," with its unforgettable aria "Vesti la giubba."

Pietro Mascagni (1863–1945): Composer of choral music and many operas, of which only one is considered a real masterpiece: "Cavalleria rusticana."

Wolfgang Amadeus Mozart (1756–1791): Austrian composer and certainly one of the greatest musical geniuses of all times. His Italian operas are among the finest works in operatic music, as for example his "Don Giovanni," "Le nozze di Figaro," and "Così fan tutte."

Giacomo Puccini (1858–1924): One of the most beloved of operatic composers, whose operas are invariably included in every opera season. Among his best known are "Madama Butterfly," "La Bohème," and "Tosca."

Gioacchino Rossini (1792–1868): A musical genius whose work in both symphonic and operatic music is unsurpassed for originality. Many of his operas have remained famous for their overtures. His best known opera is "Il barbiere di Siviglia."

Giuseppe Verdi (1813–1901): The greatest Italian operatic composer, whose name is synonymous with opera. Of his many operas, let us mention only five which are known to everyone: "Aïda," "Otello," "Il Trovatore," "La Traviata," and "Rigoletto."

Scene of the final act of Puccini's "Tosca"

Domande e risposte

One student reads a statement and then asks a question based on it. Another student will answer the question with the original statement or something close to it. Continue the process with additional statements and questions on your own.

1. Per l'Italiano la musica è lo specchio dei suoi sentimenti.
   Question: Che cosa è la musica per l'Italiano?
2. La melodia è indispensabile per la musica italiana.
   Question: È indispensabile la melodia per la musica italiana?
3. L'italiano ha eliminato dal linguaggio suoni aspri e stonati.
   Question: Che suoni ha eliminato l'italiano dal linguaggio?
4. Giovanni da Palestrina e Claudio Monteverdi furono importantissimi nello sviluppo della musica moderna.
   Question: Quali compositori furono importantissimi nello sviluppo della musica moderna?
5. Antonio Vivaldi fu uno dei maggiori compositori di musica sinfonica.
   Question: Quale compositore fu uno dei maggiori per la musica sinfonica?
6. Luigi Boccherini compose molta musica da camera [*chamber music*].
   Question: Quale compositore scrisse molta musica da camera?
7. I due maggiori compositori di musica operistica italiana furono Giuseppe Verdi e Giacomo Puccini.
   Question: Quali furono i due maggiori compositori di musica operistica italiana?
8. Nell'opera "Don Giovanni," di Mozart, Leporello recita "Il Catalogo."
   Question: Chi recita "Il Catalogo" nell'opera "Don Giovanni," di Mozart?
9. L' "Aïda" è forse l'opera più conosciuta del mondo.
   Question: Qual è forse l'opera più conosciuta del mondo?
10. Ogni stagione operistica presenta qualche opera di Giacomo Puccini.
    Question: Qual compositore è rappresentato in ogni stagione operistica?

ESERCIZI

I. Traducete le frasi inglesi:

1. (*Several years ago*) passammo l'estate in Italia.
2. I nostri amici (*used to travel*) sempre in comitiva.
3. (*From time to time*) gli amici andavano al supermercato lì vicino.
4. Non mi piace (*to have breakfast*) in camera quando sono solo.
5. Nell'inverno (*it's cold everywhere*).

6. Non si poteva parcheggiare perché c'era (*no parking*).
7. Mi piacciono marciapiedi (*crowded with tourists*).
8. Mio cugino vuole (*to get a haircut*) questa mattina.
9. Però non vuole (*to get a shave*) dal barbiere.
10. (*Please pay*) alla cassa vicino alla porta.

II. Traducete:

1. The workmen used to sing while they worked.
2. The church bells were ringing from morning to night.
3. The reapers sang love refrains.
4. Gina used to have lunch at one o'clock.
5. The students used to dine at eight o'clock.
6. Louis and I used to take the bus in front of the hotel.
7. Did you take a walk in the afternoon?
8. My sister always wanted orange juice for breakfast.
9. She never wanted eggs with sausage.
10. The dining room was always crowded.

III. Traducete l'inglese col passato prossimo (*present perfect*):

1. Abbiamo noleggiato una macchina e (*we left*) per Firenze.
2. Il vigile (*said*) che dovevamo lasciare il disco.
3. (*I did not see*) nessuno quando sono arrivato.
4. Questa mattina (*they brought us*) un caffellatte con panini.
5. Oggi Lisa (*bought*) tutto il necessario quando (*she went*) al supermercato.
6. Quando (*we arrived*) alla stazione (*we took*) il treno.
7. (*I saw him*) nella sala da pranzo e (*I talked to him*).
8. Gli studenti (*left*) in comitiva e (*they went*) all'aeroporto.
9. (*They studied*) la lezione e (*they learned*) i pronomi.
10. Chi (*arrived*) poco tempo fa all'albergo e che (*did he say*)?

IV. Traducete l'inglese col passato remoto (*past absolute*):

1. Il compositore (*was born*) nel 1879 e (*died*) nel 1936.
2. I due amici (*were born*) nel 1900 e (*died*) nel 1965.
3. L'alunna (*wrote*) la lettera e la (*sent*) alla mamma.
4. I pedoni (*stopped*) ai semafori quando (*they saw*) le automobili.
5. I forestieri (*took*) l'autobus e (*went*) in Piazza del Duomo.
6. Antonio (*came*) all'albergo e (*dined*) con noi.
7. I turisti (*bought*) i biglietti e (*took*) l'aereo.
8. Lei (*said*) che voleva fare una passeggiata, ma (*you did not come*).
9. Gina (*crossed*) la strada e (*went*) nel negozio.
10. Voi (*arrived*) presto e (*left*) prima di noi.

V. Scrivete frasi originali con le seguenti espressioni (*Write original sentences, using the following expressions.*):

1. costare di più
2. un foglio di carta
3. la macchinetta elettrica
4. fare degli acquisti
5. una città deserta
6. La colpa è sua.
7. uno alla volta
8. girare di qua e di là
9. al quinto piano
10. a bocca aperta

The Galleria in Milan is one of the centers for shopping.

Lesson 17

CURRENT USAGE

■ *Facciamo degli acquisti*

ɛLENA: Che bɛlla giornata ɔggi! Ideale per fare degli acquisti. Si annụnziano tanti saldi nelle vetrine. Vuɔi accompagnarmi, Lịdia?

LỊDIA: Sì, Ɛlena, andiamo. Prima vɔglio spedire queste cartoline. Mi piace girare per i negɔzi e vedere quel che c'ɛ̀ di nuɔvo. Ai saldi pɔco ci credo, perɔ̀.

ɛLENA: Che borse eleganti in questa vetrina! Vedi quella marrone lì a dɛstra?

LỊDIA: Anche la nera ɛ̀ bɛlla. Entriamo e vediạmole. Signorina, ci mostri quelle borse lì in vetrina, la marrone e la nera.

COMMESSA: Gliele mostro sụbito. La nera ɛ̀ elegante per una serata di gala. La marrone va bɛne per tutto il giorno.

ɛLENA: A me piace la marrone perché può andare con questa giacca rossa e pantaloni bianchi. Che te ne pare, Lịdia?

LỊDIA: Perfɛtta! Quanto costa?

ɛLENA: Domandiạmoglielo. Signorina, qual ɛ̀ il prɛzzo di questa borsa marrone?

COMMESSA: Gliela pɔsso offrire per trentamila lire, signorina.

LỊDIA: E la nera?

COMMESSA: La nera costa di più. Gliela possiamo dare per quarantamila lire.

ɛLENA: Sẹmbrano un pɔ' care. Non ci puɔ̀ fare un prɛzzo migliore? Siamo studentesse.

COMMESSA: I prɛzzi sono fissi, signorina. Perɔ̀, se le prɛndono tutt'e due, possiamo fare uno sconto del diɛci per cɛnto.

LỊDIA: Prendiạmole tutt'e due e pɔi faremo il conto fra di noi. Mi mostri anche un pạio di scarpe, signorina.

COMMESSA: Le scarpe sono là in fondo. Il commesso sarà liɛto di mostrạrgliele.

ɛLENA: Bɛne, paghiamo le borse e pɔi andiamo a vedere le scarpe. Conosci la misura italiana?

LỊDIA: Nɔ, non la conosco. In Amɛrica pɔrto il cịnque e mɛzzo. Quị proverɔ̀ finché troverɔ̀ la mia misura.

COMMESSA: Ɛcco le due borse, signorine. Mille grạzie e tọrnino prɛsto un'altra vɔlta.

Useful Expressions

fare degli acquisti to do some shopping, make some purchases
girare per i negɔzi to go around the shops
quel che c'ɛ̀ di nuɔvo what is new

pɔco ci credo I don't believe in them
serata di gala gala evening, formal affair
Che te ne pare? What do you think of it?
fare uno sconto to give a discount
là in fondo there in the rear, back there
Faremo il conto fra di noi. We'll figure it out between ourselves.
un'altra vɔlta again

STRUCTURE

69. Double object pronouns

When a direct and an indirect object pronoun both depend on the same verb, the indirect comes before the direct (except **loro**), and the last letter of the indirect becomes **-e** (**mi, ti, ci, vi** become **me, te, ce, ve**).

Ce la ɔffre per ventimila lire. She offers it to us for twenty thousand lire.

If the indirect object is **gli** or **le,** it becomes **glie** for either one and the direct object pronoun is attached to it. Therefore **glie** before a direct object pronoun has three possible meanings: *to him, to her, to you* (*pol.*).

Gliele mostro sụbito. I'll show them to you immediately.
Domandiạmoglielo. Let's ask her about it.

Remember that the particle **ne** is a direct object when used as a pronoun.

Che te ne pare? What do you think of it?

Here is a summary of the forms of the double object pronouns:

me lo	**te lo**	**glielo**	**ce lo**	**ve lo**
me la	**te la**	**gliela**	**ce la**	**ve la**
me li	**te li**	**glieli**	**ce li**	**ve li**
me le	**te le**	**gliele**	**ce le**	**ve le**
me ne	**te ne**	**gliene**	**ce ne**	**ve ne**

The indirect object pronoun **loro** comes after the verb at all times; therefore its position does not conflict with the direct object when they both depend on the same verb. However, in modern conversational Italian **gli** frequently substitutes for **loro.**

Lo abbiamo spedito loro per pɔsta aɛrea.	We sent it to them airmail.
Glielo abbiamo spedito per pɔsta aɛrea.	

70. Table of all personal pronouns

Subject Pronouns	Conjunctive Object Pronouns: *Direct*	*Indirect*	*Reflexive*	Disjunctive Pronouns
io I	**mi**	**mi**	**mi**	**me**
tu you (*fam. sing.*)	**ti**	**ti**	**ti**	**te**
egli he	**lo**	**gli**	**si**	**lui** (**esso** it)
essa she, it	**la**	**le**	**si**	**lɛi** (**essa**)
Lɛi you (*polite sing.*)	**La**	**Le**	**Si**	**Lɛi**
noi we	**ci**	**ci**	**ci**	**noi**
voi you (*fam. pl.*)	**vi**	**vi**	**vi**	**voi**
essi they (*m.*)	**li**	**loro**	**si**	**loro** (**essi**)
esse they (*f.*)	**le**	**loro**	**si**	**loro** (**esse**)
Loro you (*polite pl.*)	**Li, Le**	**Loro**	**Si**	**Loro** (*reflexive third person* — **sé**)

71. Summary of position of object pronouns

1. All conjunctive object pronouns (except **loro**) come before the finite[1] form of the verb in a declarative statement or a polite command.

   Quando lo vedremo, gliene parleremo. When we see him, we'll talk to him about it.
   Mi dica se puɔ̀ venire. Tell me if you can come.

2. All conjunctive object pronouns (except **loro**) generally come after an infinitive and are attached to it (after dropping the final **-e** of the infinitive).

   Vuɔle portarci una birra? Will you bring us a beer?
   Pɔsso vederla in uffi̩cio? May I see you in the office?

3. With affirmative commands in the familiar or first person plural (**tu, voi, noi**) forms, all conjunctive object pronouns (except **loro**) come after the verb and are attached to it.

[1] A finite form is a verb form with a personal ending.

Domandiạmoglielo! Let's ask her (it).
Portạtemeli a casa! Bring them to me at my house.

4. With negative commands in the familiar or first person plural form (**tu, voi, noi**), the object pronouns generally come before the verb (although in modern conversational style there is a tendency to place the pronouns after the verb and attached to it).

Non lo disturbate al lavoro.
(Non disturbạtelo al lavoro.) } Do not disturb him at work.

5. When an imperative form has only one syllable, the pronoun doubles its initial consonant before it is attached (except **gli** and **loro**).

Dille che la vedremo domani. Tell her we'll see her tomorrow.
Fammi il piacere, vạttene. Do me a favor, go away.

6. With the adverb **ɛcco** the direct object pronoun follows and is attached.

Ɛccoli arrivati. Here they are (They have arrived).

7. When an infinitive depends on another verb such as **potere, volere, dovere, sapere, cominciare, finire,** or **mandare,** the object pronouns (except **loro**) may either come before the first verb or be attached to the infinitive which depends on that verb.

Lo vogliamo provare. *or* **Vogliamo provarlo.** We want to try it.
Gli pɔssono parlare. *or* **Pɔssono parlargli.** They can talk to him.

72. Infinitive with fare

When followed by an infinitive, **fare** expresses the idea of having someone else perform an action. In this case the object pronouns come before **fare.**

Glielo fạccio spedire per pɔsta aɛrea. I'll have it sent to you air mail.
Me li fạccia mandare a casa. Have them sent to me at home.
Li fanno lavorare trɔppo in quell'uffịcio. They make them work too hard in that office.

ESERCIZI

I. Domande personali:

1. Va Lɛi spesso a fare degli acquisti?
2. Ci crede Lɛi ai saldi annunziati nelle vetrine?
3. Piace a Lɛi comprare dove fanno uno sconto?
4. Va bɛne la borsa marrone con la giacca nera?
5. Vanno bɛne i pantaloni bianchi con la giacca rossa?
6. Sa Lɛi se le signorine pɔrtano pantaloni in Itạlia?

7. E le vɛcchie quị in Amɛrica, pɔrtano spesso pantaloni?
8. Quando Lɛi compra un pạio di scarpe, chi gliele mostra?
9. Conosce Lɛi la misura italiana?
10. Le piace girare per i negɔzi di una città?
11. Preferisce Lɛi i negɔzi che hanno prɛzzi fissi?
12. Quando Lɛi andrà in Itạlia, farà molti acquisti?

II. Traducete, usando il passato prɔssimo nella seconda frase (*Translate, using the present perfect in the second sentence of each pair.*):

1. The professor makes us work too much. He made them work too much.
2. The salesman has me try the shoes. He had her try the shoes.
3. We shall have her sing. We had her sing.
4. We have him enter the dining room. We had him enter quickly.
5. They make him study every day. They made him study Latin.

III. Nelle frasi seguɛnti sostituite le parɔle in corsivo con un pronome (*Rewrite the sentences, substituting pronouns for the words in italics.*):

MODEL: Mi mostra *la borsa.* RESPONSE: *Me la mostra.*

1. Ci ɔffrono *lo sconto.*
2. Mi prepara *il pranzo.*
3. Ti spedisce *i biglietti.*
4. Vi lɛgge *gli esercizi.*
5. Diamo loro *la frutta.*
6. Lɛi gli paga *il conto.*
7. Noi gli vogliamo pagare *le scarpe.*
8. Le dico *il nome.*
9. Ci presenta *suo zio.*
10. Mi spedịscono *le cartoline.*

Continue, but watch the agreement of the past participle:

MODEL: Mi hanno mostrato *la borsa.* RESPONSE: *Me l'hanno mostrata.*

11. Ci hanno offɛrto *la frutta.*
12. Mi hanno preparato *la colazione.*
13. Ti hanno spedito *i biglietti.*
14. Vi hanno lɛtto *la lezione.*
15. Abbiamo dato loro *le pere.*
16. Lɛi gli ha pagato *i libri.*
17. Noi non gli abbiamo pagato *il conto.*
18. Le abbiamo detto *i nụmeri.*
19. Ci ha presentato *i suoi genitori.*
20. Mi hanno spedito *le cartoline.*

IV. Traducete le parɔle inglesi, riscrivendo la frase completa (*Translate the English words, rewriting the whole sentence.*):

1. Ne parlerɔ̀ (*to them*) domani.
2. Ne venderanno (*to me*) un chilogrammo.
3. Ne daranno diɛci (*to you, fam.*).
4. Mi diranno (*it*) quando li vedrɔ̀.
5. Ci faranno spedire (*it*) per via aɛrea.
6. Gli faranno provare (*them, f.*).
7. Mi leggerà (*it, f.*) in classe.
8. Lo daremo (*to them*) dopo il pranzo.
9. Lo suoneranno (*for them*) sul pianofɔrte.
10. Gli manderɔ̀ (*them, m.*) prɛsto.
11. Mi offrì un pɔco (*of it*).
12. Vi parlɔ̀ (*of it*) iɛri.
13. Gli preparɔ̀ (*it*) in cucina.
14. Ci servịrono (*them*) in salɔtto.
15. Ci vendẹrono (*it, f.*) in quel negɔzio.
16. Vi servịrono (*it*) nel ristorante.
17. Le lasciạrono (*for us*) alla pɔrta.
18. Il professore gli fece studiare (*it*).

WORD LIST

NOUNS

borsa (*or* **borsetta**) *f.* handbag
cartolina *f.* postcard
commessa *f.* saleslady
commesso *m.* salesman
conto *m.* bill; account; **fare il —**, to figure out
fondo *m.* back, rear; **là in —**, back there, in the rear

gala *f.* gala; **serata di —** *f.*, gala evening, formal (evening)
giacca *f.* jacket
giornata *f.* day (*the whole day*)
paio *m.* (*pl.* **paia** *f.*) pair
pantaloni *m. pl.* trousers, slacks
saldo *m.* sale (*usually in the plural*)
scarpa *f.* shoe
serata *f.* evening (*the whole evening*)

ADJECTIVES

bianco, -a white
elegante elegant
ideale ideal
liɛto, -a happy
marrone *inv.* brown
perfɛtto, -a perfect
quarantamila forty thousand
trentamila thirty thousand

VERBS

annunziare to announce
credere to believe, have confidence in
portare to carry; wear
provare to try
spedire (**isco**) to send

OTHER WORDS

finché until
fra between, among
pɔco little

LANGUAGE PRACTICE

Leggete senza tradurre e pɔi rispondete oralmente alle domande (*Read without translating and then answer the questions orally.*):

■ *Milano*

Milano ɛ̀ la più grande città industriale e commerciale d'Italia. Ɛ̀ uno dei cɛntri più importanti delle ferrovie[1] e delle linee aɛree[2] d'Eurɔpa. Ha due grandi aeropɔrti, uno internazionale e l'altro nazionale. Gli aeroplani vanno in Germania, Russia, Francia, Inghiltɛrra,[3] e in tutti i paesi e continɛnti. Le maggiori autostrade[4] d'Italia passano per Milano.

Le ditte[5] principali d'Italia sono di Milano. Le case editrici,[6] i grandi negɔzi, le grandi industrie — tutti hanno o la sɛde[7] o succursali[8] importanti in questa città. La Metropolitana Milanese (MM)[9] ɔffre traspɔrto[10] rapido ed econɔmico.

Milano pɔi ɛ̀ un gran cɛntro di arte e di cultura. Il Duɔmo ɛ̀ una delle più bɛlle chiɛse del mondo. La Pinacotɛca[11] di Brɛra ha ɔpere d'arte famosissime. Santa Maria della Grazie possiɛde[12] il famoso "Cenacolo," [13] dipinto[14] da Leonardo da Vinci. Al Teatro della Scala si danno le più bɛlle rappresentazioni[15] operistiche del mondo.

Milano ɛ̀ cɛrto una delle più importanti città d'Italia e d'Eurɔpa.

[1] railroads. [2] air lines. [3] England. [4] highways. [5] firms. [6] publishing houses. [7] home office. [8] branch offices. [9] subway. [10] transportation. [11] art gallery. [12] possesses. [13] "The Last Supper." [14] painted. [15] performances.

Domande

1. Quale città italiana ɛ̀ il cɛntro delle ferrovie e delle linee aɛree?
2. In che paeṡi vanno gli aeroplani che pạrtono da Milano?
3. Per quale città pạssano le maggiori autostrade?
4. Ci sono ditte importanti a Milano?
5. Ha visto Lɛi il Duɔmo di Milano?
6. Quale pinacotɛca famosa ɛ̀ a Milano?
7. Chi dipinse il famoso "Cenạcolo," che si trova in Santa Maria delle Grạzie?
8. Perché ɛ̀ famoso il Teatro della Scala?

Lesson 18

CURRENT USAGE

■ *Mestiɛre o professione?*

Un giọvane pensa all'avvenire. Che mestiɛre potrɛi fare? Mio nonno ɛra falegname e mio padre ɛ̀ sarto, ma adɛsso tutto si fa nelle fạbbriche e l'operạio guadagna pɔco. Potrɛi fare il barbiɛre, come il cugino Antɔnio, e pɔi perfezionarmi come acconciatore per signore. Lavorerɛi per conto mio nella mia bottega. Ma l'orạrio ɛ̀ lungo e ci vuɔle molta paziɛnza. Che mestiɛre allora? calzolạio? muratore? elettricista? Ah, ɛcco un bɛl mestiɛre! Ogni casa ha apparecchi elɛttrici e gli apparecchi hanno sɛmpre bisogno di riparazioni. Coi televisori pɔi si guadagna bɛne. Avrɛi la mia automɔbile, non ci sarɛbbe orạrio fisso, e mi farɛi ricco in pɔco tɛmpo. Che altro di mɛglio si potrɛbbe desiderare?

Ma vediamo un pɔ̀. Perché non pensare a una buɔna professione? Cɛrto dovrɛi fare l'università, ma la vita di studɛnte sarɛbbe tollerạbile. L'avvocato esɛrcita una bɛlla professione; se ɛ̀ bravo puɔ̀ farsi una bɛlla clientɛla. Preferirɛi la professione del mɛdico, ma per il mɛdico non c'ɛ̀ mai ripɔso; dɛve lavorare anche la domẹnica. Ci sarɛbbe anche la professione d'ingegnɛre, o quella di architɛtto, ma non m'interɛssano affatto; prɔprio non sono per me.

Cɛrto potrei divenire professore, ma lì ci vuɔle intelligɛnza e paziɛnza. Il professore dɛve sɛmpre studiare, dɛve insegnare per lunghe ore, e dɛve scrịvere libri e artịcoli continuamente, senza speranza di farsi ricco. Ɛ̀ una vita diffịcile.

Quindi cɔsa fare? Non sɔ; ci penserɔ̀ domani. Per ɔggi vɔglio stare quị a prɛndere il sole.

Useful Expressions

fare il barbiɛre to be a barber
acconciatore (*m.*) **per signore** hair stylist for women
per conto mio for myself, on my own
orạrio fisso fixed hours
mi farɛi ricco I would get rich
Che altro di mɛglio ... ? What more . . . ?
in pɔco tɛmpo in a short time
fare l'università to go to college
esercitare una professione to practice a profession
Non m'interɛssano affatto. They don't interest me at all.
Cɔsa fare? What shall I do?
prɛndere il sole to get some sunshine, bask in the sun

STRUCTURE

73. Conditional

In Italian the present conditional (**condizionale**) is formed easily by taking the first person singular of the future of any verb, regular or irregular, dropping the -ɔ̀, and adding the following endings: **-ɛi, -esti, -ɛbbe, -emmo, -este, ɛbbero.**

Notice the present conditional of regular verbs:

I	II	III
comprerɛi I would buy, *etc.*	**venderɛi** I would sell, *etc.*	**finirɛi** I would finish, *etc.*
compreresti	**venderesti**	**finiresti**
comprerɛbbe	**venderɛbbe**	**finirɛbbe**
compreremmo	**venderemmo**	**finiremmo**
comprereste	**vendereste**	**finireste**
comprerɛbbero	**venderɛbbero**	**finirɛbbero**

Here is the present conditional of some common irregular verbs:

andare	**andrɛi, andresti, andrɛbbe, andremmo, andreste, andrɛbbero**
avere	**avrɛi, avresti, avrɛbbe, avremmo, avreste, avrɛbbero**
dovere	**dovrɛi, dovresti, dovrɛbbe, dovremmo, dovreste, dovrɛbbero**
ɛssere	**sarɛi, saresti, sarɛbbe, saremmo, sareste, sarɛbbero**
potere	**potrɛi, potresti, potrɛbbe, potremmo, potreste, potrɛbbero**
vedere	**vedrɛi, vedresti, vedrɛbbe, vedremmo, vedreste, vedrɛbbero**
venire	**verrɛi, verresti, verrɛbbe, verremmo, verreste, verrɛbbero**
volere	**vorrɛi, vorresti, vorrɛbbe, vorremmo, vorreste, vorrɛbbero**

74. Uses of the conditional

The conditional expresses what would happen under certain conditions, which may be expressed or implied. The present conditional corresponds to the English *would,*[1] as for example *we would speak, he would come, I would be pleased,* etc.

Avrɛi la mia automɔbile. I would have my own car.
Non ci sarɛbbe orạrio fisso. There would be no fixed hours.

[1] Some people insist on using *should* for the first person, but this *should* does not express an obligation.

The conditional is also known as the past future, because in a quotation it expresses an action that is future to a verb in the past.

Mi scrisse che non verrɛbbe ɔggi. He wrote to me saying that he would not come today.

75. Comparison of equality

In Lesson 13 you learned some of the simple rules for the formation of the comparative and superlative of adjectives. Now you are going to learn more about comparisons. When the items compared are considered equal, English uses *as* + adjective + *as* (*as long as, as good as*). In this type of comparison Italian uses **tanto** + adjective + **quanto,** or **così** + adjective + **come** (**tanto lungo quanto, così buɔno come**).

Un mestiɛre ɛ̀ tanto interessante quanto un altro. One trade is as interesting as another.
La Sicilia ɛ̀ così bɛlla come la Sardegna. Sicily is as beautiful as Sardinia.

The correlatives *the more . . . the more* and *the more . . . the less* are expressed by **quanto più ... tanto più** and **quanto più ... tanto meno.**

Quanto più lavoriamo, tanto più guadagniamo. The more we work, the more we earn.
Quanto più vedevo, tanto meno comprendevo. The more I saw, the less I understood.

76. The absolute superlative

Italian has an absolute superlative which has no corresponding form in English. It expresses the highest degree of an adjective or an adverb without relation to anything else. In English it has to be rendered by words such as *very, exceedingly, enormously,* etc. You have already seen this superlative in adjectives or adverbs which end in **-issimo.**

Dante ɛ̀ famosissimo nella letteratura. Dante is extremely famous in literature.
Lo faremo prestissimo. We'll do it immediately.

77. Irregular comparatives

In Section 53 you learned three of the common adjectives which have an irregular comparative as well as a regular comparative form. We list here for reference the comparative and the superlative forms of the six most common adjectives you are likely to meet.

Positive	*Comparative*	*Relative Superlative*	*Absolute Superlative*
buɔno good	**migliore** better	**il migliore** the best	**ɔttimo** excellent
cattivo bad	**peggiore** worse	**il peggiore** the worst	**pɛssimo** awful
grande large	**maggiore** older, greater	**il maggiore** the eldest, the greatest	**massimo** greatest
piccolo small	**minore** younger, smaller	**il minore** the youngest, the smallest	**minimo** least
alto high	**superiore** superior	**il superiore** the most superior	**suprɛmo** supreme
basso low	**inferiore** inferior	**l'inferiore** the most inferior	**infimo** terrible

Il maggior novellière fu Boccaccio. The greatest short-story writer was Boccaccio.
Nessuna nazione ɛ̀ inferiore a un'altra nazione. No nation is inferior to another nation.

Although these adjectives have a regular comparison as well as the irregular one, some of the forms are more common than others. The regular comparison frequently carries a different connotation from the irregular one. For example, the comparatives **maggiore** and **minore** mean *older* and *younger* when referring to people, and not *larger* and *smaller;* **maggiore** and **minore** also refer to *greater* and *lesser* in importance. **Superiore** and **inferiore** carry the meaning of *superior* and *inferior,* rather than *higher* and *lower,* which are expressed by the regular comparatives. At this stage all you really need to remember is the actual meanings when you meet these irregular comparatives.

78. Comparison of adverbs

The comparison of an adverb is formed in the same way as an adjective, namely by placing **più** or **meno** before the positive form.

prɛsto quickly — **più prɛsto** more quickly, faster
veloce fast — **meno veloce** not so fast

Parla più prɛsto, perché hɔ fretta. Speak faster, because I am in a hurry.

The relative superlative of an adverb is formed by adding the ending **-ịssimo** to the positive form.

Sono arrivati tardịssimo. They arrived very, very late.

The relative superlative of an adverb is also formed by adding the word **possịbile** after the adverb introduced by **il più** or **il meno.**

Vɔgliono partire il più prɛsto possịbile. They want to leave as soon as possible.

ESERCIZI

I. Domande:

1. Che mestiɛri conosce Lɛi?
2. Chi fa gli ạbiti [*clothes*], il sarto o il falegname?
3. Guadagna bɛne l'acconciatore per signore?
4. Chi fa le scarpe, il calzolạio o il muratore?
5. Chi fa riparazioni agli apparecchi elɛttrici?
6. Ci sono molti apparecchi elɛttrici in una casa modɛrna?
7. Che professioni conosce Lɛi?
8. Ha bisogno di cliɛnti l'avvocato?
9. Ɛ una bɛlla professione quella del mɛdico?
10. Dɛve lavorare lunghe ore il mɛdico?
11. Ha speranza di farsi ricco un professore?
12. Preferisce Lɛi stare a prɛndere il sole?

II. Mettete la forma corrɛtta del condizionale (*Supply the conditional forms for the verbs in parentheses.*):

1. Dino (potere) fare il falegname, ma non gli (piacere).
2. (Volere) fare il sarto Lɛi? Non (preferire) un altro mestiɛre?
3. Come muratore tu (guadagnare) bɛne e (avere) la prɔpria automɔbile.
4. Nell'estate lui (andare) in Itạlia e (prɛndere) il sole.
5. Gina (volere) studiare all'università perché le (piacere) divenire mɛdico.
6. L'avvocato (avere) una bɛlla clientɛla e si (fare) ricco.
7. Gli studɛnti dịssero che (arrivare) tardi e (partire) prɛsto.
8. Il professore disse che la lezione (cominciare) alle diɛci e (finire) a mezzogiorno.
9. Gli scrivemmo che (ɛssere) lì fra pɔchi giorni e li (visitare).
10. Chi ci (incontrare) e ci (portare) all'albɛrgo?

III. Cambiate il vɛrbo dal futuro al condizionale (*Change the verb from the future to the conditional.*):

1. Il mɛdico verrà sụbito.
2. Mangerai in quel ristorante?
3. Luisa cercherà un altro allɔggio.
4. L'aɛreo arriverà alle ɔtto.
5. Voi potrete incontrarli alla stazione.
6. Gli venderɔ̀ la mia casa.
7. Quando saranno in Frạncia?
8. Tutti finiranno allo stesso tɛmpo.
9. Rɔsa aspetterà in salɔtto.
10. Gli operai lavoreranno nelle fạbbriche.
11. Perché dovrɔ̀ partire?
12. L'ingegnɛre non avrà orạrio fisso.
13. Tu la chiamerai al telɛfono.
14. Noi li vedremo domani.

IV. (*Superlative*) Traducete:

1. an extremely famous artist
2. a very long lesson
3. an extremely rich doctor
4. a very important painter
5. very short trousers
6. a very beautiful young lady
7. an extremely fast plane
8. a very short jacket
9. an extremely poor city
10. some very beautiful music
11. some very old wine
12. some very beautiful neckties
13. some very new cars
14. some very important artists
15. He eats very very little.

V. Traducete le parɔle inglesi (*Translate the English words.*):

1. (*The more*) vedo l'Italia, (*the more*) mi piace.
2. (*The less*) lavoriamo, (*the less*) guadagniamo.
3. Il Pɔ ɛ̀ (*the longest*) fiume dell'Italia.
4. Il Tẹvere (*is not as long as*) il Pɔ.
5. L'Arno (*is more important*) nella stɔria che il Pɔ.
6. Milano ɛ̀ (*the most important city*) nell'indụstria e nel commɛrcio.
7. Angelina ɛra (*the most beautiful girl in*) la classe.
8. Noi siamo (*the best students in*) la scuɔla.
9. (*The more*) Lɛi impara, (*the more*) comprɛnde.
10. (*The more*) vedo di questo mondo, (*the less*) ne capisco.

VI. Traducete:

1. I should like to work on my own.
2. I would not have fixed hours.
3. What trade would you prefer?
4. A profession would be better for you.
5. My cousin said he would like to be a lawyer.
6. His sister would prefer to be a doctor.
7. Where would she go to college?
8. Would she be able to study in Italy?
9. Life in Rome would be interesting for her.
10. The Italian students would receive her with pleasure.
11. Would she live near the university?
12. Would her parents buy her a small car?
13. She would never come back to the United States.
14. What more would she want?
15. I would prefer to stay here and bask in the sun.

WORD LIST

NOUNS

acconciatore *m.* (hair) stylist
apparẹcchio *m.* set, appliance
architɛtto *m.* architect
artịcolo *m.* article
avvenire *m.* future
avvocato *m.* lawyer
bottega *f.* shop
calzolạio *m.* shoemaker
clientɛla *f.* clientele
dɔnna *f.* woman
elettricista *m.* electrician
fạbbrica *f.* factory, industry
falegname *m.* carpenter
ingegnɛre *m.* engineer
intelligɛnza *f.* intelligence
mɛdico *m.* doctor, physician
mestiɛre *m.* trade

muratore *m.* bricklayer, mason
orạrio *m.* hours
paziɛnza *f.* patience
professione *f.* profession
riparazione *f.* repair
ripɔso *m.* rest
sarto *m.* tailor
speranza *f.* hope

ADJECTIVES

ricco, -a rich, wealthy
tollerabile bearable, tolerable

VERBS

***divenire** *irr.* to become
esercitare to exercise, practice
guadagnare to earn
insegnare to teach
***perfezionarsi** to perfect oneself
***volerci** to take, require

OTHER WORDS

affatto: non ... affatto not at all
continuamente continually
quindi therefore

LANGUAGE PRACTICE

Leggete senza tradurre e pɔi rispondete oralmente alle domande (*Read without translating and then answer the questions orally.*):

■ *L'università di Bologna*

L'università di Bologna ɛ̀ la più antica[1] d'Itạlia e una delle più antiche d'Eurɔpa. Fondata[2] nel dodicɛsimo sɛcolo, ɛ̀ una delle più rinomate università del mondo. A Bologna studiạrono San Tommaso d'Aquino, Dante, il Petrarca, e vi insegnạrono Carducci, Pạscoli, e molti altri scrittori famosi. Bologna ɛ̀ sɛmpre stata rinomata per la sua facoltà[3] di legge,[4] ma possiɛde anche altre facoltà importantịssime, come lɛttere,[5] sciɛnze e medicina. Molti straniɛri vanno a Bologna per la lạurea,[6] perché la lạurea di Bologna ɛ̀ riconosciuta[7] dappertutto.

Per lo studɛnte americano ɛ̀ diffịcile farsi un'idɛa[8] dell'aspɛtto[9] delle università italiane. Non ci sono file[10] di grandi edifici,[11] non ci sono aiɔle[12] spaziose, non c'ɛ̀ grande bibliotɛca centrale, non c'ɛ̀ niɛnte che si somịglia[13] alle università americane. Gli edifici universitari generalmente non si distịnguono[14] dagli altri edifici vicini, e le strade sono le sɔlite[15] strade di città. Soltanto la targa[16] all'entrata mostra che l'edificio appartiɛne all'università. Eppure, senza tanto sfarzo,[17] l'università italiana sa distịnguersi in altro mɔdo.

---

[1] ancient. [2] founded. [3] college. [4] law. [5] liberal arts. [6] degree. [7] recognized. [8] to form an idea. [9] appearance. [10] rows. [11] buildings. [12] lawns. [13] resembles. [14] are not distinguished. [15] usual. [16] plaque. [17] show.

Domande

1. Qual è la più antica università italiana?
2. Quali sono alcuni degli scrittori famosi che studiarono o insegnarono a Bologna?
3. Qual è la più rinomata facoltà all'università di Bologna?
4. È riconosciuta la laurea dell'università di Bologna?
5. Ci sono lunghe file di grandi edifici nelle università italiane?
6. L'università italiana si somiglia in apparenza alle università americane?

Galleria Umberto Primo during the day

Lesson 19

CURRENT USAGE

■ *La galleria Umbεrto Primo*

Nạpoli, 4 agosto 1978

Ciao Luisa,

εccomi finalmente nella città dei nɔstri nonni. Siamo arrivati da Roma due giorni fa. Da lungo tεmpo mi εro promessa di scrịverti; stasera hɔ deciso di non andare a lεtto se prima non avrɔ̀ finito questa lεttera. Tu cεrto avresti fatto lo stesso.

Tuo nonno ci aveva parlato tanto della galleria Umbεrto Primo che sụbito hɔ voluto vederla. Ci siamo andati iεri sera con tre compagni dell'università. Questa galleria ὲ uno dei più bεi ricɔrdi degli emigrati in Amεrica. Quando lasciạrono l'Itạlia molti anni fa, la galleria εra aristocrạtica ed elegante, con negɔzi di lusso e caffὲ supεrbi. Εra il ritrɔvo favorito dei signori e del pɔpolo, dove tutti godẹvano l'incanto della città.

Ahimὲ cɔsa ὲ accaduto alla pɔvera galleria! I bεi marmi sono sụdici; i negɔzi di lusso sono spariti; i caffὲ supεrbi ora fanno ribrezzo. Volevamo sederci a un caffὲ, ma prɔprio ci ὲ mancato il corạggio. Nel cεntro della galleria, εcco ragazze con gɔnne di pɔchi centịmetri, che non lạsciano passare un uɔmo senza un invito lascivo. Ai caffὲ, εcco giọvani profumati, con capelli lunghi e tinti al biondo, che cẹrcano anche loro cliεnti per la nottata. A che stato ὲ ridotta la famosa galleria dei canti e delle poesie!

Ma perché vịvere coi ricɔrdi del passato? La Nạpoli di ɔggi ὲ una bellịssima città, con un golfo incantẹvole. Basta aprire il balcone dell'albεrgo e guardare il mare per sentirne l'incanto. Giù nel pɔrto gli aliscafi che vanno a Capri e Ịschia; i motoscafi che lạsciano la strịscia bianca sull'azzurro dell'ạcqua; la vista del Posịllipo e del Vɔmero; il Vesụvio sull'orizzonte. E sotto questa natura, una città modεrna, con gεnte industriosa e allegra, gεnte che sa lavorare e godere la vita, senza badare alle sciagure che affḷiggono il rεsto del mondo. Lo spịrito di Nạpoli ὲ il vero ricɔrdo degli emigrati in Amεrica.

Ma soltanto quando avrai fatto anche tu un viạggio, potrai apprezzare lo spịrito del pɔpolo napoletano. La vita ὲ bεlla e perché non goderla? "Vedi Nạpoli e pɔi mɔri," dice il provεrbio. Per me, vɔglio vedere Nạpoli e vịvere come i Napoletani.

Tua
Gina

Useful Expressions

da lungo tεmpo for a long time
negɔzio di lusso fashionable shop
il ritrɔvo favorito the favorite meeting place

dei signori e del pɔpolo of the upper class and the common crowd
fanno ribrezzo (they) are revolting
ci ɛ̀ mancato il corạggio we didn't have the courage
capelli tinti al biondo tinted blond hair
per la nottata to spend the night
a che stato ɛ̀ ridotta how it has changed (*lit.* to what a sad state it has come)
senza badare alle sciagure without paying any attention to the troubles
Vedi Nạpoli e pɔi mɔri. See Naples and die.

STRUCTURE

79. Compound tenses of the indicative

In Lessons 8 and 9 you learned the present perfect (**passato prɔssimo**), which is formed by the present of **avere** or **ɛssere** and the past participle of the verb to be conjugated. Every simple tense of **avere** or **ɛssere** can be joined with a past participle to form a compound tense.

present + past participle = present perfect (**passato prɔssimo**)
imperfect + past participle = first pluperfect (**trapassato prɔssimo**)
past absolute + past participle = second pluperfect (**trapassato remɔto**)
future + past participle = future perfect (**futuro anteriore**)
conditional + past participle = conditional perfect (**condizionale anteriore**)

80. Compound tenses of verbs with avere

Following are the forms of the compound tenses of the indicative for regular verbs conjugated with **avere.**

Present Perfect	*First Pluperfect*	*Second Pluperfect*
I spoke *or* I have spoken, *etc.*	I had spoken, *etc.*	I had spoken, *etc.*
hɔ	**avevo**	**ɛbbi**
hai	**avevi**	**avesti**
ha	**aveva**	**ɛbbe**
abbiamo	**avevamo**	**avemmo**
avete	**avevate**	**aveste**
hanno	**avẹvano**	**ɛbbero**
} **parlato** / **venduto** / **finito**	} **parlato** / **venduto** / **finito**	} **parlato** / **venduto** / **finito**

Future Perfect		*Conditional Perfect*	
I shall have spoken, *etc.*		I would have spoken, *etc.*	
avrɔ̀	**parlato**	**avrɛi**	**parlato**
avrai	**venduto**	**avresti**	**venduto**
avrà	**finito**	**avrɛbbe**	**finito**
avremo		**avremmo**	
avrete		**avreste**	
avranno		**avrɛbbero**	

Tuo nonno ci aveva parlato tanto. Your grandfather had talked to us so much.
Tu avresti fatto lo stesso. You would have done the same.

81. Compound tenses of verbs with ɛssere

Following is the indicative of regular verbs conjugated with **ɛssere:**

Present Perfect		*First Pluperfect*		*Second Pluperfect*	
I went, I have gone, *etc.*		I had gone, *etc.*		I had gone, *etc.*	
sono	**andato (a)**	**ɛro**	**andato (a)**	**fui**	**andato (a)**
sɛi	**caduto (a)**	**ɛri**	**caduto (a)**	**fosti**	**caduto (a)**
ɛ̀	**partito (a)**	**ɛra**	**partito (a)**	**fu**	**partito (a)**
siamo	**andati (e)**	**eravamo**	**andati (e)**	**fummo**	**andati (e)**
siɛte	**caduti (e)**	**eravate**	**caduti (e)**	**foste**	**caduti (e)**
sono	**partiti (e)**	**ɛrano**	**partiti (e)**	**furono**	**partiti (e)**

Future Perfect		*Conditional Perfect*	
I shall have gone, *etc.*		I would have gone, *etc.*	
sarɔ̀	**andato (a)**	**sarɛi**	**andato (a)**
sarai	**caduto (a)**	**saresti**	**caduto (a)**
sarà	**partito (a)**	**sarɛbbe**	**partito (a)**
saremo	**andati (e)**	**saremmo**	**andati (e)**
sarete	**caduti (e)**	**sareste**	**caduti (e)**
saranno	**partiti (e)**	**sarɛbbero**	**partiti (e)**

Mi ɛro promesso di scriverti. I had promised myself to write to you.
Ɛrano arrivati pɔchi giorni prima. They had arrived a few days before.

82. Uses of the compound tenses of the indicative

The compound tenses correspond, in general, to their equivalent tenses in English. Notice the meanings of the verb **parlare:**

Present Perfect:	**hɔ parlato**	I have spoken
First Pluperfect:	**avevo parlato**	I had spoken
Second Pluperfect:	**ɛbbi parlato**	I had spoken
Future Perfect:	**avrɔ̀ parlato**	I shall have spoken
Conditional Perfect:	**avrɛi parlato**	I would have spoken

The only difficulty comes in choosing between the first and second pluperfect. Remember that the second pluperfect is used only after conjunctions of time such as: **quando** *when;* **appena che** or **tɔsto che** *as soon as;* **dopo che** *after*. It is primarily a literary form.

Quando ɛbbe terminato, se ne andɔ̀. When he had finished, he went away.

83. Auxiliary with reflexive verbs

When a verb becomes reflexive it is conjugated with **ɛssere** (even if before it was conjugated with **avere**).

Avevo promesso di scrịverti. I had promised to write to you.
Mi ɛro promessa di scrịverti. I had promised myself to write to you.

ESERCIZI

I. Domande:

1. Chi aveva promesso di scrịvere da lungo tɛmpo?
2. Quando andrà a lɛtto Gina?
3. Chi aveva parlato tanto della galleria Umbɛrto Primo?
4. Quando vẹnnero molti emigrati dall'Itạlia?
5. Qual ɛra il ritrɔvo favorito dei signori e del pɔpolo?
6. Ci sono ancora negɔzi di lusso nella galleria?
7. Ɛ̀ grave [*serious*] il problɛma delle ragazze che fanno inviti lascivi?
8. Ɛ̀ grave il problɛma dei giọvani che cẹrcano cliɛnti anche loro?
9. Ɛ̀ incantẹvole il golfo di Nạpoli?
10. Dove vanno gli aliscafi che pạrtono dal pɔrto?
11. Che lạsciano i motoscafi sull'a*zz*urro dell'ạcqua?
12. Qual ɛ̀ il vero ricɔrdo degli emigrati in Amɛrica?
13. Conosceva Lɛi il provɛrbio "Vedi Nạpoli e pɔi mɔri"?

II. Cambiate le seguɛnti fra*s*i dal passato prɔssimo al trapassato prɔssimo (*Change the following sentences from the present perfect to the first pluperfect.*):

1. *Siamo arrivati* prima degli altri.
2. Il nonno ci *ha parlato* molto della galleria.
3. Luigi vi ɛ̀ *andato* con tre compagni.
4. I genitori *hanno lasciato* l'Itạlia.
5. Tutti *hanno goduto* l'incanto della città.
6. Il negɔzio di lusso ɛ̀ *sparito*.
7. Li*s*a *ha preso* un caffɛ̀.
8. La galleria ɛ̀ *ridotta* a cattivo stato.
9. I turisti *hanno apɛrto* il balcone.
10. La gɛnte *ha lavorato* sɛmpre.
11. Il pɔpolo ɛ̀ *stato* sɛmpre industrioso.
12. *Abbiamo cercato* un buɔn ristorante.

III. Cambiate le seguɛnti fra*s*i dal futuro al futuro anteriore (*Change the following sentences from the future to the future perfect.*):

1. Gli *scriverɔ̀* la lɛttera.
2. Domani *finirà* il lavoro.
3. Quando tu *farai* il viạggio ...
4. Quando voi *vedrete* il golfo ...
5. Dopo che gli *parleranno* ...
6. I tre compagni *arriveranno* stasera.
7. Il poɛta *scriverà* delle poe*s*ie.
8. Il giọvane *aprirà* il balcone.

9. Quando *guarderai* il mare ...
10. Questo *sarà* il ritrɔvo favorito.

IV. Traducete in italiano la parte inglese:

1. *He would have finished,* ma non ha potuto.
2. *They would have done the work,* ma non ɛbbero il tɛmpo.
3. *I would have opened the balcony,* ma faceva freddo.
4. *We would have called them,* ma non ɛrano in casa.
5. *She would have left Italy,* ma non voleva tornare in Amɛrica.
6. *I would have finished the letter,* ma mi hanno chiamato al telɛfono.
7. *They would have left for Europe,* ma l'aɛreo non ɛra pronto.
8. *You would have bought the trousers,* ma il colore non L'ɛ̀ piaciuto.
9. *The girl would have taken the bus,* ma non aveva cạmbio.
10. *The taxi would have stopped,* ma l'autista non ci ha visti.

V. Formate frasi complɛte coi seguɛnti gruppi di parɔle (*Form complete sentences from the following groups of words.*):

1. scrịvere, lɛttera, domani
2. compagni, venire, Roma
3. emigrati, lasciare, Itạlia
4. galleria, ritrɔvo, pɔpolo
5. aliscafi, andare, ạcqua
6. motoscafi, lasciare, strịscia
7. galleria, marmi, sụdici
8. Napoletani, pɔpolo, industrioso
9. Nạpoli, città, incanto
10. tutti, godere, vista

WORD LIST*

NOUNS

aliscafo *m.* hydrofoil
balcone *m.* balcony
cɛntro *m.* center
compagna *f.* friend, companion
compagno *m.* friend, companion
corạggio *m.* courage, nerve
emigrato *m.* emigrant
galleria *f.* covered promenade, mall, shopping plaza
gɛnte *f.* people
golfo *m.* gulf, bay
gɔnna *f.* skirt
incanto *m.* enchantment, charm
invito *m.* invitation
lɛttera *f.* letter
lusso *m.* luxury; **negɔzio di —,** fashionable shop
mare *m.* sea
marmo *m.* marble
mɔri = muɔri (*from* **morire**) **Mori** *is actually a small town in the Alps*
motoscafo *m.* motor boat
nottata *f.* night (*the whole night*)
orizzonte *m.* horizon
passato *m.* past
pɔpolo *m.* people, common crowd
pɔrto *m.* harbor
Posịllipo *m.* *residential hill in Naples*

* Check all the words which are so close to English that you can guess their meanings. These are cognates.

ragazza *f.* girl
rɛsto *m.* rest
ribrezzo: fare —, to be revolting
ricɔrdo *m.* memory, remembrance
ritrɔvo *m.* meeting place
sciagura *f.* trouble, misfortune
stato *m.* state
strịscia *f.* streak
Umbɛrto Primo *king of Italy (1844–1900)*
uɔmo *m.* (*pl.* **uɔmini**) man
Vesụvịo *m.* Vesuvius
Vɔmero *m.* *residential hill in Naples*

ADJECTIVES

allegro, -a happy
aristocrạtico, -a aristocratic
biondo, -a blond
favorito, -a favorite
incantẹvole enchanting, charming
industrioso, -a industrious
lascivo, -a lewd
modɛrno, -a modern
napoletano, -a Neapolitan
profumato, -a perfumed
sụdicio, -a dirty, filthy
supɛrbo, -a superb, splendid
tinto, -a tinted

VERBS

***accadere** *irr.* to happen, befall
afflịggere *irr.* (*p.p.* **afflitto**) to afflict
apprezzare to appreciate
badare (a) to pay attention (to)
bastare to be enough, be sufficient
mancare to fail
promẹttere *irr.* (*p.p.* **promesso**) to promise
ridurre *irr.* (*p.p.* **ridotto**) to reduce, come to

OTHER WORDS

ahimɛ̀! alas!
giù down
sotto under
stasera this evening

LANGUAGE PRACTICE

Leggete senza tradurre e pɔi rispondete oralmente alle domande (*Read without translating and then answer the questions orally.*):

■ *Il problɛma del Mezzogiorno*

Il Mezzogiorno[1] si riferisce a quella parte dell'Itạlia a sud di Roma. La situazione econɔmica del Mezzogiorno presɛnta problɛmi diffịcili a risɔlvere. Politicamente l'Itạlia fu unificata[2] nel 1870, ma dal punto di vista linguịstico, econɔmico e sociale l'Itạlia non ɛ̀ ancora unificata e forse non lo sarà mai. Il Mezzogiorno costituisce[3] il problɛma principale nella visione[4] di un'Itạlia unificata.

Le regioni del Mezzogiorno sono più pɔvere delle regioni del nɔrd. Le famịglie sono grandi e le indụstrie sono pɔche. I giọvani dɛvono cercare lavoro altrove.[5] Molti vanno nelle città del nɔrd e molti emịgrano nei

[1] South (of Italy). [2] was unified. [3] constitutes. [4] future vision. [5] elsewhere.

paesi d'Europa e dell'America. Questi emigrati dal Mezzogiorno tirano[6] con sé altri giovani, lasciando nei loro paesi soltanto quelli che non possono andar via. Il governo cerca di incoraggiare l'industria del Mezzogiorno, ma ci vorranno[7] molti anni per ottenere[8] un miglioramento.[9] Fatto sta che i giovani che vanno al nord si sentono di migliorare[10] e quelli che vanno al sud si sentono di aver perduto la battaglia.[11]

Come si risolverà il problema del Mezzogiorno?

Domande

1. A che si riferisce il Mezzogiorno?
2. Quando fu unificata l'Italia politicamente?
3. Sono povere le regioni del Mezzogiorno?
4. Dove vanno gli emigrati dal Mezzogiorno?
5. Che cerca di fare il governo?
6. Ci vorranno molti anni per effettuare un miglioramento?

---

[6] draw. [7] it will take. [8] bring about. [9] improvement. [10] feel they are bettering themselves. [11] they have lost the battle.

Gondolas are still seen in Venice.

Lesson 20

CURRENT USAGE

■ *Una vịsita di sera*

SIGNORA: Buɔna sera, professore. Si accɔmodi! Siamo così liɛti che sia venuto a visitarci. Gina e Lisa ci hanno parlato tanto del loro professore di mụsica.

PROFESSORE: Sono così graziose quelle signorine americane. Ɛ un vero piacere averle in classe.

SIGNORA: Permetta un momento che apra le persiane e fạccia entrare la luce. Stiamo sɛmpre al bụio di giorno perché si sta più freschi. Il sole ɛ così fɔrte nel mese di lụglio.

PROFESSORE: Quando fa tanto caldo sembra che non ci rɛsti nessuno in città. I Romani vanno tutti in villeggiatura, o al mare o in montagna. Ci rɛstano soltanto turisti e studɛnti. Gli studɛnti dịcono che da loro fa caldo sì, ma ɛ un caldo secco, non caldo ụmido.

SIGNORA: Eh lì in Amɛrica si sta bɛne per tante ragioni.

PROFESSORE: Spɛro di non incomodare trɔppo, ma sospɛtto che non abbiano finito ancora la cena. Con tanti studɛnti americani, mi sono abituato a cenare prɛsto e hɔ dimenticato la nɔstra usanza.

SIGNORA: Tutt'altro, professore. Abbiamo finito da parẹcchio, e non ci rɛsta altro che prɛndere il caffɛ̀. Lo prendiamo sempre in salɔtto. Prɛnde un caffɛ̀ con noi?

PROFESSORE: Grạzie, l'accɛtto volentiɛri. Che bɛlla mụsica alla rạdio! Quel violinista ɛ una meravịglia, col concɛrto di Vivaldi. Peccato che il pɛzzo stia per finire!

SIGNORA: Cɛrto Lɛi se ne intɛnde della mụsica di Vivaldi. Noi ascoltiamo soltanto perché la mụsica ɛ bɛlla. Quando non ci piace più, spengiamo la rạdio e accendiamo il televisore. Ora che ci ɛ la televisione a colori, ɛ una delịzia passare un'oretta a guardarla.

PROFESSORE: La televisione a colori ɛ veramente bɛlla. Mi rallegro che mi ạbbiano invitato a passare una serata con Loro.

Useful Expressions

si accɔmodi come in, make yourself at home
stare al bụio to stay in the dark
di giorno during the day
si sta più freschi it's cooler, we are cooler
andare in villeggiatura to go on a vacation
tutt'altro far from it, on the contrary
da parẹcchio (tɛmpo) for some time, some time ago
non rɛsta altro all that's left
stare per finire to be about over
Lɛi se ne intɛnde you are quite familiar

spɛngere (*or* **spɛgnere**) **la rạdio** to turn off the radio
accɛndere il televisore to turn on the TV
(**la**) **televisione a colori** color television
passare un'oretta to spend an hour or so

STRUCTURE

84. Present subjunctive: formation

The tenses studied so far are called indicative because they indicate a period of time when an action takes place. In Italian, it is also necessary to indicate the relation of one action to another in terms of the mood of the speaker. This secondary type of relation is expressed by the subjunctive, divided into four tenses: the present, the present perfect, the past, and the past perfect. Naturally we'll start with the present.

The forms of the present subjunctive for the regular conjugations are as follows:

	I	II	III	
(che io)	parl-**i**	vend-a	fin-**isca**	part-a
(che tu)	parl-**i**	vend-a	fin-**isca**	part-a
(che lui *or* lɛi)	parl-**i**	vend-a	fin-**isca**	part-a
(che noi)	parl-**iamo**	vend-**iamo**	fin-**iamo**	part-**iamo**
(che voi)	parl-**iate**	vend-**iate**	fin-**iate**	part-**iate**
(che loro)	pạrl-**ino**	vẹnd-**ano**	fin-**ịscano**	pạrt-**ano**

85. Present perfect subjunctive: formation

The present perfect subjunctive is formed by the present of **avere** or **essere** (according to the auxiliary), followed by the past participle of the verb conjugated.

ạbbia	**parlato**	**sia**	**andato, -a**
ạbbia	**venduto**	**sia**	**caduto, -a**
ạbbia	**finito**	**sia**	**partito, -a**
abbiamo		**siamo**	**andati, -e**
abbiate		**siate**	**caduti, -e**
ạbbiano		**sịano**	**partiti, -e**

For short cuts in learning the present and present perfect subjunctive, notice that the three persons of the singular are always alike, and the third person plural simply adds **-no** to the singular form. The first person plural of regular verbs is the same as that of the present indicative, and the second person plural ends in **-iate** for all verbs.

86. Uses of the subjunctive: noun clauses

The subjunctive, when used in subordinate clauses, denotes something uncertain, possible, or indefinite. It shows that the idea represented by the clause is a wish, an opinion, a thought, or an expectation of the subject of the main clause. The dependent clause is normally introduced by **che,** *that* (which cannot be omitted in Italian, as it can in English), and the subject of the dependent clause is different from the subject of the main clause. The subjunctive, therefore, is used in clauses depending on:

1. Expressions of wish or desire

   Vɔglio che tu parta prɛsto domani. I want you to leave (*lit.* that you should leave) early tomorrow.

2. Verbs of requesting, urging, advising, permitting, or commanding

   Dille che non fạccia tardi. Tell her not to be (*lit.* that she should not be) late.

3. Expressions of fear, doubt, or suspicion

   Sospɛtto che non ạbbiano finito il pranzo. I suspect you haven't finished dinner.

4. Expressions of belief, opinion, or supposition

   Tutti crẹdono che quel violinista sia una meravịglia. Everyone thinks that violinist is a marvel.

5. Expressions of surprise or emotion of any sort

   Mi rallegro che mi ạbbiano invitato. I am glad you invited me.

87. Uses of the subjunctive: Polite commands

You learned in Lesson 11 that the present subjunctive is used to express commands in the polite form (**Lɛi** and **Loro**). This is the main use of the subjunctive in an independent clause.

Permetta un momento. Allow me for a moment.
Si accɔmodi! Do come in!

With these polite commands object pronouns come before the verb, as they do before most of the verb forms (and not after the verb, as they do with **tu, noi,** and **voi** affirmative commands).

Gli dica che lo vedremo domani. Tell him that we'll see him tomorrow.

BUT: **Digli che lo vedremo domani.** Tell (*fam.*) him that we'll see him tomorrow.

Looking for coins

88. Present subjunctive of some irregular verbs

The present subjunctive of common irregular verbs follows a set pattern. Once you have learned the first person singular, the rest of the verb follows the pattern of regular verbs.

Following is the present subjunctive of some of the most common irregular verbs:

avere to have	**ạbbia, ạbbia, ạbbia, abbiamo, abbiate, ạbbiano**
dare to give	**dia, dia, dia, diamo, diate, dịano**
dire to say	**dica, dica, dica, diciamo, diciate, dịcano**
ɛssere to be	**sia, sia, sia, siamo, siate, sịano**
fare to do	**fạccia, fạccia, fạccia, facciamo, facciate, fạcciano**
potere to be able	**pɔssa, pɔssa, pɔssa, possiamo, possiate, pɔssano**
sapere to know	**sạppia, sạppia, sạppia, sappiamo, sappiate, sạppiano**
stare to be	**stia, stia, stia, stiamo, stiate, stịano**
volere to want	**vɔglia, vɔglia, vɔglia, vogliamo, vogliate, vɔgliano**

ESERCIZI

I. Domande personali:

1. Stụdia Lɛi con un professore di mụsica?
2. Che stụdia, violino? pianofɔrte? mandolino? chitarra?
3. Abbiamo persiane nelle nɔstre case in Amɛrica?
4. Va Lɛi in villeggiatura nell'estate, o nell'invɛrno?
5. Va al mare? o in montagna?
6. Quando fa caldo quị, ɛ̀ un caldo secco, o ụmido?

7. Crede Lεi che si stia bεne quị in Amεrica?
8. Ɛ abituata Lεi a cenare prεsto, signorina?
9. Dove prendete il caffὲ in casa vɔstra?
10. Se ne intεnde Lεi della mụsica di Vivaldi?
11. Quando la mụsica non Le piace, spεnge la rạdio?
12. Quando i nonni εrano giọvani, c'εra la televisione?

II. (*Verb forms.*) Date la forma del presεnte del congiuntivo dei seguεnti vεrbi (*Supply the present subjunctive forms for the verbs in parentheses.*):

1. Ɛnzo non vuɔle che io (finire, comprεndere, ascoltare).
2. Vogliamo che tutti (parlare, comprεndere, capire).
3. Crẹdono che tu (sospettare, intεndere, partire).
4. Credo che voi (fare, sapere, potere).
5. Mi rallegro che Lεi (εssere, volere, avere).
6. Permẹttano che io (dire, fare, dare).
7. Lεi vuɔle che noi (cenare, partire, prεndere).
8. Non permetto che tu (aspettare, aprire, vẹndere).
9. (Fare, dire, scrịvere) quel che vuɔle! (*Command*)
10. (Divertirsi, svegliarsi, alzarsi) quando vuɔle! (*Command*)

III. Nelle seguεnti frasi, mettete la forma adatta del presεnte del congiuntivo (*Supply the present subjunctive forms for the verbs in parentheses.*):

1. Mia madre vuɔle che io (accεndere) il televisore nel salɔtto.
2. Signora, vuɔle che io (aprire) le persiane per stare più freschi?
3. Crede Lεi che il concεrto (stare) per finire?
4. Non pɔsso crẹdere che tutti i Romani (εssere) in villeggiatura.
5. Gli amici si rallegreranno che Lεi (fare) una vịsita.
6. Permetta che io (tornare) più tardi.
7. Gli dico che (prεndere) l'ạutobus nụmero ottantɔtto.
8. Siamo liεti che Lεi (volere) accompagnarci al teatro.
9. (Dire) a Suo fratεllo che lo vedremo domani.
10. (Accomodarsi) quị in salɔtto e (prεndere) un caffὲ con noi.
11. Sospεtto che da Loro il caldo (εssere) più secco.
12. I turisti sono liεti che non (fare) un caldo ụmido.

IV. Mettete la forma adatta del passato del congiuntivo (*Supply the present perfect subjunctive forms for the verbs in parentheses.*):

1. Crede Lεi che il volo per Firεnze (partire)?
2. Credete che l'ạutobus (arrivare) all'aeropɔrto?
3. Sospεtto che l'autista (andare) a prεndere un caffὲ.
4. Il professore sospεtta che gli amici non (finire) la cena.
5. Mi rallegro che Loro mi (invitare) alla Loro casa.
6. Siamo liεti che Lεi (accettare).
7. Spεro che voi lo (invitare) a passare una serata con voi.

8. Ci rallegriamo che voi non (andare) al mare.
9. Gli studεnti spεrano che le lezioni (terminare).
10. Speriamo che tutti (divertirsi) in montagna.
11. Non le piace che Lεi non (accettare) il caffὲ.
12. Credi tu che le signorine (andare) in villeggiatura?

V. Traducete:

1. Color television has arrived in the hotels.
2. They came to spend an evening with our family.
3. Don't you want to turn off the radio and turn on the TV set?
4. When she does not like the music, she looks at television.
5. That concerto is about over, and I still do not know the composer.
6. They finished dinner some time ago, and now they are listening to music.
7. You Americans are well off for so many reasons.
8. I had forgotten our custom, and I have had supper already.
9. Where they live it is very warm, but it is a dry heat.
10. It seems that no one is left in the city.
11. On the contrary, everybody is in his house, but they all stay in the dark.
12. The sun is very strong in the month of August.

WORD LIST

NOUNS

buịo *m.* dark; **stare al —,** to stay in the dark
concεrto *m.* concerto; concert
delịzia *f.* delight, pleasure
meravịglia *f.* marvel, wonder
montagna *f.* mountain; **in —,** in the mountains
oretta *f.* an hour or so
persiana *f.* shutter
pεzzo *m.* piece
ragione *f.* reason
televisione (*f.*) **a colori** color television
usanza *f.* custom
villeggiatura *f.* vacation
violinista *m. or f.* violinist
volo *m.* flight

ADJECTIVES

grazioso, -a charming, gracious
ụmido, -a humid, wet, damp

VERBS

***abituarsi** to become accustomed, get used to
accεndere to light, turn on
accettare to accept
ascoltare to listen (to)
cenare to dine, have supper
incomodare to disturb, bother
***intεndersi** to understand, know about
invitare to invite
permẹttere *irr.* to permit, allow
***rallegrarsi** to be happy, be glad
sospettare to suspect
spεngere (*or* **spεgnere**) *irr.* to put out, turn off
terminare to be over, finish

LANGUAGE PRACTICE

Leggete senza tradurre e pɔi rispondete oralmente alle domande (*Read without translating and then answer the questions orally.*):

■ *Parɔle nuɔve*

Ogni lịngua cạmbia continuamente, ma cạmbia così pɔco in un dato tɛmpo che ɛ̀ diffịcile notare i cambiamenti.[1] Soltanto dopo lungo tɛmpo si puɔ̀ notare che la lịngua ɛ̀ cambiata. Per esɛmpio, da una lịngua comune come il latino sono derivate[2] tutte le lịngue neolatine,[3] cioɛ̀ l'italiano, il francese, lo spagnɔlo, il portoghese, ecc. L'italiano pɔi vạria da una regione all'altra e finanche[4] da un paese all'altro. Infatti nell'Itạlia ci sono almeno[5] duecɛnto varietà d'italiano, e queste varietà si chiạmano dialetti.

Uno dei cambiamenti più interessanti ɛ̀ la formazione di parɔle nuɔve, cioɛ̀ parɔle che prima non esistẹvano[6] in quella lịngua. L'italiano, per esɛmpio, viɛne accettando[7] molte parɔle dall'inglese per rappresentare concɛtti[8] che sono derivati dalla cultura inglese o americana. Notiamo per curiosità alcune delle parɔle già usate in Itạlia — parɔle che voi non avrete nessuna difficoltà a riconọscere.[9]

astronạuta	bomba atɔmica	nylɔn
autoparchẹggio	fịsica nucleare	pacemaker
autostọp [*hitchhike*]	high-fidelity	self-service
baby-sitter	hostess [*on airlines*]	supermercato
bikini	nave spaziale [*space ship*]	vischi

Non tentate però di formare parɔle nuɔve nei vɔstri esercizi. Aspettate che vɛngano accettate in Itạlia.

Domande

1. Quali lịngue neolatine conosce Lɛi?
2. Quanti dialɛtti ci sono in Itạlia?
3. Conosce Lɛi parɔle nuɔve in inglese?
4. Ha Lɛi difficoltà a riconọscere le parɔle nuɔve in questa lezione?
5. Studierà Lɛi la fịsica nucleare?

---

[1] changes. [2] are derived. [3] Romance languages. [4] even. [5] at least. [6] did not exist. [7] is accepting. [8] ideas. [9] recognize.

Juliet's balcony in Verona

Gubbio has remained a medieval city.

FIFTH REVIEW LESSON

■ *Cenni° di letteratura*[*]

La letteratura italiana nasce nel tredicesimo secolo, con la formazione° della lingua volgare dal latino. L'espressione letteraria prende la forma di poesia, poiché° la poesia presenta il pensiero con parole cadenzate° e musicali. I centri principali della prima poesia sono la corte di Federico II in Sicilia, e le varie città dell'Italia centrale, soprattutto della Toscana. Fra questi due estremi° geografici° si sviluppa° la scuola poetica chiamata il "dolce stil nuovo," in cui i poeti registrano° in versi i loro sentimenti sull'amore per la donna ideale. Nella vicina Umbria San Francesco d'Assisi canta invece l'amore che congiunge° l'uomo alla natura e a Iddio° nel suo famoso "Cantico di frate Sole" (*Hymn to Brother Sun*).

Nella lezione sul Trecento abbiamo parlato dei tre maggiori scrittori di quel secolo: Dante Alighieri, Francesco Petrarca, e Giovanni Boccaccio. Vediamo adesso alcuni dei maggiori scrittori degli altri secoli, tenendo sempre presente° che la letteratura italiana è ricchissima. È meglio quindi° cominciare con pochi autori che sperdersi° in un lungo elenco° di nomi e di date. Fra i maggiori poeti dopo Dante e il Petrarca, certo il primato° appartiene° a Lodovico Ariosto e a Torquato Tasso. Lodovico Ariosto cantò del mondo cavalleresco° nel suo "Orlando Furioso." Torquato Tasso celebrò,° nella "Gerusalemme Liberata," la lunga lotta° per liberare il sepolcro di Cristo. Gli argomenti° sono per noi antiquati,° ma le passioni che muovono l'uomo non perdono niente del loro vigore col passare° dei secoli. L'Ariosto e il Tasso hanno la capacità° di creare un mondo di fantasia° che non muore e non può morire perché il lettore se lo ricrea° nella propria fantasia.

Fra gli altri poeti italiani metterei in primo luogo Giacomo Leopardi, il poeta del pessimismo° e della sofferenza° umana, i cui versi raggiungono° il vigore dantesco. Ma l'Italia ha sempre prodotto sommi poeti perché la lingua si presta° alla poesia. Con Leopardi bisogna ricordare Giuseppe Parini, Ugo Foscolo, Giosuè Carducci, Giuseppe Ungaretti, Eugenio Montale, e tanti altri. Ogni poeta ha saputo creare il proprio mondo artistico con un linguaggio che ad altri° serve per le funzioni banali° della vita. Il poeta è l'artista che dipinge° con parole le vicende° dello spirito umano.

- hints
- formation
- since
- rhythmic
- extremities / geographical / there develops
- record
- joins
- God
- bearing in mind
- therefore / get lost
- list
- first place / belongs
- of chivalry
- celebrated
- struggle
- themes / antiquated
- with the passing
- ability
- fancy
- recreates it for himself
- pessimism / suffering
- reach
- lends itself
- for other people / commonplace activities
- paints / vicissitudes

---

[*] Review Lessons do not have diacritical marks for pronunciation.

Giovanni Boccaccio adoperò la prosa per fantasticare° su personaggi° e situazioni° dilettevoli,° portando a perfezione lo stile della novella. Il Boccaccio fu imitato da molti novellieri,° tanto in Italia come altrove° in Europa. Basta notare che Chaucer si ispirò° al "Decamerone" per i suoi "Canterbury Tales." Dalle novelle del Boccaccio e dalle altre sue opere si sviluppa in seguito° il romanzo,° che forma il genere° principale delle grandi letterature. In Italia il romanzo raggiunge la sua massima° espressione con "I Promessi Sposi," ° di Alessandro Manzoni, e continua il suo sviluppo col verismo° di Giovanni Verga. I racconti dilettevoli del Boccaccio si trasformano° nel dramma delle passioni violente, come nella "Cavalleria Rusticana." °

Nel Seicento si sviluppa in Italia la Commedia dell'Arte, in cui l'autore presenta soltanto una trama° ben delineata,° e lascia agli attori la libertà d'improvisare° il dialogo. I personaggi sono tipi rappresentativi che si trovano in varie situazioni. La creazione più famosa della Commedia dell'Arte fu Arlecchino, che vive ancora oggi nella fantasia popolare. Il famoso drammaturgo° Carlo Goldoni riportò° il teatro alle vicende° della vita quotidiana,° presentando tipi in carne e ossa,° che recitano° le parti scritte dall'autore. Goldoni scrisse in italiano e in veneziano,° e le sue commedie restano vibranti perché la vita della piccola gente° passa al mondo dell'arte. Un altro famoso drammaturgo, Vittorio Alfieri, scrisse tragedie che presentano in versi le nobili passioni che muovono il cuore umano.

Nel ventesimo secolo l'Italia produce il precursore° del teatro moderno, Luigi Pirandello. Il suo influsso° sul dramma mondiale viene sempre più riconosciuto° col passar degli anni. Pirandello sviluppa il concetto° che la creazione artistica appartiene a un mondo a parte° in cui i personaggi hanno vita propria.° L'autore è dunque° l'interprete° di questo mondo artistico: lo osserva e lo presenta agli spettatori, ma non ha il diritto° di tiranneggiarlo.° I personaggi creati dalla fantasia sono eterni, mentre il pubblico che li osserva è mortale. Forse la commedia più conosciuta di Luigi Pirandello è "Sei personaggi in cerca° di autore."

Negli ultimi anni° due poeti italiani vincono il premio° Nobel: Salvatore Quasimodo ed Eugenio Montale. Per apprezzare° la loro poesia bisogna conoscere l'italiano a perfezione: non è poesia per studenti di primo anno. Nel cinema gli autori italiani fanno gran furore° perché presentano i problemi sociali della vita. Il più conosciuto scrittore dei nostri tempi è, certo, Alberto Moravia, ma molti altri scrit-

fantasticate
characters / situations / delightful
short-story writers / elsewhere
took his inspiration
eventually / novel
genre
greatest
"The Betrothed"
verism
are transformed
"Rustic Chivalry"
plot / outlined
improvise
playwright / brought back
events / daily
flesh and bones / recite
Venetian dialect
ordinary folks
forerunner
influence
more and more recognized
idea
of its own
of their own / therefore / interpreter
right / distort
search
in recent years / prize
appreciate
are very successful

tori collaborano con° il cinema. Basta ricordare che l'Italia ha prodotto una delle maggiori letterature moderne, e che voi che studiate l'italiano troverete una fonte° inesaurabile° di opere da leggere° e ammirare.

work with
fountain / inexhaustible
to be read

REFERENCE GLOSSARY ON ITALIAN LITERATURE

Vittorio Alfieri (1749–1803): Outstanding writer of tragedies in Italian. One of his best known tragedies is "Saul."

Dante Alighieri (1265–1321): The greatest Italian poet and perhaps the greatest poet of all times. His masterpiece was the "Divine Comedy," but he wrote other important works also.

Lodovico Ariosto (1474–1533): Considered by some the greatest Italian poet next to Dante (and perhaps after Petrarch). He wrote in beautiful verse a most complicated and fanciful novel dealing with the world of chivalry, the "Orlando Furioso."

Giovanni Boccaccio (1313–1375): Father of short stories in Italian and writer of many other works in prose and poetry. His masterpiece is the "Decamerone."

Giosuè Carducci (1835–1907): One of the greatest Italian poets of the nineteenth century and a fine scholar. He taught at the University of Bologna.

Ugo Foscolo (1778–1827): Great Italian poet, scholar, and lover of liberty. His masterpiece, "Dei sepolcri," deals with honoring the dead and the consequent moral and social implication.

San Francesco d'Assisi (1182–1226): Founder of the Franciscan Order, who gave up all his worldly goods and devoted himself to the poor and downtrodden. His greatest poem is "Cantico di frate Sole."

Carlo Goldoni (1707–1793): Reformer of the Italian theater and one of the best playwrights. He wrote over a hundred plays in Italian and in Venetian. "La locandiera" (The Innkeeper) is one of the best known.

Giacomo Leopardi (1798–1837): Considered by some (and by this author) the greatest Italian poet of the nineteenth century. His poems are collected in a small volume called "Canti," and they are all gems. His last masterpiece was "La ginestra" (The Broom Plant).

Alessandro Manzoni (1785–1873): Founder of the historical novel in Italy and the foremost prose writer since Giovanni Boccaccio. His masterpiece is "I Promessi Sposi" (The Betrothed); he also wrote many fine poems.

Eugenio Montale (1896–): Greatest living Italian poet, who recently won the Nobel Prize in literature. His best known poem is "Ossi di seppia" (Cuttlefish Bones).

Alberto Moravia (1907–): Powerful writer of thrilling short stories and novels. Several of his works have been made into popular screen productions.

Giuseppe Parini (1729–1799): Poet who satirizes the life of the idle rich and eulogizes the simple life of hard work. His masterpiece is "Il giorno."

Francesco Petrarca (1304–1374): First great humanist and the greatest Italian poet next to Dante. He wrote many important works in Latin. His finest poems are in a collection which is called "Rime" or "Canzoniere."

Luigi Pirandello (1867–1936): Great writer of novels and short stories, whose fame rests mainly on his plays which revolutionized the theater, not only for Italy but for the world as a whole.

Torquato Tasso (1544–1595): The last of the great epic poets of Italy. His "Gerusalemme liberata" (Jerusalem Delivered) is a lyric masterpiece dealing with the liberation of the Holy Sepulcher. He led a sad and tragic life.

Giuseppe Ungaretti (1888–1970): Great innovator in poetry and one of the best representatives of the hermetic school, in which poetry is a strictly personal experience.

Giovanni Verga (1840–1922): Outstanding writer of short stories and novels, founder of the school of *verismo,* in which the writer's objective is to be absolutely true to life. His best known short story is "Cavalleria Rusticana" and his greatest novel "I Malavoglia."

Salvatore Quasimodo (1901–1968). Modern poet who came into prominence when he won the Nobel Prize.

Domande e risposte

One student reads a statement and then asks a question based on it. Another student will answer the question with the original statement or something close to it. Continue the process with additional statements and questions on your own.

1. La letteratura italiana nasce nel tredicesimo secolo, quando si forma la lingua italiana.
   Question: Quando nasce la letteratura italiana?
2. La grande poesia del tredicesimo secolo prende il nome di "dolce stil nuovo."
   Question: Che nome prende la grande poesia del tredicesimo secolo?
3. Dopo il Trecento, i due maggiori poeti epici furono Lodovico Ariosto e Torquato Tasso.
   Question: Dopo il Trecento, quali furono i due maggiori poeti epici?
4. Giacomo Leopardi fu il sommo poeta del pessimismo e della sofferenza umana.
   Question: Chi fu il sommo poeta del pessimismo e della sofferenza umana?
5. Il migliore scrittore del romanzo storico fu Alessandro Manzoni.
   Question: Chi fu il migliore scrittore del romanzo storico?

6. L'opera "Cavalleria Rusticana," di Mascagni, è basata su una novella di Giovanni Verga.
   Question: Chi scrisse la novella su cui è basata la "Cavalleria Rusticana"?
7. I tre maggiori scrittori del teatro italiano furono Carlo Goldoni, Vittorio Alfieri, e Luigi Pirandello.
   Question: Quali furono i tre maggiori scrittori del teatro italiano?
8. Forse il dramma più conosciuto di Pirandello è "Sei personaggi in cerca di autore."
   Question: Qual è forse il dramma più conosciuto di Pirandello?
9. Salvatore Quasimodo ed Eugenio Montale hanno vinto ultimamente il premio Nobel per la loro poesia.
   Question: Quali due poeti italiani hanno vinto il premio Nobel ultimamente?
10. Lo scrittore italiano più conosciuto dei nostri tempi è Alberto Moravia.
    Question: Qual è lo scrittore italiano più conosciuto dei nostri tempi?

People typical of the characters in Verga

ESERCIZI

I. Traducete le parole inglesi:

1. Questo pomeriggio voglio (*go around the shops*) e forse fare degli acquisti.
2. Signora, non può (*give me a discount*) sulle due borse?
3. La borsa nera (*costs more*), ma gliela do per lo stesso prezzo.
4. Nessuno vuole (*be a barber*) perché l'orario è troppo lungo.
5. I nostri amici (*would become rich*) in poco tempo negli Stati Uniti.
6. Lisa preferisce andare al mare e (*bask in the sun*).
7. Il ristorante in Via Roma è diventato (*our favorite meeting place*).
8. (*We didn't have the courage*) di sederci a uno di quei caffè.
9. Hai visto quella vecchia (*with tinted blond hair*)? Che spettacolo!
10. Quando (*will you go on your vacation*)? Nel mese di agosto?
11. Le piacerebbe (*spend an hour or so*) con le studentesse americane?
12. Mi pare che (*you are quite familiar with*) la musica di Vivaldi.

II. Traducete:

1. He presents his parents to me. He presents them to me.
2. They sell him the house. They sell it to him.
3. Have you bought the tickets for your brother? Have you bought them for him?
4. He will sell the shoes to the lady. He will sell them to her.
5. They will tell us the hour. They will tell it to us.
6. You (*fam.*) will send her the cards. You will send them to her.
7. The salesman sold him the jacket. The salesman sold it to him.
8. They served us coffee in the living room. They served it to us in the living room.
9. The professor gave the lesson to the students. The professor gave it to them.
10. When will you talk to me about the trip? When will you talk to me about it?

III. Traducete l'inglese col futuro o col condizionale, secondo il significato (*Translate the English with the future or the conditional, according to the meaning.*):

1. (*We'll work*) per conto nostro nella bottega.
2. (*Would we work*) tutta l'estate?
3. Che altro (*will he want*)?
4. Che altro di meglio (*could they want*)?
5. Per una buona professione (*I would have to*) fare l'università.
6. Per una buona professione (*I'll have to*) studiare molto.
7. L'architetto (*will not work*) durante l'inverno.

8. (*He would work*) soltanto durante l'estate.
9. Il cugino Antonio (*will be*) l'elettricista.
10. (*He would never be*) il calzolaio.
11. (*He will like*) la professione d'ingegnere.
12. (*He would not like*) divenire professore.
13. Voi (*will buy*) apparecchi elettrici.
14. Voi (*would not buy*) i televisori.
15. Tu (*will leave*) per Firenze.
16. Tu (*would not leave*) per Venezia.

IV. Traducete l'inglese con tempi composti (*Translate the English with compound tenses.*):

1. Oggi i turisti (*visited*) la galleria.
2. (*They had never seen*) i negozi di lusso.
3. I caffè eleganti (*have disappeared*).
4. Dal balcone dell'albergo (*we saw*) il golfo incantevole.
5. Quando Lei (*will have taken*) un viaggio, comprenderà lo spirito di Napoli.
6. A quest'ora domani (*we will have departed*) per l'aeroporto.
7. (*I have never been*) sull'aliscafo.
8. Dissero che (*they would have invited you*).
9. I motoscafi (*had left*) la striscia bianca sull'azzurro del mare.
10. (*You would have done*) lo stesso prima di andare a letto.
11. I nonni (*had arrived*) da Napoli molti anni fa.
12. I compagni dell'università (*had come*) a incontrarci.

V. Traducete:

1. Come with us.
2. Tell me your name.
3. Give him the book.
4. Go with the driver.
5. She wants us to enter (that we enter).
6. She does not want them to leave (that they leave).
7. I don't think he has arrived.
8. Do you think that the bus has left?
9. We suspect that there is no one at home.
10. She is glad that you have accepted the invitation.
11. The student hopes that the lesson is easy.
12. Do you want me to wait (that I wait)?
13. Do you think that our friends are on vacation?
14. Permit me to open (that I open) the door.
15. I cannot allow you to enter (that you enter) without a tie.

Main fountain in Villa d'Este, near Rome

Lesson 21

CURRENT USAGE

■ *Una discussione*

Viaggiando in trɛno da Roma a Milano Franco, il nɔstro studɛnte americano, entra in discussione con Giancarlo Bossi, studɛnte milanese. La discussione ɛ̀ sulla crisi econɔmica.

FRANCO: La crisi ɛ̀ mondiale. Chi più e chi meno, ogni nazione ne sɔffre.

GIANCARLO: Credo che noi quị in Itạlia soffriamo più degli altri. Abbiamo messo al govɛrno tanti incompetɛnti.

FRANCO: Ma chi li ha elɛtti al govɛrno?

GIANCARLO: Siamo stati noi stessi, e adɛsso ne soffriamo le conseguɛnze.

FRANCO: Come va che non ci si ɛ̀ pensato prima?

GIANCARLO: La vɛcchia generazione ɛra così ansiosa di liberarsi del peso del fascismo, che non badava alla competɛnza dei candidati. Ɛrano anti-fascisti e bastava.

FRANCO: Non ti sembra che la crisi sia mondiale? e che quelli al govɛrno ne siano le vịttime piuttɔsto che la cạusa?

GIANCARLO: Puɔ̀ darsi, ma dovrɛbbero trovare qualche soluzione, dopo tanti tentativi.

FRANCO: A me pare che ci sia trɔppa gɛnte che vuɔle vịvere alle spalle degli altri. Le imprese vɔgliono guadagnare trɔppo. Gli operai vɔgliono lavorare sɛmpre meno e guadagnare sɛmpre di più. Forse stanno già trɔppo cɔmodi.

GIANCARLO: Cɔmodi, direi di nɔ. A me sembra piuttɔsto che l'operạio ạbbia ragione di lagnarsi. Infatti non hanno tɔrto gli operai. I prɛzzi aumẹntano di giorno in giorno, mentre gli stipɛndi rɛstano fermi.

FRANCO: Ma se l'operạio si ribɛlla e fa lo sciɔpero, la produzione cɛssa e i prɛzzi aumẹntano di più, perché non c'ɛ̀ produzione. Ci sono quelli che dịcono che perciɔ̀ ci vorrɛbbe una tɛrza guɛrra mondiale. La guɛrra aumenta sɛmpre la produzione.

GIANCARLO: Dio ce ne lịberi! Le guɛrre non risɔlvono niɛnte. Con le bombe atɔmiche che si sono costruite, la guɛrra porterɛbbe la distruzione del mondo.

FRANCO: Allora dov'ɛ̀ la soluzione?

GIANCARLO: Secondo me, la soluzione si troverà quando quelli al govɛrno cercheranno di risɔlvere i problɛmi dal punto di vista mondiale. Bisogna tenẹr di fronte le conseguɛnze mondiali di una data polịtica prima di iniziarla.

FRANCO: Sì, hai ragione. Ma dove si comịncia? Forse la nuɔva generazione potrà comprɛndere di più e fare di mɛglio.

Useful Expressions

chi più e chi meno some more and some less
come va che? how come? how is that?
non ci si ɛ̀ pensato no one thought of it
puɔ̀ darsi it could be
ṿivere alle spalle degli altri to live at someone else's expense
dirɛi di nɔ (sì) I would say no (yes)
ha ragione di lagnarsi he has a right to complain; **hai ragione** you are right
non hanno tɔrto they are not wrong
di giorno in giorno from day to day
fare lo sciɔpero to go on strike
Dio ce ne liberi! Heaven deliver us from it!
bisogna tenẹr di fronte one has to consider
fare di mɛglio to do better

STRUCTURE

89. Uses of the subjunctive: Impersonal expressions

An impersonal expression is one which has "it" as the subject, followed by a form of the verb *to be* or *to seem* (*it is necessary, it seems to me,* etc.). The subjunctive is used in a clause depending on such an impersonal verb (unless the expression denotes a recognized fact).

Non ti sembra che la crisi econɔmica sia mondiale? Doesn't it seem to you that the economic crisis is worldwide?

Bisogna che tutti si mẹttano d'accɔrdo. It's necessary for everyone to agree.

BUT: **ɛ̀ chiaro che tu non comprɛndi la situazione econɔmica.** It's clear that you do not understand the economic situation.

90. Uses of the subjunctive: Adjective clauses

An adjective clause is one which modifies a noun. It is otherwise known as a relative clause, because it relates back to a noun or a pronoun previously mentioned. The subjunctive is used in the following types of adjective clauses:

1. A relative clause depending on an indefinite antecedent or an antecedent that has not yet been found.

Cercano una secretaria che sappia l'italiano. They are looking for a secretary who knows Italian.

2. A relative clause depending on an antecedent which is in the negative or interrogative form.

Non c'è nessuno qui che lo conosca. There's no one here who knows him.

3. A relative clause depending on a superlative or its equivalent (such as **unico, solo, ultimo, primo**).

È l'unica soluzione che si possa considerare. It's the only solution that can be considered.

Il paesaggio è il più bello che io abbia mai visto. The landscape is the most beautiful I have ever seen.

91. Present subjunctive of irregular verbs

Following are more of the common irregular verbs in the present subjunctive:

andare to go	**vada, vada, vada, andiamo, andiate, vadano**
conoscere to know	**conosca, conosca, conosca, conosciamo, conosciate, conoscano**
dovere to have to	**deva (debba), deva (debba), deva (debba), dobbiamo, dobbiate, devano (debbano)**
rimanere to remain	**rimanga, rimanga, rimanga, rimaniamo, rimaniate, rimangano**
uscire to go out	**esca, esca, esca, usciamo, usciate, escano**
venire to come	**venga, venga, venga, veniamo, veniate, vengano**

92. Possessive pronouns

In Lesson 7, on page 66, we studied the possessive adjectives. When a noun does not follow the possessive word, that possessive is a pronoun and not an adjective. The forms of the possessive pronouns are like those of the adjectives, except that with the pronoun you cannot omit the article. The forms of the possessive pronouns are as follows:

Possessor in the Singular	
il mio, la mia, i miɛi, le mie	mine
il tuo, la tua, i tuɔi, le tue	yours (*fam.*)
il suo, la sua, i suɔi, le sue	his, hers
il Suo, la Sua, i Suɔi, le Sue[1]	yours (*pol.*)

Possessor in the Plural	
il nɔstro, la nɔstra, i nɔstri, le nɔstre	ours
il vɔstro, la vɔstra, i vɔstri, le vɔstre	yours (*fam.*)
il loro, la loro, i loro, le loro	theirs
il Loro, la Loro, i Loro, le Loro[1]	yours (*pol.*)

[1] With the polite forms the capital is used for the possessive only when the writer wants to be very polite; otherwise **il suo, il loro,** and all their forms are written with small letters.

The possessive pronoun agrees in gender and number with the noun to which it refers.

I suɔi amici e i nɔstri ci salutạrono. His friends and ours greeted us.
La loro casa e la nɔstra sono vicine. Their house and ours are near each other.

The article is not omitted with the possessive pronouns, even when they refer to members of the family.

Suo zio e il mio sono arrivati insiɛme. Your uncle and mine arrived together.

The Pantheon in Rome has been standing for two thousand years.

ESERCIZI

I. Domande generali:

1. Crede Lɛi che ci sia una crisi econɔmica nel mondo?
2. Secondo Lɛi, quali nazioni sɔffrono una crisi econɔmica adɛsso?
3. Crede Lɛi che ci siano incompetɛnti al govɛrno?
4. Crede Lɛi che la vɛcchia generazione comprɛnda bɛne i problɛmi?
5. Ci sono molti che vɔgliono vịvere alle spalle degli altri?
6. Crede Lɛi che gli operai ạbbiano ragione di lagnarsi?
7. Sa Lɛi perché i prɛzzi aumẹntano di giorno in giorno?
8. Ɛ̀ necessạrio che gli operai fạcciano uno sciɔpero qualche vɔlta?
9. Pensa Lɛi che ci vorrɛbbe una guɛrra?
10. Che porterɛbbe una tɛrza guɛrra mondiale?
11. Potrà comprɛndere di più la nuɔva generazione?
12. Che bisogna tenẹr di fronte prima di iniziare qualche cɔsa importante?

II. Mettete i verbi nel presɛnte del congiuntivo (*Supply the present subjunctive forms for the verbs in parentheses.*):

1. Bisogna che tutti gli studɛnti (ascoltare) bɛne.
2. Bisogna che voi (conversare) in italiano.
3. Sembra che non ci (ɛssere) nessuno in casa.
4. Sembra che la crisi econɔmica (ɛssere) mondiale.
5. Ɛ̀ fạcile che lo (trovare) alla stazione.
6. Ɛ̀ diffịcile che il trɛno (partire) alle tre.
7. Ɛ̀ necessạrio che la mạcchina (avere) un buɔn motore.
8. Ɛ̀ necessario che Lei (parlare) con l'autista.
9. Ɛ̀ probạbile che gli operai (fare) lo sciɔpero.
10. Ɛ̀ possịbile che l'impresa (trovare) altri operai.
11. Il govɛrno cerca candidati che (avere) competɛnza.
12. Il professore cerca studɛnti che (comprɛndere) qualche cɔsa.
13. Desideriamo una segretạria che (sapere) bɛne l'italiano e l'inglese.
14. Non vogliamo una segretạria che non (capire) l'italiano.
15. Non c'ɛ̀ nessuno quị che (comprɛndere) l'inglese.
16. Non c'ɛ̀ ristorante in Itạlia che non (servire) vino.
17. Ɛ̀ l'ụnico negɔzio che (fare) uno sconto.
18. Ɛ̀ la migliore università che si (potere) trovare.
19. Non ci sono turisti che (volere) fare quel viạggio.
20. Non pɔssono trovare nessụn autista che li (capire).

III. Traducete:

1. Their firm and ours are in the same city.
2. Your candidate and mine got into a discussion.

3. His solution is better than ours.
4. Your (*fam.*) generation understands better than mine.
5. His nation is rich; ours is poor.
6. Our universities are larger than theirs.
7. Lisa met your uncle and mine at the theater.
8. Our plane leaves from this airport; hers leaves from the other airport.
9. Their houses and ours are on the same street.
10. My brothers and yours go to the same school.

IV. Traducete l'inglese col presɛnte o col passato del congiuntivo, secondo il significato (*Translate the English with the present or present perfect subjunctive, according to the meaning.*):

1. Non pɔsso crẹdere che lui (*has never been*) in aɛreo.
2. Questo ɛ̀ il migliọr vino (*that I know*).
3. Ɛ̀ possịbile che i nɔstri amici (*met*) sul Ponte Vɛcchio.
4. Sembra che quest'anno (*there are not*) tanti turisti.
5. Volete che l'autista (*waits for you*) all'albɛrgo?
6. Non ɛ̀ probạbile che la bibliotɛca (*is open*) in agosto.
7. In agosto sembra che tutti i fiorentini (*are*) in villeggiatura.
8. Quando vuɔle Lɛi che io la (*call*) al telɛfono?
9. Non vogliamo che Loro (*disturb yourselves*) nel pomerịggio.
10. Sospɛtto che loro (*have not received*) la mia lɛttera.
11. L'impresa vuɔle che gli operai (*do not go on strike*).

V. Scrivete frasi originali con le seguɛnti espressioni (*Write original sentences, using the following expressions.*):

1. di giorno in giorno
2. come va che?
3. chi più e chi meno
4. vịvere alle spalle degli altri
5. puɔ̀ darsi che
6. fare di meglio
7. televisione a colori
8. se ne intɛnde
9. si accɔmodi
10. spɛngere la rạdio

WORD LIST

NOUNS

anti-fascista *m.* anti-Fascist
bomba *f.* bomb
candidato *m.* candidate
cạusa *f.* cause
competɛnza *f.* competence, ability
conseguɛnza *f.* consequence
crisi *f.* crisis

discussione *f.* discussion
distruzione *f.* destruction
fascismo *m.* Fascism
generazione *f.* generation
guɛrra *f.* war
impresa *f.* firm, company
incompetɛnte *m.* incompetent person
nazione *f.* nation
operaio *m.* workman
peso *m.* weight
politica *f.* political course, politics
produzione *f.* production
punto *m.* point
sciɔpero *m.* strike
soluzione *f.* solution
spalla *f.* shoulder; **alle spalle degli altri** at someone else's expense
tentativo *m.* trial, attempt
vittima *f.* victim

ADJECTIVES

ansioso, -a anxious
atɔmico, -a atomic
dato, -a (*p.p. of* **dare**) given
econɔmico, -a economic, economical
fermo, -a fixed, set
milanese Milanese, from Milan
mondiale world (*adj.*), worldwide
stesso, -a self, same

VERBS

aumentare to increase
***cessare** to stop
costruire to construct, build
elɛggere *irr.* (*p.p.* **elɛtto**) to elect
iniziare to initiate, enter into
***lagnarsi** to complain
liberare to free
***ribellarsi** to rebel, revolt
risɔlvere *irr.* (*p.p.* **risɔlto**) to resolve

OTHER WORDS

piuttɔsto rather

LANGUAGE PRACTICE

Leggete senza tradurre e pɔi rispondete oralmente alle domande (*Read without translating and then answer the questions orally.*):

■ *Il catalogo*

Mozart compose l'ɔpera "Don Giovanni." In quell'ɔpera Leporello, il servitore[1] di Don Giovanni, rɛcita a Donna Elvira l'elɛnco delle dɔnne che il suo padrone[2] ha amato. Ne ha fatto un bɛl catalogo, e qui ve ne diamo il principio.[3] Per il rɛsto del catalogo potete ascoltare la musica.

Madamina! [4] Il catalogo è questo*
delle belle che amò il padron mio;
un catalogo egli è[5] che ho fatt'io;
osservate, leggete con me!
In Italia seicento quaranta,

* The selection itself is printed without phonetic symbols.
[1] servant. [2] master. [3] beginning. [4] madam. [5] it is.

in Almagna[6] duecento e trentuna,
cento in Francia, in Turchia[7] novantuna,
ma in Ispagna,[8] son già mille e tre.

Non c'ɛ̀ male[9] per il bravo Don Giovanni!

Domande

1. Chi compose l'ɔpera "Don Giovanni"?
2. Come si chiama il servitore di Don Giovanni?
3. Ha Lɛi mai sentito quest'ɔpera?
4. Chi ha fatto il catạlogo delle bɛlle dɔnne?
5. Quante bɛlle amɔ̀ Don Giovanni in Ispagna?
6. Quante bɛlle ha amato in tutto?

---

[6] Germany. [7] Turkey. [8] Spain. [9] not bad.

oggi
ZUPPA DI PESCE
SPAGHETTI ALLE VONGOLE
BACCALÀ ALLA VENETA
SCAMPONI AI FERRI
SCAMPI MUNIER

Lesson 22

CURRENT USAGE

■ *Cibi e bevande*

CAMERIƐRE: Si accɔmodi quị, a questo tạvolo a dɛstra. Cɔsa possiamo offrirle, avvocato?
AVVOCATO: Lasci vedere un pɔ̀ la carta. C'ɛ̀ una buɔna zuppa di riso? Vorrɛi qualche cɔsa leggiɛra.
CAMERIƐRE: Sì, abbiamo una zuppa di riso. C'ɛ̀ anche un consommé, o pasta in brɔdo.
AVVOCATO: Ɛcco, una bɛlla pasta in brɔdo.
CAMERIƐRE: E per secondo, avvocato? Le consigliɛrɛi un abbạcchio ai fɛrri. Ɛ̀ veramente squisito ɔggi.
AVVOCATO: Bɛne, l'abbạcchio ai fɛrri. E per contorno, ci sono pisɛlli al burro?
CAMERIƐRE: Cɛrto, avvocato. Vorrɛbbe anche patatine fritte?
AVVOCATO: Nɔ, soltanto pisɛlli. Le patatine fritte sono pesanti a mezzogiorno.
CAMERIƐRE: Da bere, cɔsa Le pɔrto? Il sɔlito quartino di rosso?
AVVOCATO: Sì, un quartino di rosso e una bottịglia di ạcqua minerale.
CAMERIƐRE: Gassata? o naturale?
AVVOCATO: Naturale. Il gas mi molɛsta.

Finito il secondo, torna il cameriɛre.

CAMERIƐRE: Va bɛne, avvocato? Le pɔrto frutta? formạggio? dolce?
AVVOCATO: Frutta, per favore, e pɔi un caffɛ̀. Niɛnte dolce.

Finito il caffɛ̀, il signore richiama il cameriɛre. Basta fare un cenno con la tɛsta e il cameriɛre comprɛnde che si chiɛde il conto. Il conto viɛne portato sɛmpre in un piattino, perché in altri tɛmpi si lasciava la mạncia. Ora che la mạncia viɛne bɛn conteggiata sul prɛzzo del pranzo, generalmente non si lạscia niɛnte. Perɔ̀ se il cliɛnte non fa prɛsto a prɛndersi il rɛsto, il cameriɛre riprɛnde il piattino, intasca il rɛsto, e va via contɛnto con un bɛl "Grạzie, signore, e buɔn giorno."

Per un buɔn pranzo potrete scẹgliere voi stessi le pietanze che vi piạcciano. Ɛccone una buɔna lista:

CIBI E BEVANDE *Food and Drink*

JUICES:	**spremuta d'arạncia** *f.*	orange juice
	spremuta d'ananạs *f.*	pineapple juice
	spremuta di limone *f.*	lemon juice
ANTIPASTI:	**filetti d'acciuga** *m. pl.*	filets of anchovies
	olive *f. pl.*	olives

prosciutto e melone melon and Italian cured ham
salami *m. pl.* assorted salami
sardine *f. pl.* sardines
peperoni all'aceto *m. pl.* pickled peppers

FRUIT:

albicɔcca *f.* apricot
ciliɛgia *f.* cherry
fico *m.* fig
fragola *f.* strawberry
macedɔnia di frutta *f.* fruit cup
mela *f.* apple
pera *f.* pear
pɛsca *f.* peach
pompɛlmo *m.* grapefruit
uva *f.* grapes

SOUPS:

brɔdo ristretto *m.* consommé
minɛstra di fagiɔli *f.* bean soup
minɛstra di pisɛlli *f.* pea soup
minɛstra di pollo *f.* chicken soup
minestrone *m.* thick vegetable soup
zuppa di riso *f.* rice soup
zuppa di verdura *f.* vegetable soup

MACARONI:

spaghetti al burro *m. pl.* spaghetti with butter
spaghetti con salsa *m. pl.* spaghetti with tomato sauce
spaghetti alle vongole *m. pl.* spaghetti with clams
tortellini, tagliatɛlle, zitoni, ecc. different types of macaroni

FISH:

anguilla *f.* eel
aragosta *f.* lobster
merluzzo *m.* cod
salmone *m.* salmon
tonno *m.* tuna fish
trɔta *f.* trout

MEATS:

abbacchio *m.* spring lamb
costoletta alla bolognese *f.* veal cutlet, Bologna style
costoletta alla milanese *f.* veal cutlet, Milanese style
manzo ai fɛrri *m.* (*or* **bistecca** *f.*) broiled steak
pollo arrɔsto *m.* roast chicken
rosbiffe *m.* roast beef
salciccia *f.* sausage
saltimbocca alla romana *f.* veal cutlet, Roman style
scaloppine *f. pl.* small veal cutlets

VEGETABLES:

asparagi *m. pl.* asparagus
carciɔfi *m. pl.* artichokes
cavolfiore *m.* cauliflower
funghi *m. pl.* mushrooms
melanzana *f.* eggplant
patate al forno *f. pl.* oven-baked potatoes
patatine fritte *f. pl.* French-fried potatoes
peperone *m.* pepper

	pomodɔro *m.* tomato
	spinaci *m. pl.* spinach
	zucchini *m. pl.* Italian squash
SALADS:	**insalata mista** *f.* mixed salad
	insalata di lattuga (*or* **insalata verde**) *f.* lettuce salad
	insalata di pomodɔri *f.* tomato salad
DRINKS:	**ạcqua minerale** *f.* mineral water
	birra *f.* beer
	caffɛ̀ *m.* coffee
	caffɛ̀ con panna *m.* coffee with cream
	caffɛ̀ esprɛsso *m.* strong black coffee
	cappuccino *m.* coffee with hot milk
	cioccolata *f.* chocolate
	latte *m.* milk
	tɛ̀ *m.* tea
DESSERTS:	**gelato di cioccolato** *m.* chocolate ice cream
	gelato di crɛma *m.* vanilla ice cream
	granita di frạgole *f.* strawberry ice
	spumone *m.* spumone ice cream
	tɔrta *f.* cake
	tɔrta di frutta *f.* fruit pie
	cassata *f.* ice cream with candied fruit
EGGS:	**frittata** *f.* omelette
	uɔva affogate *f. pl.* poached eggs
	uɔva fritte *f. pl.* fried eggs
	uɔva strapazzate *f. pl.* scrambled eggs
	uɔvo al gụscio *m.* soft-boiled egg
	uɔvo sɔdo *m.* hard-boiled egg
BREAD:	**pane** *m.* bread
	pane di granturco *m.* corn bread
	pane di sẹgale *m.* rye bread
	pane fresco *m.* fresh bread
	panino *m.* roll
CHEESE:	**gorgonzola, parmigiano, pecorino, provolone, romano, ecc.**
WINES:	**vino bianco** *m.* white wine
	vino fɔrte *m.* strong-bodied wine
	vino leggiɛro *m.* light wine
	vino rosato *m.* rosé wine
	vino rosso (**nero**) *m.* red wine
	vino spumante *m.* sparkling wine

STRUCTURE

93. Subjunctive in adverbial clauses

An adverbial clause is one which modifies a verb. The subjunctive is used in the following types of adverbial clauses:

1. A clause which expresses the purpose of an action. Such a clause is usually introduced by **perché** *so that,* or **affinché** *in order that.*

   Le scriveremo a tɛmpo affinché Lɛi possa prepararsi bɛne. We'll write to you early enough so that you can get ready properly.

2. A clause expressing time prior to an action. It is usually introduced by **prima che** *before.*

   L'avviserɔ̀ prima che sia trɔppo tardi. I'll warn her before it is too late.

3. A clause expressing concession. It is usually introduced by **benché** or **sebbɛne** *although,* or **per quanto** *no matter how much.*

   Benché non capisca tutto, Gina preferisce conversare in italiano. Although she does not understand everything, Gina prefers to converse in Italian.

4. A clause expressing condition. It is usually introduced by **purché** *provided that,* or **a meno che non** *unless.*

   Li inviteremo tutti, a meno che non sịano trɔppi. We'll invite them all, unless there are (*lit.,* they are) too many.

5. A clause expressing negation. It is usually introduced by **senza che** or **che non** *without.*

   Non lo saprà senza che tu glielo dica. He won't know it unless you tell him.

94. Various uses of the infinitive

1. As a Substantive. An infinitive may be used as a noun, that is as a subject, object, or predicate nominative. When used as subject or object, the infinitive normally takes the definite article.

   Il viaggiare ɛ̀ piacẹvole. Traveling is pleasant.

   When used as a predicate nominative, the infinitive takes no article.

   Ɛ̀ fạcile sbagliarsi. It's easy to be mistaken.

2. With Adjectives. When an infinitive depends on an adjective it is usually preceded by **a.**

   Il panorama ɛra bɛllo a vedere. The panorama was beautiful to see.

3. With Nouns. When an infinitive depends on a noun it is preceded by **di,** unless the infinitive expresses the purpose for which the noun serves, in which case **da** is used instead.

   Non puɔi comprɛndere la giọia di vederti. You cannot understand the joy in seeing you.

   BUT: **Questa ɛ̀ ạqua da bere.** This is drinking water (water for drinking).

95. Complementary infinitives

When an infinitive depends on another verb it may or may not have to have a preposition before it. Following is a reference list of the common verbs and the prepositions which they normally take.

Common verbs which take no preposition before a following infinitive:

bastare (*impers.*) to suffice
bisognare (*impers.*) to need
desiderare to desire
dovere to owe, ought
fare to make
lasciare to allow
piacere (*impers.*) to please
potere to be able
preferire to prefer
sapere to know how to
sembrare to seem
sentire to hear
udire to hear
vedere to see
volere to want

Common verbs which take **a** before a following infinitive:

aiutare to help
andare to go
cominciare to begin
continuare to continue
***decidersi** to decide
imparare to learn
incoraggiare to encourage
insegnare to teach
mandare to send
***mettersi** to begin, start
prɛndere to begin
stare to stand

Common verbs which take **di** before a following infinitive:

comandare to command
credere to think, believe
decidere to decide
dire to tell
finire to finish
importare (*impers.*) to be of importance
permettere to permit, allow, let
pregare to beg, pray
proibire to prohibit
promettere to promise
stabilire to resolve
toccare (*impers.*) to be one's turn

96. Passive with venire

Generally the passive in Italian is expressed by a form of the verb **ɛssere** followed by the past participle of the verb involved.

La zuppa ɛ̀ fatta di pollo. The soup is made with chicken.
I quadri sono disegnati dagli artisti. Pictures are designed by artists.

However, the verb **venire** may be used instead of **ɛssere** if any movement is involved.

Il conto viɛne portato in un piattino. The bill is brought on a plate.

ESERCIZI

I. Each student makes up a menu for a good meal by referring to the list of foods and drinks given in the lesson. Find other food-related vocabulary by using a dictionary.

II. Mettete la forma adatta del presɛnte del congiuntivo nelle seguɛnti frasi (*Supply the present subjunctive forms for the verbs in parentheses.*):

1. Non apra mai la pɔrta senza che non (ɛssere) una persona conosciuta.
2. Non pɔsso continuare a lavorare senza che (riposarsi) un pɔco.
3. Quel signore non viaggia mai senza che sua moglie lo (accompagnare).
4. La banca ɛ̀ sɛmpre apɛrta a quest'ora a meno che non (ɛssere) un giorno di fɛsta.

5. Gli amici verranno a prɛndermi con la mạcchina a meno che non (tornare) trɔppo tardi dal mare.
6. Crede Lɛi che essi (potere) studiare all'università benché non (capire) bɛne l'italiano?
7. Benché non mi (piacere) il cịnema, l'accompagnerɔ̀ con piacere.
8. Sebbɛne io (capire) la situazione, non pɔsso rispọndere alla sua domanda.
9. Per quanto Lɛi (volere) cantare, nessuno verrà a sentirla.
10. Le consiglierɛi di andạr via prima che (arrivare) la guạrdia.
11. Benché il ristorante (ɛssere) buɔno, preferisco mangiare a casa mia.
12. Vɔglio parlarti prima che (venire) il professore.
13. Prima che (cominciare) la piɔggia, vogliamo fare una passeggiata.
14. Parlạtene alla mamma affinché vi (lasciare) uscire.
15. Purché tutto (andare) bɛne, ne saremo contɛnti.

III. Traducete le parɔle inglesi:

1. ɛ̀ possịbile che Lɛi (*are right*), ma non ɛ̀ possịbile che io (*am wrong*).
2. Sembra che (*everybody understands*) e nessuno (*wants to answer*).
3. Quando vuɔle Lɛi (*that I write*) la lɛttera e come vuɔle (*that I answer*)?
4. Non permettiamo (*that you go out*) prima che la piɔggia (*stops*).
5. Il professore desịdera che gli studɛnti prima (*finish*) le lezioni e pɔi (*go*) a casa.
6. Cerchiamo un camerịɛre che (*speaks*) italiano e (*understands*) l'inglese.
7. C'ɛ̀ qualche turista quị che (*has seen*) il Ponte Vɛcchio, o che (*has taken*) questo viạggio?
8. Mi rallegro che voi (*have come*) a visitarci e che (*have brought*) l'avvocato.
9. Prima che (*you leave*) stasera, (*come*) a prɛndere un caffɛ̀ con noi.
10. Purché la signorina (*is pretty*), dille che (*she come too*).

IV. Traducete:

A.

1. We learn to speak.
2. They begin to understand.
3. The professor teaches them to read.
4. She decides to wait.
5. I promise to answer.
6. They allow us to remain.
7. His father told him to write.
8. We heard her sing.
9. You see him arrive.

10. They made us suffer.
11. We'll teach her to speak Italian.
12. Have you finished eating?

B.

1. That apple is good to eat.
2. He was always the first to enter.
3. Who was the last one to arrive?
4. We have too much to do today.
5. This is not drinking water.
6. Have you work to finish?
7. Has she a lesson to prepare?
8. The waiter has a dinner to serve.
9. Have you many books to read?
10. This is a table for writing.

V. Scrivete frasi originali con le seguɛnti espressioni (*Write original sentences, using the following expressions.*):

1. un quartino di bianco
2. niɛnte dolce
3. far prɛsto a
4. la pasta in brɔdo
5. in altri tɛmpi
6. soffrire le conseguɛnze
7. avẹr torto
8. avẹr ragione
9. dal punto di vista
10. fare lo sciɔpero

WORD LIST

NOUNS

abbạcchio *m.* spring lamb; **— ai fɛrri** broiled spring lamb
bevanda *f.* drink
brɔdo *m.* soup; **pasta in —**, soup with noodles
cameriɛre *m.* waiter
carta *f.* paper; menu
cenno *m.* signal; hint
cibo *m.* food
consommé *m.* consommé (*French word*)
contorno *m.* (cooked) vegetables (*as a side dish*)
dolce *m.* dessert
fɛrro *m.* iron; **ai fɛrri** broiled (*of meat*)
gas *m.* gas
lista *f.* list, menu
mạncia *f.* tip
pastina *f.* tiny macaroni (*as in alphabet soup*)
patatine: — fritte *f. pl.* French-fried potatoes

piattino *m.* saucer, plate
pietanza *f.* dish, course
pisɛllo *m.* pea
quartino *m.* quarter of a liter of wine (*about a half pint*)
riso *m.* rice
secondo *m.* second course (*main course in a meal*)
tɛsta *f.* head
zuppa *f.* soup

ADJECTIVES

gassato, -a with gas (fizz)
minerale mineral
naturale natural (without fizz)
pesante heavy
sɔlito, -a usual
squisito, -a exquisite

VERBS

bere *irr.* (*p.p.* **bevuto**) to drink
chiɛdere (*p.p.* **chiɛsto**) to ask (for)
consigliare to advise, suggest
conteggiare to include (on a bill)
intascare to pocket
molestare to bother
richiamare to call back
riprɛndere *irr.* to take back
scegliere *irr.* (*p.p.* **scelto**) to choose

EXPRESSIONS

pisɛlli al burro peas with butter
niɛnte dolce no dessert
in altri tɛmpi long ago, some time ago
andar via to go away

LANGUAGE PRACTICE

Leggete senza tradurre e pɔi rispondete oralmente alle domande (*Read without translating and then answer the questions orally.*):

■ *A buɔn mercato*

Coi prɛzzi così esagerati nei negɔzi, ɛ̀ difficile fare la spesa giornaliɛra.[1] Soltanto al mercato si può risparmiare[2] un pɔco, e la dɔnna di casa generalmente comincia il giorno col giro[3] del mercato. Ogni città ha i suɔi mercati, generalmente all'aria apɛrta, dove si può comprare tutto. Lì ci sono carretti[4] di tutte le spɛcie, carretti che spariscono dopo le ore del mercato e pɔi ritɔrnano la mattina dopo.

Nel mercato c'ɛ̀ frutta di tutte le spɛcie, ci sono ortaggi[5] di ogni varietà, ci sono formaggi di tutti i gɛneri.[6] I macellai[7] sono nei piccoli negɔzi intorno ai carretti, ma la carne ɛ̀ esposta all'apɛrto di giorno. In Amɛrica la carne ɛ̀ sɛmpre in vetrina refrigerata,[8] ma qui tutto ɛ̀ all'apɛrto. La carne dev'ɛssere fresca ogni giorno, altrimenti sarɛbbe un disastro. I pescivendoli[9] hanno pesci di ogni qualità, ma i pesci sono sɛmpre sul ghiaccio[10] perché si sciupano[11] più prɛsto della carne. Tutto si vende a

[1] to do the daily shopping. [2] save. [3] tour. [4] carts. [5] vegetables. [6] types. [7] butchers. [8] refrigerated case. [9] fishmongers. [10] ice. [11] they spoil.

peso[12] e non al pezzo.[13] Anche se si vuɔle comprare una sola mela o una sola banana, bisogna aspettare che la pẹsino[14] individualmente.

I ristoranti e le pensioni mạndano qualche persona al mercato ogni mattina per avere rɔba[15] fresca e comprata a buɔn mercato. Perciɔ̀ l'espressione italiana "a buɔn mercato" ha il significato[16] di econɔmico.

Domande

1. Ɛ̀ diffịcile fare la spesa giornaliɛra?
2. Gẹneralmente dov'ɛ̀ il mercato pụbblico?
3. Ci sono molti carretti nel mercato?
4. La carne ɛ̀ sɛmpre in vetrina refrigerata?
5. I pesci sono sɛmpre sul ghiạccio?
6. Perché si va al mercato ogni mattina?

---

[12] by weight. [13] by piece. [14] they weigh. [15] supplies. [16] meaning.

Lesson 23

CURRENT USAGE

■ *Firɛnze — Musɛo mondiale*

I grandi musɛi del mondo mẹttono in esposizione le migliori ɔpere artịstiche del gɛnio umano come ricɔrdo e ispirazione. In Firɛnze la città in sé stessa ɛ̀ ricɔrdo e ispirazione perpɛtua. Le tracce dei grandi si trọvano in ogni piazza, in ogni strada, in ogni canto di questa gloriosa città. Quị il tɛmpo non esiste: il passato si confonde col presɛnte, come se i sɛcoli non fọssero mai passati. L'uɔmo col suo passạggio in questa vita ha lasciato un contributo alla bellezza ideale.

Basta uno sguardo dal Piazzale Michelạngelo per rɛndersi conto dell'armoniosa architettura della città. Il Duɔmo, Santa Maria Novɛlla, il Palazzo Vɛcchio, Santa Croce, i ponti sull'Arno — tutto contribuisce a una simmetria che fa pensare a un architɛtto suprɛmo, al di sopra degli architɛtti umani. Se pɔi si sale un pɔco fino a San Miniato al Monte, la bellezza ideale si ritrɔva in un solo edifịcio che attravɛrsa un millɛnnio dell'ɛpoca umana. E se si fa una gita dal lato opposto, fino a Fiɛsole, ɛcco che la natura, con cɔlli eciprɛssi, forma un vasto giardino di bellezza sovrumana.

Discendiamo dai cɔlli e passeggiamo per le strade. I ricɔrdi ci accɔlgono a ogni passo, come se i grandi fọssero sɛmpre lì presɛnti. San Tommaso d'Aquino predicava in Santa Maria Novɛlla. Brunelleschi e Giɔtto disegnạvano la Cụpola e il Campanile. Michelạngelo scolpiva e dipingeva per i Mɛdici. Galilɛo meditava le sue teorie nella casa sui cɔlli. E Dante vive eternamente dappertutto, anche nel linguạggio che ɛsce dalla bocca dei fiorentini. Quị la stɔria non si stụdia nei tɛsti scolạstici — la si assɔrbe con l'ạria che si respira.

Basta pensare ai migliori musɛi del mondo per rɛndersi conto del valore artịstico di Firɛnze. Un solo quadro di Raffaɛllo o di Leonardo da Vinci illụmina una sala speciale — con guạrdie armate. E quị invece i capolavori si trọvano dappertutto — nelle chiɛse, negli Uffizi, nel Palazzo Pitti, nel Bargɛllo, agli ạngoli delle strade. Il Pɛrseo di Cellini ɛ̀ sɛmpre lì all'apɛrto, in Piazza della Signoria. Le stạtue di Donatɛllo adọrnano chiɛse e palazzi. Le vetrine dei negɔzi dimọstrano in ogni artịcolo in vẹndita il sɛnso artịstico dell'artigianato modɛrno. Firɛnze ɛ̀ ụnica nel mondo dell'arte.

Useful Expressions

come ricɔrdo e ispirazione as a reminder and inspiration
la città in sé stessa the city in itself
il passato si confonde col presɛnte the past becomes confused with the present

basta uno sguardo all one needs to do is to look around
per rɛndersi conto (di) to realize
al di sopra di over and above
un millɛnnio dell'ɛpoca umana a thousand years of the human era
ci accɔlgono a ogni passo (they) greet us at every step
Galilɛo meditava le sue teorie Galileo worked out his theories
la si assɔrbe it is absorbed
articolo in vẹndita article on sale
artigianato modɛrno modern handicraft

STRUCTURE

97. Imperfect subjunctive

The imperfect subjunctive of any verb is formed by taking the second person singular of the past absolute of any verb, dropping the **-sti,** and adding the following endings: **-ssi, -ssi, -sse, -ssimo, -ste, -ssero.** This short-cut rule holds true for all verbs, regular or irregular. Following are the forms of the imperfect subjunctive for regular conjugations:

I	II	III
parla-**ssi**	vende-**ssi**	fini-**ssi**
parla-**ssi**	vende-**ssi**	fini-**ssi**
parla-**sse**	vende-**sse**	fini-**sse**
parlạ-**ssimo**	vendẹ-**ssimo**	finị-**ssimo**
parla-**ste**	vende-**ste**	fini-**ste**
parlạ-**ssero**	vendẹ-**ssero**	finị-**ssero**

Notice the imperfect subjunctive for some of the common irregular verbs and see how easily the short-cut rule works.

Infinitive	*2nd sing. Past Absolute*	*Imperfect Subjunctive*
avere	**avesti**	**avessi,** *etc.*
ɛssere	**fosti**	**fossi,** *etc.*
dare	**desti**	**dessi,** *etc.*
dire	**dicesti**	**dicessi,** *etc.*
fare	**facesti**	**facessi,** *etc.*
venire	**venisti**	**venissi,** *etc.*
volere	**volesti**	**volessi,** *etc.*

The imperfect subjunctive is generally used in a dependent clause when the verb in the main clause is in one of the past tenses or the conditional. The dependent clauses which take the imperfect subjunctive are the same as those which take the present or present perfect subjunctive.

La madre vuɔle che il piccino mangi. The mother wants the youngster to eat.
La madre voleva che il piccino mangiasse. The mother wanted the youngster to eat.

98. Pluperfect subjunctive

In Lesson 20, Section 85, you learned how to form the present perfect subjunctive. The pluperfect subjunctive is formed just as simply; by taking the imperfect subjunctive of **avere** or **ɛssere** (according to the auxiliary), and adding the past participle of the verb in question.

avessi		**fossi**	**andato, -a**
avessi	**parlato**	**fossi**	**caduto, -a**
avesse	**venduto**	**fosse**	**partito, -a**
avẹssimo	**finito**	**fọssimo**	**andati, -e**
aveste		**foste**	**caduti, -e**
avẹssero		**fọssero**	**partiti, -e**

The pluperfect subjunctive is used in clauses governing the subjunctive when the pluperfect tense is required by the sense.

Credevamo che tutti i turisti fọssero già partiti. We thought that all the tourists had left already.

99. Sequence of tenses

If the verb in the main clause is in the present indicative, future, or imperative, the verb in the dependent clause is in the present or present perfect subjunctive, according to the sense.

Sembra che il trɛno non arrivi in orạrio. It seems that the train is not arriving on schedule.
Sembra che il trɛno non sia arrivato in orạrio. It seems that the train did not arrive on schedule.

If the verb in the main clause is in any of the past tenses or the conditional, the subjunctive verb is in the imperfect or pluperfect.

Domandạrono quanto durasse la gita. They asked how long the trip would last.

Non sapẹvano quanto fosse durata la gita. They did not know how long the trip had lasted.

There are some refinements about which tense of the subjunctive may be used when the main verb is in the present perfect, but you will take those up in the intermediate course.

100. Summary of plural of nouns

Besides the plurals taken up in Lesson 2, there are additional forms which do not follow the general rules.

Masculine nouns other than those ending in an accented vowel or in a consonant normally end in an **i** in the plural, regardless of the ending in the singular.

l'artista *m.*, **gli artisti** (**l'artista** *f.*, **le artiste**)

Nouns ending in **co, go, ca, ga** normally add an **h** before the **i** or **e** of the plural (exceptions: **amici, mɛdici, nemici, pɔrci, teɔlogi, Grɛci, Magi,** and several others).

il tabacco, i tabacchi **la strega** (witch), **le streghe**

Many nouns are masculine in the singular and feminine in the plural. Many of these have also a masculine plural form, which is slightly different in meaning from the normal, feminine plural.

il brạccio the arm	**le brạccia** (**bracci**)
il centinạio the hundred	**le centinạia**
il dito the finger	**le dita** (**diti**)
il ginɔcchio the knee	**le ginɔcchia** (**ginɔcchi**)
il grido the cry	**le grida** (**gridi**)
il labbro the lip	**le labbra** (**labbri**)
il lenzuɔlo the (bed) sheet	**le lenzuɔla** (**lenzuɔli**)
il mɛmbro the limb	**le mɛmbra** (**mɛmbri**)
il migliạio the thousand	**le migliạia**
il mịglio the mile	**le mịglia**
il muro the wall (outside)	**le mura** (**muri**)
l'ɔsso the bone	**le ɔssa** (**ɔssi**)
l'uɔvo the egg	**le uɔva**

When the above words refer to parts of the body, the feminine plural refers to parts belonging to the same person.

Giụlia aveva le labbra tinte. Julia had lipstick on (*lit.*, painted lips).

101. Cognates

Cognates are words which are similar in form in Italian and English, usually because they come from the same Latin word. Bear in mind that cognates rarely have exactly the same meaning in both languages, but if you learn to recognize cognates, particularly in your reading, your vocabulary will be increased without great effort. The context will help you to recognize the meaning and avoid being misled. In this lesson alone, notice how many Italian words you can recognize easily from the English.

NOUNS

architεtto (architect)
architettura (architecture)
ạria (air)
arte (art)
artịcolo (article)
ciprεsso (cypress)
contributo (contribution)
cụpola (cupola)
edifịcio (edifice)
εpoca (epoch)
gεnio (genius)
guạrdia (guard)
ispirazione (inspiration)
millεnnio (millennium)
musεo (museum)
natura (nature)
passạggio (passage)
presεnte (present)
ricɔrdo (record)
sεnso (sense)
simmetria (symmetry)
teoria (theory)

ADJECTIVES

armato (armed)
armonioso (harmonious)
artịstico (artistic)
glorioso (glorious)
ideale (ideal)
opposto (opposite)
perpεtuo (perpetual)
sovrumano (superhuman)
speciale (special)
suprεmo (supreme)
umano (human)
ụnico (unique)

ADVERB

eternamente (eternally)

VERBS

adornare (adorn)
assorbire (absorb)
contribuire (contribute)
disegnare (design)
esịstere (exist)
illuminare (illuminate)

Here are a few general rules which can help you to recognize cognates:

1. Abstract nouns are generally feminine (**natura, arte**).
2. The consonant cluster that in English appears as *ct* becomes **tt** (**architεtto**). When followed by an **i**, however, it usually becomes **z,** as in **frazione.**
3. The consonant cluster that in English appears as *ns* drops the *n* (**ispirazione**).
4. English *x* in *ex-* becomes **s** (**esistere**).

ESERCIZI

I. Domande:

1. Quali chiɛse di Firɛnze sono ricordate in questa lezione?
2. Quali musɛi di Firɛnze sono ricordati?
3. Quali artisti sono ricordati?
4. Qual santo predicava in Santa Maria Novɛlla?
5. Che stạtua fece Benvenuto Cellini?
6. Dov'ɛ̀ adɛsso la statua del Pɛrseo?
7. Ɛ̀ lontana Fiɛsole da Firɛnze?
8. Dimọstrano sɛnso artịstico gli artịcoli in vetrina?
9. Qual fiume passa per Firɛnze?
10. Chi disegnɔ̀ la Cụpola?
11. Chi disegnɔ̀ il Campanile?
12. Sa Lɛi se ci sono quadri di Raffaɛllo negli Stati Uniti?

II. Mettete i verbi fra parɛntesi all'imperfɛtto del congiuntivo (*Supply the imperfect subjunctive forms of the verbs in parentheses.*):

1. L'università cercava un professore che (insegnare) la letteratura.
2. Volẹvano un professore che (ɛssere) giọvane e intelligɛnte.
3. Non ɛra probạbile che lo (trovare) facilmente.
4. Non sapẹvano che il musɛo (avere) tanti capolavori.
5. Il marito non voleva che la mọglie (comprare) tanti artịcoli.
6. Preferiva invece che lɛi (visitare) i musɛi.
7. Gli operai fẹcero sciɔpero affinché (potere) guadagnare di più.
8. I trɛni arrivạvano in orạrio, a meno che non (ɛssere) in ritardo.
9. Per quanto (volere) viaggiare in aɛreo, non ne aveva il corạggio.
10. Benché Lɛi (viaggiare) per sɛi mesi, non arriverɛbbe a vedere tutta Roma.

III. Traducete le parɔle inglesi (*Translate the English words.*):

1. Mi sembra che (*I had never taken*) il viạggio.
2. Non ɛra possịbile che nessuno (*had seen*) il Pɛrseo.
3. Credevamo che tutti i turisti (*had left*) l'ạutobus.
4. Non credevamo che l'autista (*had departed*) senza i passeggiɛri.
5. Benché la gita (*had been*) piacẹvole, i passeggiɛri ɛrano stanchi (*tired*).
6. Benché gli studɛnti (*had studied*) la stɔria, non ne ricordạvano niɛnte.
7. Non trovạrono un solo operạio che (*had worked*) per quell'impresa.
8. Sembrava che il paesạggio (*had been designed*) da un architɛtto.
9. Sebbɛne i sɛcoli (*had passed*), la città ɛra sɛmpre la stessa.
10. Ɛra probạbile che le guạrdie del musɛo (*were armed*).

The Dante house stands in the place where Dante was born.

IV. Traducete:

1. Modern handicraft has a strong artistic sense.
2. All the articles in the shop window are on sale.
3. At every step we found traces of history.
4. The city in itself was very interesting.
5. The bus went to the opposite side of the hill.
6. We came down from the hills and walked through the streets.
7. It seemed as if the great (men) were always present there.
8. One finds masterpieces everywhere.
9. Did you know that there are paintings on street corners?
10. He who has not seen Florence has not seen the world.

V. With Section 100 before you, translate the following sentences:

1. Everybody has two arms.
2. There are hundreds of people in the square.
3. How many fingers does the hand have?
4. Her lips are beautiful.
5. The bed has two sheets.
6. I have seen hundreds of cars on the streets.

7. There is a city which is called Twenty-miles.
8. Give me two eggs, please.
9. The walls of the city are old.
10. They found Dante's bones.

WORD LIST

NOUNS

architettura *f.* architecture
ạria *f.* air
Àrno *m.* *river that flows through Florence*
artigianato *m.* handicraft
Bargɛllo *m.* *important museum in Florence*
bellezza *f.* beauty
bocca *f.* mouth
campanile *m.* bell tower
capolavoro *m.* masterpiece
Cellini, Benvenuto *master goldsmith, sculptor, and writer (1500–1571)*
niciprɛsso *m.* cypress
cɔlle *m.* hill
contributo *m.* contribution
cụpola *f.* dome, cupola
edifịcio *m.* building, edifice
ɛ̣poca *f.* era, epoch
esposizione *f.* exhibition, exhibit
Fiɛsole *ancient city (now a small town) on a hill overlooking Florence*
Galilɛo Galilɛi *founder of the modern scientific method (1564–1642)*
gɛnio *m.* genius
giardino *m.* garden
gita *f.* trip, excursion; **fare una —**, to take a trip, go on an excursion
ispirazione *f.* inspiration
linguạggio *m.* everyday speech
Mɛdici *famous family of Florence*
millɛnnio *m.* millennium, a thousand years
natura *f.* nature
Palazzo Pitti *m.* Pitti Palace (*important museum in Florence*)
passạggio *m.* passage
Pɛrseo *m.* Perseus (*bronze statue by Benvenuto Cellini*)
Piazza della Signoria *f.* *square in front of the Palazzo Vecchio in Florence*
Piazzale Michelạngelo *m.* *large open square above the city in Florence*
ponte *m.* bridge
presɛnte *m.* present
quadro *m.* picture, painting
San Miniato al Monte *m.* *beautiful church overlooking Florence*
San Tommaso d'Aquino St. Thomas Aquinas (*1225–1274*)
sguardo *m.* look, glance
simmetria *f.* symmetry
stạtua *f.* statue
stɔria *f.* history
teoria *f.* theory
tɛsto *m.* text
trạccia *f.* trace
Uffizi *m. pl.* *largest museum in Florence*
valore *m.* value
vẹndita *f.* sale; **in —**, on sale

ADJECTIVES

armato, -a armed
armonioso, -a harmonious

opposto, -a opposite
perpɛtuo, -a perpetual, everlasting
scolastico, -a school (*adj.*)
solo, -a single; alone
sovrumano, -a superhuman
speciale special
suprɛmo, -a supreme
umano, -a human
unico, -a unique
vasto, -a vast

VERBS

accɔgliere to welcome, greet
adornare to adorn
assorbire *irr.* to absorb
***confondersi** (**con**) to mingle, become confused (with)
contribuire (**isco**) to contribute
dipingere to paint
***discendere** to come down
disegnare to design
formare to form
illuminare to brighten up, illuminate
meditare to meditate, work out
predicare to preach
rɛndere to render; ***rɛndersi conto di** to realize
respirare to breathe
scolpire to sculpture

OTHER WORDS

come as
eternamente eternally
sopra above; **al di sopra** (**di**) over and above

LANGUAGE PRACTICE

Leggete il sonetto e imparatelo a memɔria (*Read the sonnet and memorize it.*):

■ *Sonetto di Petrarca (LXI)**

Benedetto sia 'l [1] giorno e 'l mese e l'anno
E la stagione e 'l tempo e l'ora e 'l punto
E 'l bel paese e 'l loco[2] ov'io[3] fui giunto
Da duo[4] begli occhi che legato m'hanno;
E benedetto il primo dolce affanno
Ch'i' [5] ebbi ad esser con Amor congiunto,
E l'arco e le saette ond'io fui punto
E le piaghe che 'n[6] fin al cor mi vanno.
Benedette le voci tante ch'io
Chiamando il nome di mia donna ho sparte,
E i sospiri e le lagrime e 'l disio;
E benedette sian tutte le carte
Ov'io fama le acquisto, e 'l pensier mio
Ch'è sol di lei sí ch'altra[7] non v'ha[8] parte.

* This sonnet is printed without phonetic symbols.

[1] 'l = il. [2] loco = luɔgo. [3] ov'io = dove io. [4] duo = due. [5] Ch'i' = Che io. [6] 'n = in. [7] ch'altra = che altra. [8] v'ha = vi ha.

Typical doorway in Viterbo

Lesson 24

CURRENT USAGE

■ *Il passato e il futuro*

A due ore di ạutobus da Roma arrivammo nella graziosa città di Vitɛrbo, l'antica residɛnza dei papi. Vitɛrbo ɛ̀ rimasta nel mɛdio ɛvo. Cɛrto ci sono negɔzi modɛrni nel Corso Itạlia; alcune delle piazze sono grandi e spaziose. Infatti nella sezione nuɔva della città il ventɛsimo sɛcolo ɛ̀ in piɛno furore. Ma la parte più interessante ɛ̀ la vɛcchia, dove tutto ɛ̀ rimasto come ɛra ai tɛmpi dei papi, quando Vitɛrbo dominava la Tụscia, cioɛ̀ l'antica Toscana. La Piazza del Plebiscito, con i suɔi archi romaneschi e l'antica torre dell'orolɔgio, rɛstano esattamente come ce le immaginiamo nella stɔria. Guardando attravɛrso le straducce che condụcono alla piazza, si ammịrano quegli archi sospesi che vanno da un palazzo all'altro. I negɔzi da un lato e dall'altro delle strade sono così antichi che restiamo stupefatti al vedere nelle vetrine televisori e apparecchi elɛttrici modernịssimi. Ɛ̀ possịbile che a quei tɛmpi si conoscesse la rạdio? la televisione? i frigorịferi? la cucina elɛttrica? Eppure tutto sembra così naturale.

Ricordavamo che in un canto di questa città ɛra la famosa chiɛsa di San Francesco, con le tombe di due papi ricordati da Dante. Sono ricordati da Dante, sì, ma non dalla gioventù modɛrna. Dove credevo che fosse la chiɛsa, domandai a un gịovane che usciva dall'università lì vicina se sapesse indicarmi la strada per Piazza San Francesco. Mi disse che non ne sapeva niɛnte e mi indicɔ̀ la direzione opposta. Guardai in alto ed ɛcco che a venti mɛtri s'innalzava la bellịssima torre che conoscevo così bɛne dalle fotografie. Benedetti studɛnti, che si ɔccupano tanto del futuro e non pẹnsano al passato.

Tornando sul pullman da Vitɛrbo a Roma avemmo la fortuna di trovarci seduti fra due studɛnti universitari, chiacchieroni tutti e due. Il gịovane ɛra in piɛdi davanti a me e la signorina ɛra seduta diɛtro a mia mọglie. Forse credẹvano che non comprendẹssimo l'italiano e forse pensạvano ad altro. Parlạvano della vita universitạria tale come si svɔlge. Parlạvano delle prɔve che dovẹvano affrontare, dei concorsi per cui si preparạvano, dei corsi che seguịvano, delle professioni che volẹvano esercitare. Una professione richiɛde quattro anni di università, un'altra ne richiɛde cịnque, e pɔi bisogna preparare la tɛsi, e pɔi i professori non ne capịscono niɛnte della vita. E vale la pena passare i migliori anni della gioventù a fare la spɔla dal paesɛllo all'università? Evidentemente i due gịovani vivẹvano in periferia. E parlando dei vari corsi e dei professori sentivo ricọrrere la frase "Ɛ̀ un macɛllo." Se avẹssero sospettato come si divertịvano i due professori straniɛri a sentirli commentare!

Ci sentivamo anche noi parte del passato, e loro invece facẹvano parte del futuro.

Useful Expressions

a due ore di ạutobus two hours away on the bus
ɛ̀ in piɛno furore it's in full splendor
la torre dell'orolɔgio the clock tower
restiamo stupefatti we are dumfounded
la cucina elɛttrica the electric range
non ne sapeva niɛnte he knew nothing about it
guardai in alto I looked up
si ɔccupano tanto del futuro (they) are so preoccupied with the future
pensạvano ad altro (they) were thinking of something else
tale come si svɔlge just as you find it
affrontare una prɔva to take an exam
esercitare una professione to go in for a profession
fare la spɔla to commute
ɛ̀ un macɛllo it's murder

STRUCTURE

102. Contrary-to-fact and hypothetical sentences

A contrary-to-fact sentence assumes a condition which is not present under the circumstances and draws a conclusion from that condition. In Italian the if-clause takes the imperfect or pluperfect subjunctive, and the result clause takes the conditional or conditional perfect.

Se fossi ricco, non dovrɛi lavorare. If I were rich, I would not have to work.

(The assumption here is that I am not rich and therefore I have to work.)

Se Lɛi li avesse avvertiti, sarɛbbero venuti. If you had notified them, they would have come.

(The assumption is that you did not notify them and therefore they did not come.)

Notice that in the first example the condition refers to the present time; therefore the if-clause is in the imperfect subjunctive and the result clause in the conditional. In the second example the condition refers to the past time; therefore the if-clause is in the pluperfect subjunctive and the result clause in the conditional perfect.

There is a third type of condition which is almost contrary-to-fact, but not quite. It is the type of condition where you just suppose for the sake of supposing, but nothing has happened yet. This third type is called hypothetical, because it is all a hypothesis. The if-clause takes the imperfect subjunctive; the result clause is usually left in the mind of the speaker, but if there is a result clause, it takes the conditional.

Se volesse, potrɛbbe farlo. If he wanted to, he could do it.
Se Lɛi potesse immaginare! If you could only imagine!

When the supposition or hypothetical sentence refers to the past, the if-clause is in the pluperfect subjunctive, but the result clause remains unspoken.

Se ayẹssero saputo come ci divertivamo! If they had only known how we were enjoying ourselves!

103. Participles used independently

The past participle may be used independently in an absolute construction. In that case it agrees in gender and number with the word to which it applies and may be translated by a participial phrase or a clause.

Finite le vacanze, tutti tọrnano al lavoro. When vacation is over, everyone goes back to work.
Accettato l'invito, dovɛtti presentarmi. Having accepted the invitation, I had to present myself.

The present participle or gerund may likewise be used independently, with the meaning of *while something is going on,* or *by means of doing something.* The **-ndo** form does not change.

Tornando sul pullman, incontrammo gli amici. While coming back on the bus we met our friends.
Studiando s'impara. By studying one learns.

104. Suffixes

Italian can express many shades of the meaning of a noun (or less commonly an adjective) by means of suffixes. The proper use of suffixes is one of the most intricate points of the language, and at this stage all you can do is to be aware of their existence. To give you some idea of what a suffix can do, we outline here some of the most common ones:

-one, -ona conveys the idea of increase in size or quality.

uno stanzone a great big room
una signorona a very important woman (wealthy and unpolished)

-ino, -ina; -ɛllo, -ɛlla; -etto, -etta denote smallness and grace.

una stanzina a cute little room
una vecchietta a neat old lady
Che gɛlida manina! What a cold tiny hand!

-accio, -accia conveys a strong, disparaging tone.

un tempaccio an awful storm
una casaccia a dirty old house

-uccio, -uccia; -uzzo, -uzza denote smallness and endearment.

una casuccia a cute little hovel
Micuzzo darling little Domenic

-astro, -astra conveys the idea of something approaching the actual word.

un poetastro a would-be poet
giallastro yellowish

Nouns may have more than one suffix attached to them; for the exact shade of meaning the components have to be worked out.

casa, casetta, casettina, casettuccia
La calunnia è un venticello / Un'auretta assai gentile. Slander is a gentle, tiny breeze / a puff of air so very gentle.

There are more suffixes in Italian than in any other language that you are likely to come across, so be prepared to rack your brain for the exact shade of meaning.

Pompeii was once a great city.

ESERCIZI

I. Domande sulla lettura:

1. Quanto tɛmpo ci vuɔle da Roma a Vitɛrbo?
2. Che residɛnza ɛra Vitɛrbo in altri tɛmpi?
3. In che piazza si trɔva la torre dell'orolɔgio?
4. Ci sono archi sospesi in molte città del mɛdio ɛvo?
5. Che artịcoli si vedẹvano nelle vetrine dei negɔzi di Vitɛrbo?
6. Come si chiama la chiɛsa dove ci sono le tombe di due papi?
7. Ɛrano chiacchieroni i due studɛnti incontrati sul pullman?
8. Pạrlano di concorsi gli studɛnti universitari americani?
9. Cɔsa vuɔl dire "fare la spɔla" fra una città e l'altra?
10. Secondo Lɛi, vale la pena passare quattro anni all'università?

II. Mettete i verbi tra parɛntesi all'imperfɛtto del congiuntivo (*Supply the imperfect subjunctive forms of the verbs in parentheses.*):

1. Se Lɛi la (invitare), verrɛbbe con piacere.
2. Se le lezioni (ɛssere) interessanti, non sarɛbbe diffịcile imparare una lịngua.
3. Se io (fare) il concorso adɛsso, sarɛbbe un disastro.
4. Se voi (vivere) in città, non dovreste fare la spɔla.
5. Se Franco (trovare) lavoro, sarɛbbe contentịssimo.
6. Se tu (alzarsi) prɛsto, arriveresti in tɛmpo.
7. Se il caffɛ̀ non (costare) tanto, tutti ne berrɛbbero di più.
8. Se le nɔstre automɔbili (ɛssere) più pịccole, non ci sarɛbbe crisi di benzina [*gasoline*].
9. Se io (potere) fare un viạggio, andrɛi sụbito in Eurɔpa.
10. Se i turisti (viaggiare) insiɛme, il viạggio costerɛbbe meno.

III. Traducete l'inglese col condizionale passato (*Translate the English with the conditional perfect.*):

1. Se il trɛno fosse arrivato in orạrio, io (*would have met you*).
2. Se Lɛi avesse guardato in alto, (*you would have seen*) la torre.
3. Se la cucina elɛttrica non costasse tanto, (*we would have bought it*).
4. Se i due giọvani ci avẹssero conosciuti, (*they would not have talked*) di tante cɔse.
5. Se Lɛi avesse visto quelle vetrine, anche Lɛi (*would have remained*) stupefatto.
6. Se Lisa avesse preso l'ạutobus, (*she would have arrived*) in due ore.
7. Se il supermercato fosse stato apɛrto, essi (*would have bought*) tutto il necessạrio.

8. Se il cameriɛre avesse visto la mạncia, (*he would have remained*) più contɛnto.
9. Se lo studɛnte avesse lavorato di più (*he would have finished*) la tɛsi.
10. Se avessi sentito il telɛfono, (*I would have answered*).

IV. Traducete, usando participi (*Translate, using participles.*):

1. Having finished the lesson, she took a rest (*she rested*).
2. Having seen the city, the tourists went to the restaurant.
3. Having done many things, they went to sleep.
4. Having done the exercises, we rested.
5. Having written the letter, I sent it to him.
6. Having arrived there, we wanted to see everything.
7. By studying we learn.
8. By learning we understand more.
9. I enjoy myself when I travel (*translate,* while traveling).
10. She was resting while she slept (*translate,* while sleeping).

V. Cercate di dare in inglese il significato delle seguɛnti parɔle (*Try to give in English the meaning of the following words.*):

1. un bɛl ponticɛllo
2. una biondina
3. il paesɛllo
4. la ragazzina
5. una passeggiatina
6. due amiconi
7. Lisetta
8. Giovannino
9. Tommasụccio
10. un bɛl vecchietto
11. un'acquạccia
12. un alberghetto
13. il fratellino
14. il tavolino
15. la stanzụccia

WORD LIST

NOUNS

arco *m.* arch
chiacchierone *m.* big talker
concorso *m.* competition, competitive exam
corso *m.* course; avenue; **seguire un —,** to take a course
cucina elɛttrica *f.* electric range
fotografia *f.* photograph
frase *f.* phrase; sentence
frigorifero *m.* refrigerator
furore *m.* furor, splendor
gioventù *f.* youth
macɛllo m. butchery; **ɛ̀ un —,** it's murder
mɛdio ɛvo (*or* **medioɛvo**) *m.* Middle Ages
orolɔgio *m.* clock, watch
paesɛllo (*dim. of* **paɛse**) *m.* little town
papa *m.* pope
plebiscito *m.* plebiscite

prɔva *f.* exam
residɛnza *f.* residence
sezione *f.* section
straduccia (*dim. of* **strada**) *f.* narrow street, alley
tɛsi *f.* thesis
tomba *f.* tomb
torre *f.* tower
Tuscia *f.* ancient Tuscany
visione *f.* vision
Vitɛrbo *f.* *ancient city about 50 miles north of Rome*

ADJECTIVES

antico, -a ancient
benedetto, -a blessed
contɛnto, -a happy
familiare familiar
modernissimo, -a ultramodern
romanesco, -a Romanesque
sospeso, -a suspended
spazioso, -a spacious, wide open
stranièro, -a foreign
stupefatto, -a dumfounded
tale such (a)
universitario, -a (*adj.*) university

VERBS

affrontare to face, take
ammirare to admire
condurre *irr.* to lead
dirigere *irr.* to direct
immaginare to imagine, picture
indicare to point out
***innalzarsi** to arise
***occuparsi (di)** to busy oneself (with)
pensare (a) to think (of)
richiɛdere *irr.* to require
***ricorrere** *irr.* to recur
seguire to follow; take (a course)
subire to undergo
***svɔlgersi** to unfold, develop

OTHER WORDS

davanti (a) in front (of)
diɛtro (a) behind
esattamente exactly
in alto up
infatti in fact
fare la spɔla to commute

LANGUAGE PRACTICE

Leggete, e se siɛte ambiziosi, imparate a memɔria l'iscrizione (*Read, and if you are ambitious, learn the inscription by heart.*):

■ *La pɔrta dell'Infɛrno*

La Divina Commɛdia ɛ̀ il poema più grandioso della letteratura italiana. Come una cattedrale gɔtica, la Divina Commɛdia innalza[1] lo spirito umano dalle cɔse terrɛstri[2] alla vita etɛrna. In vɛrsi[3] insuperabili,[4] Dante ossɛrva i passi della formica[5] e i movimenti dei ciɛli.[6] La Divina Commɛdia presɛnta in bellissima poesia il concɛtto[7] medievale dell'univɛrso. Che interɛsse può avere per voi un poɛma di spirito medievale? — Ma la vita ɛ̀ vita a qualsiasi[8] ɛpoca.

---

[1] raises. [2] terrestrial, earthly. [3] verses. [4] unsurpassable. [5] ant. [6] heavens. [7] concept. [8] any.

Vedete, per esempio, l'iscrizione che Dante mette sulla porta dell'Inferno:*

> "Per me si va ne la città dolente,[9]
> per me si va ne l'etterno dolore,
> per me si va tra la perduta[10] gente.
> Giustizia[11] mosse il mio alto fattore:[12]
> fecemi la divina podestate,[13]
> la somma sapienza[14] e 'l primo amore.
> Dinanzi a me non fuor cose create[15]
> se non[16] etterne, e io etterno duro.[17]
> Lasciate ogne speranza, voi ch'intrate." (Inferno III. 1–9)

---

* The quotation is printed without phonetic symbols.

[9] woeful. [10] lost. [11] justice. [12] maker. [13] power. [14] wisdom. [15] nothing was created. [16] except. [17] last forever.

Cathedral of Monreale, Sicily

SIXTH REVIEW LESSON

■ *La vita in Italia**

Parlando dell'Italia si pensa alla ricca storia della civiltà romana, trasmessa° attraverso i secoli; si pensa all'arte, la letteratura, e la musica che hanno arricchito° tanto la nostra vita. Ma in genere° si ha una visione° dell'Italia come tesoro° del passato, come nazione che poco° conosce la vita agiata° dei ricchi paesi moderni. Come fanno° gl'Italiani a vivere così sommersi° nella storia?

Bisogna vedere come vivono nel presente le famiglie non povere! Nel vestire il signore italiano si presenta sempre elegante. I professionisti,° gl'impiegati di banche, gl'impiegati del governo, i negozianti° — tutti vestono bene quando vanno al lavoro. "L'abito fa l'uomo" ° è un proverbio che ha gran significato° in Italia. L'abito, la camicia, la cravatta, il cappello, le scarpe — tutto è importante per fare buona figura.° Perciò l'Italia è rinomata° per il taglio° degli abiti e delle camicie, per la forma dei cappelli e delle scarpe, per la fantasia° delle cravatte, per la pelle° dei guanti.° L'Italiano sente un dovere° verso l'ambiente° in cui agisce.° La signora italiana non esce mai di casa se non è ben vestita. La moda femminile ha il primato° del mondo e viene imitata e invidiata° dovunque° ci si vesta con eleganza. Occorre° fare i nomi° dei grandi disegnatori° della moda? ° Basta domandare a chiunque° se ne intenda.° I disegnatori sono citati come grandi artisti. Per la donna italiana il vestire bene fa parte della dignità° personale.

Il domicilio° della famiglia agiata è paragonabile° ai migliori di qualsiasi paese. In campagna ci sono villini° grandi e spaziosi,° circondati da° alberi, piante e fiori, e arredati° con mobilia° all'ultima moda. In periferia° o in città ci sono condomini° e appartamenti comodi e lussuosi.° In genere le camere sono più grandi delle nostre in America, forse perché lo spazio° costa meno. I soffitti° sono alti e le finestre sono ariose,° forse perché il problema del freddo non è così acuto come nelle zone del nord. I pavimenti° sono di puro marmo° o di piastrelle,° a disegni° e colori ben armonizzati.° Il bagno ha pavimento di marmo e pareti° di piastrelle che arrivano fino° al soffitto. Il soggiorno° ha poltrone° e divani° modernissimi, comodissimi e belli. La cucina spesso è componibile,° cioè composta° di elementi° che si possono smuovere° per sfruttare al mas-

transmitted
enriched
in general / view
treasure / hardly
comfortable / how do they manage
submerged

professional people
shopkeepers
clothes make the man
meaning

cut a good figure / famous / cut
fancy design / skin
gloves / duty / surroundings
works
is foremost
envied / wherever
is it necessary / mention / designers
fashion / whoever
knows
dignity

home / comparable
country homes
spacious / surrounded with
furnished / furniture / suburbs
condominiums / luxurious

space / ceilings
airy

floors / marble / tiles / designs
harmonized
walls/reach
living room / easy chairs / couches
sectional / composed
parts / can be moved

* Review Lessons do not have diacritical marks for pronunciation.

simo° dello spazio disponibile.° Le camere da letto hanno mobilia componibile, fatta di vari legni° e di plastica,° con disegni moderni e colori vivaci.° La ceramica,° i vetri, e la plastica servono per decorare° il domicilio con colori fantastici.° Con elementi componibili si può variare° l'aspetto° della camera secondo la stagione o secondo il gusto.° I disegnatori di mobilia sono rinomati, e la mobilia riflette° il gusto e l'eleganza della famiglia che vi abita. Questo tipo° di appartamento si trova non soltanto in città ma anche nei piccoli paesi, dove i giovani riportano° al paese l'eleganza osservata° in città.

L'architettura moderna utilizza° cemento armato° precompresso,° acciaio,° alluminio,° plastica, e vetri in maniera da rendere° gli edifici ariosi e bene illuminati.° Fra i maggiori architetti internazionali certo si fa il nome° di Pier Luigi Nervi (1881–), la cui opera° ha rivoluzionato° l'architettura. L'industria automobilistica italiana produce macchine che servono di modello° ad altre nazioni. Chi non conosce la Fiat? l'Alfa Romeo? la Ferrari? Le grandi autostrade° che formano una vastissima° rete° sono non soltanto una meraviglia° d'ingegneria,° ma un modello di bellezza. I ponti, le piante, i fiori si conformano° con il paesaggio° come se la natura li avesse creati.°

Il culto del bello° è diffuso° dappertutto nella vita italiana del presente.

to make the best use of / available
woods / plastic
lively / ceramic
decorate
fantastic / vary
appearance / taste
reflects
type
bring back
observed
utilizes / reinforced concrete
prefabricated / steel / aluminum
so as to render / lighted
one mentions
work / revolutionized
model
highways / tremendous / network
marvel / engineering
conform
countryside / created
love of beauty / diffused

ESERCIZI

I. Domande (Uno studente domanda e un altro risponde.):

1. Conosce Lei qualche marca [*brand*] famosa di cappelli italiani?
2. Conosce Lei qualche marca famosa di scarpe italiane?
3. Conosce Lei qualche disegnatore rinomato della moda femminile?
4. Quale paese ha il primato del mondo della moda femminile?
5. Ci sono condomini e appartamenti nelle città italiane?
6. Sa Lei se fa molto freddo in Italia nell'inverno?
7. Si fa molto uso del marmo nelle case italiane?
8. Si fa molto uso della ceramica per adornare le case?
9. Che vuol dire "una cucina componibile"?
10. Avete voi mobilia componibile nella vostra casa?
11. Chi è uno degli architetti più famosi moderni?
12. Sa Lei se si usa molto alluminio nella costruzione degli edifici moderni?

II. Completate le seguenti frasi in modo che abbiano qualche significato (*Complete the following sentences in some meaningful way.*):

1. In Italia gli appartamenti moderni sono ______
2. Nella sala da bagno il pavimento è generalmente ______
3. Le scarpe italiane sono rinomate ______
4. Nella moda femminile l'Italia adesso ______
5. Le autostrade italiane sono adornate ______
6. Nella costruzione moderna si fa grande uso ______
7. Uno dei migliori disegnatori della moda femminile è ______
8. I begli appartamenti si trovano non soltanto nelle città ______
9. Alcune delle marche di automobili italiane sono ______
10. La mobilia componibile sfrutta al massimo ______

III. Basandovi sulla frase italiana, traducete la frase inglese (*Use the Italian of each pair of sentences to translate the English.*):

1. Lei ha ragione e io ho torto. *I am right and you are wrong.*
2. Adesso ne soffrono le conseguenze. *Later you will suffer the consequences.*
3. Se lavorano di più, guadagnano di più. *If you study more, you will learn more.*
4. Ci mostri la carta, per favore. *Show me the menu, please.*
5. Cosa Le porto da bere? *What shall I bring her to eat?*
6. Il signore gli ha chiesto il conto. *The tourist asked him for it.*

7. Il cameriere gli ha portato il resto. *The waiter brought it to him.*
8. Come se i secoli non fossero mai passati! *As if they had never arrived!*
9. Non ci rendiamo conto del valore. *You did not realize the value.*
10. È possibile che Lei non mi conosca? *Is it possible that she does not know him?*
11. Siamo rimasti veramente stupefatti. *They will really be dumfounded.*
12. Perché si occupa tanto del futuro? *Why are we so preoccupied with the past?*

IV. Traducete:

1. If you were taking a trip this summer, where would you go?
2. I would like to go to Europe if I had the money.
3. By traveling we learn that every country has its problems.
4. Our parents wanted us to study Italian in school.
5. If we had studied the language, we would be able to converse with everybody.
6. Our bank is looking for a secretary who reads a second language.
7. Has your doctor found somebody who speaks Italian?
8. If your brother were here, he could accompany us.
9. If the students were younger, they would learn faster.
10. If everybody spoke the same language, what would our professor do?
11. Write to him so that he can meet us at the airport.
12. He did not know whether he could come.

V. Basandovi sulla frase italiana, traducete l'inglese (*Use the Italian of each pair of sentences to translate the English.*):

1. Ti scrissi una lettera la settimana scorsa. *I wrote it to you last week.*
2. Quando manderai la lettera alla sorella? *When will you send it to her?*
3. Abbiamo letto la lettera alla mamma. *We read it to her.*
4. Portate la macchina a noi nel pomeriggio. *Bring it to us in the afternoon.*
5. Il commesso ha venduto le scarpe alla signora. *The salesman sold them to her.*
6. Il padre comprerà il televisore per il figlio. *The father will buy it for him.*
7. Il commesso ha venduto la cravatta all'impiegato. *The salesman sold it to him.*
8. Mi porti un bicchiere di vino. *Don't bring it to me now.*
9. Non vogliono spedire i libri a Roberto. *They don't want to send them to him.*
10. Abbiamo letto le lezioni al professore. *We read them to him.*

VI. Scrivete un componimento di cento parole su uno dei seguenti temi (*Write a composition of a hundred words on one of the following topics.*):

1. La musica italiana
2. Un giorno all'università
3. I miei compagni di scuola
4. Il nostro professore d'italiano
5. Il mio primo viaggio in Italia

VERB APPENDIX AND VOCABULARIES

Verb Appendix

REGULAR CONJUGATIONS				*AUXILIARY VERBS*	
I	II	III		**avere**	**ɛssere**
		Infinitive (Infinito)			
parlare	vẹndere	finire *and*	dormire	avere	ɛssere
		Present Participle (Particịpio presɛnte)			
parlando	vendɛndo	finɛndo	dormɛndo	avɛndo	essɛndo
		Past Participle (Particịpio passato)			
parlato	venduto	finito	dormito	avuto	stato
		Indicative Mood (Indicativo)			
		PRESENT (PRESƐNTE)			
parlo	vendo	finisco	dɔrmo	hɔ	sono
parli	vendi	finisci	dɔrmi	hai	sɛi
parla	vende	finisce	dɔrme	ha	ɛ̀
parliamo	vendiamo	finiamo	dormiamo	abbiamo	siamo
parlate	vendete	finite	dormite	avete	siɛte
pạrlano	vẹndono	finịscono	dɔrmono	hanno	sono
		IMPERFECT *or* PAST DESCRIPTIVE (IMPERFƐTTO)			
parlavo	vendevo	finivo		avevo	ɛro
parlavi	vendevi	finivi		avevi	ɛri
parlava	vendeva	finiva		aveva	ɛra
parlavamo	vendevamo	finivamo		avevamo	eravamo
parlavate	vendevate	finivate		avevate	eravate
parlạvano	vendẹvano	finịvano		avẹvano	ɛrano
		PAST ABSOLUTE (PASSATO REMƆTO)			
parlai	vendei (ɛtti)	finii		ɛbbi	fui
parlasti	vendesti	finisti		avesti	fosti
parlɔ̀	vendé (ɛtte)	finì		ɛbbe	fu
parlammo	vendemmo	finimmo		avemmo	fummo
parlaste	vendeste	finiste		aveste	foste
parlạrono	vendẹrono (ɛttero)	finịrono		ɛbbero	fụrono

FUTURE (FUTURO)

parlerɔ̀	venderɔ̀	finirɔ̀	avrɔ̀	sarɔ̀
parlerai	venderai	finirai	avrai	sarai
parlerà	venderà	finirà	avrà	sarà
parleremo	venderemo	finiremo	avremo	saremo
parlerete	venderete	finirete	avrete	sarete
parleranno	venderanno	finiranno	avranno	saranno

CONDITIONAL (CONDIZIONALE PRESƐNTE)

parlerɛi	venderɛi	finirɛi	avrɛi	sarɛi
parleresti	venderesti	finiresti	avresti	saresti
parlerɛbbe	venderɛbbe	finirɛbbe	avrɛbbe	sarɛbbe
parleremmo	venderemmo	finiremmo	avremmo	saremmo
parlereste	vendereste	finireste	avreste	sareste
parlerɛbbero	venderɛbbero	finirɛbbero	avrɛbbero	sarɛbbero

PRESENT PERFECT (PASSATO PRɔSSIMO)

hɔ parlato	hɔ venduto	hɔ finito	hɔ avuto	sono stato(a)

FIRST PLUPERFECT (TRAPASSATO PRɔSSIMO)

avevo parlato	avevo venduto	avevo finito	avevo avuto	ɛro stato(a)

SECOND PLUPERFECT (TRAPASSATO REMɔTO)

ɛbbi parlato	ɛbbi venduto	ɛbbi finito	ɛbbi avuto	fui stato(a)

FUTURE PERFECT (FUTURO ANTERIORE)

avrɔ̀ parlato	avrɔ̀ venduto	avrɔ̀ finito	avrɔ̀ avuto	sarɔ̀ stato(a)

CONDITIONAL PERFECT (CONDIZIONALE PASSATO)

avrɛi parlato	avrɛi venduto	avrɛi finito	avrɛi avuto	sarɛi stato(a)

Subjunctive Mood (Congiuntivo *or* Soggiuntivo)

PRESENT (PRESƐNTE)

parli	venda	finisca	dɔrma	ạbbia	sia
parli	venda	finisca	dɔrma	ạbbia	sia
parli	venda	finisca	dɔrma	ạbbia	sia
parliamo	vendiamo	finiamo	dormiamo	abbiamo	siamo
parliate	vendiate	finiate	dormiate	abbiate	siate
pạrlino	vẹndano	finịscano	dɔrmano	ạbbiano	sịano

IMPERFECT *or* PAST (IMPERFƐTTO)

parlassi	vendessi	finissi	avessi	fosse
parlassi	vendessi	finissi	avessi	fossi
parlasse	vendesse	finisse	avesse	fossi
parlạssimo	vendẹssimo	finịssimo	avẹssimo	fọssimo
parlaste	vendeste	finiste	aveste	foste
parlạssero	vendẹssero	finịssero	avẹssero	fọssero

PRESENT PERFECT (PASSATO)

ạbbia parlato	ạbbia venduto	ạbbia finito	ạbbia avuto	sia stato(a)

PAST PERFECT (TRAPASSATO)

avessi parlato	avessi venduto	avessi finito	avessi avuto	fossi stato(a)

Imperative (Imperativo)

——	——	——	——	——	——
parla	vendi	finisci	dɔrmi	abbi	sii
parli	venda	finisca	dɔrma	ạbbia	sia
parliamo	vendiamo	finiamo	dormiamo	abbiamo	siamo
parlate	vendete	finite	dormite	abbiate	siate
pạrlino	vẹndano	finịscano	dɔrmano	ạbbiano	sịano

(*Second person singular negative*)

non parlare	non vẹndere	non finire	non dormire	non avere	non ɛssere

IRREGULAR VERBS

In this section we have given all the irregular verbs which are likely to be needed by a first-year student. We have not included verbs of a purely literary nature or verbs which are very uncommon. Only the irregular forms are given, and only enough of those to leave no doubt as to what the full conjugation would be. The asterisk (*) indicates that a verb is conjugated with **ɛssere.** The small circle (°) indicates that a verb is conjugated sometimes with **ɛssere** and sometimes with **avere.** The abbreviations used are as follows and in the following order:

p.i.	present indicative	*p.a.*	past absolute
p.s.	present subjunctive	*p.p.*	past participle
f.	future	*pres. p.*	present participle
i.	imperfect	*impve.*	imperative

***accadere,** to happen (*impersonal*); *see* **cadere**
accɛndere, to light; *p.a.* accesi, accendesti; *p.p.* acceso
***accɔrgersi,** to notice; *p.a.* mi accorsi, ti accorgesti; *p.p.* accɔrto
accrẹscere, to increase; *see* **crẹscere**

*__andare__, to go; *p.i.* vado *or* vɔ, vai, va, andiamo, andate, vanno; *p.s.* vada; *f.* andrɔ̀; *impve.* va'

*__apparire__, to appear; *p.i.* appạio *or* apparisco, appari *or* apparisci, appare *or* apparisce, appariamo, apparite, appạiono *or* apparịscono; *p.s.* appạia *or* apparisca; *p.a.* apparsi *or* apparvi *or* apparii, apparisti; *p.p.* apparso *or* apparito; *impve.* appari *or* apparisci

°**appartenere**, to belong; *see* **tenere**

appɛndere, to hang; *p.a.* appesi, appendesti; *p.p.* appeso

apprɛndere, to learn; *see* **prɛndere**

aprire, to open; *p.a.* apɛrsi *or* aprii, apristi; *p.p.* apɛrto

assịstere, to assist, be present; *p.p.* assistito

assụmere, to assume; *p.a.* assunsi, assumesti; *p.p.* assunto

*__avvenire__, to happen (*impersonal*); *see* **venire**

avvɔlgere, to wrap; *see* **vɔlgere**

benedire, to bless; *see* **dire**

bere, to drink; *p.i.* bevo, bevi; *f.* berrɔ̀; *i.* bevevo; *p.a.* bevvi *or* bevei *or* bevɛtti, bevesti; *p.p.* bevuto

*__cadere__, to fall; *f.* cadrɔ̀; *p.a.* caddi, cadesti

chiɛdere, to ask; *p.a.* chiɛsi, chiedesti; *p.p.* chiɛsto

chiụdere, to close; *p.a.* chiusi, chiudesti; *p.p.* chiuso

cɔgliere, to gather; *p.i.* cɔlgo, cɔgli, cɔglie, cogliamo, cogliete, cɔlgono; *p.a.* cɔlsi, cogliesti; *p.p.* cɔlto

commẹttere, to commit; *see* **mẹttere**

commuɔvere, to move, affect; see **muɔvere**

*__comparire__, to appear; *see* **apparire**

comporre, to compose; *see* **porre**

comprɛndere, to comprehend, include; *see* **prɛndere**

concɛdere, to concede; *p.a.* concɛssi *or* concedei *or* concedɛtti, concedesti; *p.p.* concɛsso *or* conceduto

conchiụdere *or* **conclụdere**, to conclude; *see* **chiụdere**

condurre, to conduct, lead; *f.* condurrɔ̀; *i.* conducevo; *p.a.* condussi, conducesti; *p.p.* condotto

confọndere, to confuse; *p.a.* confusi, confondesti; *p.p.* confuso

conọscere, to know; *p.a.* conobbi, conoscesti; *p.p.* conosciuto

*__consịstere__, to consist; *p.p.* consistito

convenire, to agree; *see* **venire**

convịncere, to convince; *see* **vịncere**

coprire, to cover; *see* **aprire**

corrɛggere, to correct; *p.a.* corrɛssi, correggesti; *p.p.* corrɛtto

°**cọrrere**, to run; *p.a.* corsi, corresti; *p.p.* corso

corrispọndere, to correspond; *see* **rispọndere**

costrịngere, to force; *see* **strịngere**

costruire, to construct, build; *p.a.* costrussi *or* costruii, costruisti; *p.p.* costrutto *or* costruito

°**crẹscere**, to grow; *p.a.* crebbi, crescesti; *p.p.* cresciuto

cucire, to sew; *p.i.* cụcio; *p.s.* cụcia

cuɔcere, to cook; *p.i.* cuɔcio, cuɔci, cuɔce, cociamo, cocete, cuɔciono; *p.s.* cuɔcia; *p.a.* cɔssi, cocesti; *p.p.* cɔtto

dare, to give; *p.i.* dɔ, dai, dà, diamo, date, danno; *p.s.* dia; *f.* darɔ̀; *p.a.* dɛtti *or* diɛdi, desti; *impve.* da'

decịdere, to decide; *p.a.* decisi, decidesti; *p.p.* deciso

descrịvere, to describe; *see* **scrịvere**

difɛndere, to defend; *p.a.* difesi, difendesti; *p.p.* difeso

*__dipɛndere__, to depend; *see* **appɛndere**

dipịngere, to paint; *p.a.* dipinsi, dipingesti; *p.p.* dipinto

dire, to say, tell; *p.i.* dico, dici, dice, diciamo, dite, dịcono; *p.s.* dica; *f.* dirò; *i.* dicevo; *p.a.* dissi, dicesti; *p.p.* detto; *impve.* di', diciamo, dite
dirịgere, to direct; *p.a.* dirɛssi, dirigesti; *p.p.* dirɛtto
°**discẹndere,** to descend; *see* **scẹndere**
discọrrere, to converse; *see* **cọrrere**
discụtere, to discuss; *p.a.* discussi, discutesti; *p.p.* discusso
°**dispiacere,** to be displeasing; *see* **piacere**
disporre, to dispose; *see* **porre**
distịnguere, to distinguish; *p.a.* distinsi, distinguesti; *p.p.* distinto
distrụggere, to destroy; *p.a.* distrussi, distruggesti; *p.p.* distrutto
°**divenire,** to become; *see* **venire**
divịdere, to divide; *p.a.* divisi, dividesti; *p.p.* diviso
°**dolere,** to ache, pain; *p.i.* dɔlgo, duɔli, duɔle, doliamo, dolete, dɔlgono; *p.s.* dɔlga; *f.* dorrò; *p.a.* dɔlsi, dolesti
°**dovere,** to have to, be obliged to, must; *p.i.* dɛvo *or* dɛbbo, dɛvi, dɛve, dobbiamo, dovete, dɛvono or dɛbbono; *p.s.* dɛva *or* dɛbba; *f.* dovrò
°**esịstere,** to exist; *p.p.* esistito
esprịmere, to express; *p.a.* esprɛssi, esprimesti; *p.p.* esprɛsso
fare, to do, make; *p.i.* fạccio *or* fɔ, fai, fa, facciamo, fate, fanno; *p.s.* fạccia; *f.* farò; *i.* facevo; *p.a.* feci, facesti; *p.p.* fatto; *pres. p.* facɛndo; *impve.* fa', facciamo, fate
fịngere, to pretend; *p.a.* finsi, fingesti; *p.p.* finto
frịggere, to fry; *p.a.* frissi, friggesti; *p.p.* fritto
°**giacere,** to lie; *p.i.* giạccio, giaci, giace, giaciamo, giacete, giạcciono; *p.s.* giạccia; *p.a.* giạcqui, giacesti
°**giụngere,** to arrive; join (*of hands*); *p.a.* giunsi, giungesti; *p.p.* giunto
godere, to enjoy; *f.* godrò
imporre, to impose; *see* **porre**
insịstere, to insist; *p.p.* insistito
intɛndere, to intend, understand; *p.a.* intesi, intendesti; *p.p.* inteso
interrọmpere, to interrupt; *see* **rọmpere**
introdurre, to introduce; *p.i.* introduco, introduci; *p.s.* introduca; *f.* introdurrò; *i.* introducevo; *p.a.* introdussi, introducesti; *p.p.* introdotto
invɔlgere, to wrap; *see* **vɔlgere**
lɛggere, to read; *p.a.* lɛssi, leggesti; *p.p.* lɛtto
mantenere, to maintain; *see* **tenere**
mẹttere, to put; *p.a.* misi, mettesti; *p.p.* messo
mɔrdere, to bite; *p.a.* mɔrsi, mordesti; *p.p.* mɔrso
°**morire,** to die; *p.i.* muɔio, muɔri, muɔre, moriamo, morite, muɔiono; *p.s.* muɔia; *f.* morrò; *p.p.* mɔrto
muɔvere *or* **mɔvere,** to move; *p.i.* muɔvo, muɔvi, muɔve, moviamo, movete, muɔvono; *p.a.* mɔssi, movesti; *p.p.* mɔsso
°**nạscere,** to be born; *p.a.* nạcqui, nascesti; *p.p.* nato
nascọndere, to hide, conceal; *p.a.* nascosi, nascondesti; *p.p.* nascosto
nuɔcere *or* **nɔcere,** to hurt, harm; *p.i.* nɔccio, nuɔci, nuɔce, nociamo, nocete, nɔcciono; *p.s.* nɔccia; *p.a.* nɔcqui, nocesti; *p.p.* nociuto
°**occọrrere,** to be necessary (*impersonal*); *see* **cọrrere**
offɛndere, to offend; *see* **difɛndere**
offrire, to offer; *p.a.* offɛrsi *or* offrii, offristi; *p.p.* offɛrto
omẹttere, to omit; *see* **mẹttere**
opporre, to oppose; *see* **porre**
opprịmere, to oppress; *p.a.* opprɛssi, opprimesti; *p.p.* opprɛsso
ottenere, to obtain; *see* **tenere**
°**parere,** to seem, appear; *p.i.* pạio, pari, pare, paiamo *or* pariamo, parete, pạiono; *p.s.* pạia; *f.* parrò; *p.a.* parvi *or* parsi, paresti; *p.p.* parso

percọrrere, to run over; *see* **cọrrere**
percuɔtere, to strike; *see* **scuɔtere**
pɛrdere, to lose; *p.a.* pɛrsi *or* perdei *or* perdɛtti, perdesti; *p.p.* pɛrso *or* perduto
permẹttere, to permit; *see* **mẹttere**
persuadere, to persuade; *p.a.* persuasi, persuadesti; *p.p.* persuaso
°**piacere,** to be pleasing; *p.i.* piạccio, piaci, piace, piacciamo, piacete, piạcciono; *p.s.* piạccia; *p.a.* piạcqui, piacesti; *p.p.* piaciuto
piạngere, to cry, weep; *p.a.* piansi, piangesti; *p.p.* pianto
°**piɔvere,** to rain (*impersonal*); *p.a.* piɔvve
pɔrgere, to present, offer, extend; *p.a.* pɔrsi, porgesti; *p.p.* pɔrto
porre, to put, place; *p.i.* pongo, poni, pone, poniamo, ponete, pọngono; *p.s.* ponga; *f.* porrɔ̀; *p.a.* posi, ponesti; *p.p.* posto
posporre, to postpone; *see* **porre**
possedere, to possess, own; *see* **sedere**
°**potere,** to be able, may, can; *p.i.* pɔsso, puɔi, puɔ̀, possiamo, potete, pɔssono; *p.s.* pɔssa; *f.* potrɔ̀
prɛndere, to take; *p.a.* presi, prendesti; *p.p.* preso
pretɛndere, to pretend; *see* **tɛndere**
prevedere, to foresee; *see* **vedere**
prevenire, to anticipate, prevent, forewarn; *see* **venire**
produrre, to produce; *see* **condurre**
promẹttere, to promise; *see* **mẹttere**
proporre, to propose; *see* **porre**
protɛggere, to protect; *p.a.* protɛssi, proteggesti; *p.p.* protɛtto
provvedere, to provide; *see* **vedere**
pụngere, to prick, sting; *p.a.* punsi, pungesti; *p.p.* punto
raccɔgliere, to gather; *see* **cɔgliere**
rạdere, to shave; *p.a.* rasi, radesti; *p.p.* raso
raggiụngere, to overtake; *see* **giụngere**
rɛndere, to render; *p.a.* resi, rendesti, *p.p.* reso
resịstere, to resist; *p.p.* resistito
respịngere, to push back; *see* **spịngere**
richiɛdere, to request; *see* **chiɛdere**
riconọscere, to recognize; *see* **conọscere**
°**ricọrrere,** to have recourse, refer; *see* **cọrrere**
rịdere, to laugh; *p.a.* risi, ridesti; *p.p.* riso
ridurre, to reduce; *see* **condurre**
riflɛttere, to reflect; *p.p.* riflɛsso *or* riflettuto
°**rimanere,** to remain; *p.i.* rimango, rimani, rimane, rimaniamo, rimanete, rimạngono; *p.s.* rimanga; *f.* rimarrɔ̀; *p.a.* rimasi, rimanesti; *p.p.* rimasto
rimẹttere, to replace; *see* **mẹttere**
rimuɔvere, to remove; *see* **muɔvere**
riprɛndere, to take back, recover; *see* **prɛndere**
riprodurre, to reproduce; *see* **condurre**
riscuɔtere, to collect; *see* **scuɔtere**
risɔlvere, to resolve; *p.a.* risɔlsi *or* risolvei *or* risolvɛtti, risolvesti; *p.p.* risɔlto *or* risoluto
rispọndere, to answer; *p.a.* risposi, rispondesti; *p.p.* risposto
ritenere, to retain; *see* **tenere**
°**riuscire,** to succeed; *see* **uscire**
rivɔlgere, to turn, turn again; *see* **vɔlgere**
rọmpere, to break; *p.a.* ruppi, rompesti; *p.p.* rotto
°**salire,** to ascend, climb, go up; *p.i.* salgo, sali, sale, saliamo, salite, sạlgono; *p.s.* salga
sapere, to know, know how; *p.i.* sɔ, sai, sa, sappiamo, sapete, sanno; *p.s.* sạppia; *f.* saprɔ̀; *p.a.* sɛppi, sapesti; *impve.* sappi, sappiamo, sappiate

scẹgliere, to choose; *p.i.* scelgo, scegli, scẹglie, scegliamo, scegliete, scẹlgono; *p.s.* scelga; *p.a.* scelsi, sceglisti; *p.p.* scelto
*__scẹndere,__ to descend, go down; *p.a.* scesi, scendesti; *p.p.* sceso
sciɔgliere, to untie, dissolve; *p.i.* sciɔlgo, sciɔgli, sciɔglie, sciogliamo, sciogliete, sciɔlgono; *p.s.* sciɔlga; *p.a.* sciɔlsi, sciogliesti; *p.p.* sciɔlto
scommẹttere, to bet; *see* **mẹttere**
scoprire, to discover; *see* **aprire**
scɔrgere, to perceive; *p.a.* scɔrsi, scorgesti; *p.p.* scɔrto
scrịvere, to write; *p.a.* scrissi, scrivesti; *p.p.* scritto
scuɔtere, to shake; *p.i.* scuɔto, scuɔti, scuɔte, scotiamo, scotete, scuɔtono; *p.s.* scuɔta; *f.* scuoterɔ̀; *p.a.* scɔssi, scotesti; *p.p.* scɔsso
sedere, to sit; *p.i.* siɛdo *or* sɛggo, siɛdi, siɛde, sediamo, sedete, siɛdono *or* sɛggono; *p.s.* siɛda *or* sɛgga
seppellire, to bury; *p.p.* sepolto *or* seppellito
smẹttere, to cease, stop; *see* **mẹttere**
smuɔvere, to move, displace; *see* **muɔvere**
soccọrrere, to aid, assist; *see* **cọrrere**
soddisfare, to satisfy; *see* **fare**
soffrire, to suffer; *see* **offrire**
*__solere,__ to be accustomed; *p.i.* sɔglio, suɔli, suɔle, sogliamo, solete, sɔgliono; *p.s.* sɔglia; *p.p.* sɔlito
sommɛrgere, to submerge; *p.a.* sommɛrsi, sommergesti; *p.p.* sommɛrso
sopprịmere, to suppress; *see* **esprịmere**
*__sọrgere,__ to arise; *p.a.* sorsi, sorgesti; *p.p.* sorto
sorprɛndere, to surprise; *see* **prɛndere**
sorrɛggere, to support; *see* **rɛggere**
sorrịdere, to smile; *see* **rịdere**
sospɛndere, to suspend; *see* **appɛndere**
sostenere, to support; *see* **tenere**
sottrarre, to subtract; *see* **trarre**
spạndere, to spread; *p.a.* spasi, spandesti, *p.p.* spaso
spạrgere, to spread, scatter; *p.a.* sparsi, spargesti; *p.p.* sparso
*__sparire,__ to disappear; *p.i.* sparisco; *p.a.* sparii *or* sparvi, sparisti
spɛndere, to spend; *p.a.* spesi, spendesti; *p.p.* speso
spɛngere *or* **spɛgnere,** to extinguish; *p.a.* spɛnsi, spengesti; *p.p.* spɛnto
*__spɛrdersi,__ to disappear, get lost; *see* **pɛrdere**
spịngere, to push; *p.a.* spinsi, spingesti; *p.p.* spinto
*__spɔrgersi,__ to lean out; *see* **pɔrgere**
*__stare,__ to stay, stand, be; *p.i.* stɔ, stai, sta, stiamo, state, stanno; *p.s.* stia; *f.* starɔ̀; *p.a.* stɛtti, stesti; *p.p.* stato; *impve.* sta'
stɛndere, to stretch out; *see* **tɛndere**
strịngere, to tighten; *p.a.* strinsi, stringesti; *p.p.* stretto
*__succɛdere,__ to succeed, happen; *see* **concɛdere**
supporre, to suppose; *see* **porre**
*__svenire,__ to faint; *see* **venire**
svɔlgere, to unfold; *see* **vɔlgere**
tacere, to be silent; *p.i.* tạccio, taci, tace, taciamo, tacete, tạcciono; *p.s.* tạccia; *p.a.* tạcqui, tacesti; *p.p.* taciuto
tenere, to hold, have; *p.i.* tɛngo, tiɛni, tiɛne, teniamo, tenete, tɛngono; *p.s.* tɛnga; *f.* terrɔ̀; *p.a.* tenni, tenesti
tịngere, to dye; *p.a.* tinsi, tingesti; *p.p.* tinto
tɔgliere *or* **tɔrre,** to take from; *p.i.* tɔlgo, tɔgli, tɔglie, togliamo, togliete, tɔlgono; *p.s.* tɔlga; *f.* toglierɔ̀ or torrɔ̀; *p.a.* tɔlsi, togliesti; *p.p.* tɔlto
tɔrcere, to twist; *p.a.* tɔrsi, torcesti; *p.p.* tɔrto

tradurre, to translate; *see* **condurre**
trarre, to draw, pull; *p.i.* traggo, trai, trae, traiamo, traete, tr̩aggono; *p.s.* tragga; *f.* trarrɔ̀; *p.a.* trassi, traesti; *p.p.* tratto
trascọrrere, to spend (*time*); *see* **cọrrere**
trasmẹttere, to transmit; *see* **mẹttere**
trattenere, to detain; *see* **tenere**
uccịdere, to kill; *p.a.* uccisi, uccidesti; *p.p.* ucciso
udire, to hear; *p.i.* ɔdo, ɔdi, ɔde, udiamo, udite, ɔdono; *p.s.* ɔda
°**uscire,** to go out; *p.i.* ɛsco, ɛsci, ɛsce, usciamo, uscite, ɛscono; *p.s.* ɛsca
°**valere,** to be worth; *p.i.* valgo, vali, vale, valiamo, valete, vạlgono; *p.s.* valga; *f.* varrɔ̀; *p.a.* valsi, valesti; *p.p.* valso
vedere, to see; *f.* vedrɔ̀; *p.a.* vidi, vedesti; *p.p.* visto *or* veduto
°**venire,** to come; *p.i.* vɛngo, viɛni, viɛne, veniamo, venite, vɛngono; *p.s.* vɛnga; *f.* verrɔ̀; *p.a.* venni, venisti; *p.p.* venuto
vịncere, to win; *p.a.* vinsi, vincesti; *p.p.* vinto
°**vịvere,** to live; *f.* vivrɔ̀; *p.a.* vissi, vivesti; *p.p.* vissuto
°**volere,** to will, wish, want; *p.i.* vɔglio, vuɔi, vuɔle, vogliamo, volete, vɔgliono; *p.s.* vɔglia; *f.* vorrɔ̀; *p.a.* vɔlli, volesti; *impve.* vɔgli, vogliamo, vogliate
vɔlgere, to turn, revolve; *p.a.* vɔlsi, volgesti; *p.p.* vɔlto

Vocabulary

ITALIAN–ENGLISH

Articles, contractions, identical cognates, and words and expressions translated in the grammar sections are generally omitted from this vocabulary. The asterisk (*) before a verb indicates that it is conjugated with **ɛssere**; the sign (°) indicates that the verb sometimes takes **ɛssere** and sometimes **avere**, according to the meaning. Tonic open **e** is indicated by the symbol **ɛ**; tonic open **o** by **ɔ**; these two symbols, the dot below a vowel, and the written accent indicate stress. In words in which the stress is not indicated, it falls on the next to the last vowel. The acute accent (′) on a final **e** indicates that it is a close **e**. Italicized **s** and **z** are voiced.

A

a, ad to, at, about, in, for
abbạcchio *m.* spring lamb; **— ai fɛrri** *m.* broiled spring lamb
abbastanza *adv.* enough, sufficiently
abbondante abundant, plentiful
abitare (*pres.* **ạbito**) to live, dwell
ạbito *m.* dress, suit
***abituarsi** (*pres.* **mi abịtuo**) to become accustomed to, get used to
abituato, -a accustomed
***accadere** *irr.* to happen, befall
accanto (**a**) next to; **lì —**, next to it
accɛndere to light, turn on
accettare (*pres.* **accɛtto**) to accept
acciuga *f.* anchovy
accɔgliere *irr.* to welcome, greet
***accomodarsi** (*pres.* **mi accɔmodo**) to make oneself comfortable, make oneself at home, sit down
accompagnare to accompany
acconciatore *m.* (hair) stylist
accɔrdo *m.* agreement; **d'—**, in agreement, O.K.
***accɔrgersi** *irr.* to notice
ạcqua *f.* water
adɛsso now
adoperare (*pres.* **adɔpero**) to use
adorare (*pres.* **adoro**) to adore
adornare (*pres.* **adorno**) to adorn
Adriạtico *m.* Adriatic Sea
aɛreo, -a *adj.* air; **lịnea aɛrea** *f.* airline; **aɛreo** *m.* plane
aeroplano *m.* airplane
aeropɔrto *m.* airport
affatto at all; **non ... affatto** not at all
affinché so that, in order that
aff.mo, -a = affezionatịssimo, -a most affectionate (*in letters*)
affezionato, -a devoted
afflịggere (*p.p.* **afflitto**) to afflict
affollato, -a crowded
affrontare (*pres.* **affronto**) to come up against, take
agnɛllo *m.* lamb; **— al forno** *m.* roast lamb
agosto *m.* August
ah! oh!
ahimɛ̀! alas!
aiuto *m.* help
albɛrgo *m.* hotel
ạlbero *m.* tree; **— da frutta** *m.* fruit tree
Albɛrto Albert
alcuni, -e some
Alfa Romɛo *make of car*
Alighiɛri, Dante (1265–1321) *greatest Italian poet*
aliscafo *m.* hydrofoil
allegro, -a happy
allɔggio *m.* lodging
allora then; **d'— in pɔi** from then on
almeno at least
Alpi *f. pl.* Alps
alto, -a tall, high; **in alto** up
altrimenti otherwise
altro, -a other; **che altro** what else; **che altro di mɛglio** what better thing; **non altro che** nothing but; **tutt'altro** on the contrary, far from it
alunno *m.* (**alunna** *f.*) pupil
***alzarsi** to get up
Amalfi *a city near Naples, on the famous Amalfi drive*

ambizione *f.* ambition
americano, -a American
amica *f.* (*pl.* **amiche**) friend
amico *m.* (*pl.* **amici**) friend
ammirare to admire
ammiratore *m.* admirer
amore *m.* love
anacronismo *m.* anachronism
anche also, too, even
ancora yet, still, even
°**andare** *irr.* to go; — **a passẹggio** to go for a walk; — **bɛne per** to be all right for (*direction*)
Angɛlico: Fra — or **Il Beato** — (1387–1455) *great Italian painter*
ạngolo *m.* corner
anno *m.* year
annunziare (*pres.* **annụnzio**) to announce
ansioso, -a anxious
antico, -a ancient, old
anti-fascista *m.* anti-Fascist
Antɔnio Anthony
anzi in fact, rather
apparẹcchio *m.* set, appliance
apparɛnza *f.* appearance
°**apparire** *irr.* to appear
appartamento *m.* apartment
appena hardly; **non** — , as soon as, no sooner; — **che** as soon as
appetito *m.* appetite; **avere** — , to be hungry; **buɔn** — , enjoy your dinner; **sentire** — , to feel hungry
apprezzare (*pres.* **apprɛzzo**) to appreciate
appunto exactly
aprile *m.* April
aprire *irr.* to open
arạncia *f.* orange; **spremuta d'**— , *f.* orange juice
arạncio *m.* orange tree
architɛtto *m.* architect
architettura *f.* architecture
arco *m.* arch; bow
ạria *f.* air; **all'— apɛrta** in the open air
aristocrạtico, -a aristocratic
armato, -a armed
armonioso, -a harmonious
Arno *m.* *river that flows through Florence and Pisa*
°**arrivare** to arrive
arrivederla (*or* **arrivederci**) good-bye, so long
arte *f.* art; **le bɛlle arti** the fine arts
artịcolo *m.* article; object
artigianato *m.* handicraft
artista *m. or f.* artist
artịstico, -a artistic
ascensore *m.* elevator
asciutto, -a dry
ascoltare (*pres.* **ascolto**) to listen (to)
aspettare (*pres.* **aspɛtto**) to wait (for)
assai quite, very
assorbire (*pres.* **assɔrbo**) to absorb
atɔmico, -a atomic
attɛnto, -a (a) careful (with); **stare attɛnto (a)** to be careful (with)
attraversare (*pres.* **attravɛrso**) to cross
augurare (*pres.* **ạuguro**) to wish
ạula *f.* classroom
aumentare (*pres.* **aumento**) to increase
autista *m. or f.* driver
ạutobus *m.* bus
automɔbile *f.* automobile, car
automobilịstico, -a auto (*adj.*)
autostrada *f.* turnpike, highway
autunno *m.* autumn, fall
avanti forward, ahead
avere *irr.* to have; **avere ... anni** to be . . . old
Avignone Avignon, *a city in southern France, once the residence of the popes*
avvenire *m.* future
avvocato *m.* lawyer
azzurro, -a (dark) blue

B

babbo *m.* dad, father
badare (a) to pay attention (to)
bagnare to wet; °**bagnarsi** to bathe, get wet
bagnato, -a wet
bagno *m.* bath, bathroom; **stanza da** — , *f.* bathroom
balcone *m.* balcony
ballo *m.* dancing, dance
banca *f.* bank
barba *f.* beard; °**farsi la** — , to shave
barbiɛre *m.* barber; **fare il** — , to be a barber
Bargɛllo *m.* *important museum in Florence*
basịlica *f.* cathedral, basilica
basso, -a low
bastante enough, sufficient
°**bastare** *imper.* to be enough, be sufficient

bạttere to beat
battistɛro *m.* baptistry
bellezza *f.* beauty
Bellini, Giovanni (1426–1516) *early Venetian painter*
Bellini, Vincɛnzo (1801–1835) *famous Italian operatic composer*
bellịssimo, -a extremely beautiful
bɛllo, -a (**bɛi, bɛgli**) beautiful
bɛne (**bɛn**) well, fine; **va bɛne** that's fine
bɛne *m.* good; **fa bɛne alla salute** it's good for the health
benedetto, -a blessed
benzina *f.* gasoline
bere *irr.* to drink
bevanda *f.* drink
bianco, -a white
bibliotɛca *f.* library
bicchiɛre *m.* glass
biglietteria *f.* ticket office
biglietto *m.* ticket; **fare il biglietto** to get a ticket
biondo, -a blond
***bisognare** *imper.* (*pres.* **bisogna**) to need to, have to
bisogno *m.* need; **avẹr — di** to need
bocca *f.* mouth; **a — apɛrta** gaping
Boccạccio, Giovanni (1313–1375) *the greatest Italian writer of prose*
Bologna *f.* *important city in north central Italy*
bomba *f.* bomb
borsa (*or* **borsetta**) *f.* handbag
bottega *f.* shop
Botticɛlli, Sandro (1444–1510) *great Italian painter*
bottịglia *f.* bottle
bravo, -a good, capable; **bravo!** fine!
brɔdo *m.* soup; **pasta in —**, *f.* soup with noodles (or small macaroni)
Brunelleschi, Filippo (1377–1446) *famous Italian sculptor and architect*
bụio *m.* dark; **stare al —**, to stay in the dark
buɔno, -a good
burro *m.* butter

C

***cadere** *irr.* to fall; **lasciạr —**, to drop
caffɛ̀ *m.* coffee; breakfast; **caffellatte** (*or* **caffɛ̀ e latte**) *m.* coffee with milk; **caffɛ̀ esprɛsso** *m.* strong black coffee, demi-tasse
caldo, -a warm; hot
caldo *m.* heat; **fa —**, it's warm
Califɔrnia *f.* California
calore *m.* heat
calzolạio *m.* shoemaker
cambiare (*pres.* **cạmbio**) to change
cạmbio *m.* change (*coins*)
cạmera *f.* room; **— da lɛtto** *f.* bedroom; **in —**, in my room, in the room
cameriɛra f. maid
cameriɛre *m.* waiter
camịcia *f.* shirt
camminare to walk
campanile *m.* bell tower; **Campanile di Giɔtto** *m.* *famous tower next to the Duɔmo in Florence*
campo *m.* field
canale *m.* canal
candidato *m.* candidate
cantare to sing
canto *m.* canto (*of a poem*); singing; corner
Canzoniɛre *m.* *collection of poems of Petrarch*
capelli *m. pl.* hair; ***farsi tagliare i —**, to get a haircut
capire (**isco**) to understand
capo *m.* head
capolovoro *m.* masterpiece
cappɛllo *m.* hat
Capri *a picturesque island in the bay of Naples*
Carạcciolo: Via —, *one of the picturesque streets in Naples, running along the bay*
carbone *m.* coal
carciɔfo *m.* artichoke
carịssimo, -a dearest
Carlo Charles
caro, -a dear; expensive
carriɛra *f.* work, line of work
carta *f.* paper; menu; **— geogrạfica** *f.* map
cartolina *f.* postcard
casa *f.* house, home; **a —**, home, to the house; **in —**, at home; **— commerciale** *f.* business house; **— editrice** *f.* publishing house
casạccia *f.* awful house
casetta *f.* neat little house
caso *m.* case; opportunity, time
cassa *f.* cashier's window; cashier

cassetta *f.* drawer, tray
cattedrale *f.* cathedral
cattivo, -a bad
causa *f.* cause
causare (*pres.* **causo**) to cause
Cellini, Benvenuto (1500–1571) *celebrated goldsmith, sculptor, and writer*
cena *f.* supper, dinner
Cenacolo *m.* Last Supper
cenare to dine, have supper
cenno *m.* sign; hint
cɛnto one hundred
centrale central
cɛntro *m.* center
cercare (*pres.* **cerco**) to look for, search; **— di** to try to
cerimɔnia *f.* ceremony; **far cerimɔnie** to stand on ceremony
cɛrto (che) of course, certainly
cessare (*pres.* **cesso**) to stop
che that; than; who, whom, which; **che ... non** *conj.* without
che? what? **— cɔsa?** what? **— altro?** what else?
ché = perché for, because
chi who, whom; he who, the one who
chi? who? whom?
chiacchierone *m.* big talker
chiamare to call; ***chiamarsi** to be called; **si chiama** his (her) name is
chiaro, -a light (*color*), clear
chiave *f.* key
chiɛdere *irr.* to ask for, ask
chiɛsa *f.* church
chitarra *f.* guitar
chiudere *irr.* (*p.p.* **chiuso**) to close
chiunque whoever
ci *pron.* us
ci *adv.* there, to that place; **c'ɛ** there is; **ci sono** there are
ciao! hi! hello! good-bye!
ciascuno, -a each
cibo *m.* food
ciɛlo *m.* sky
cimitɛro *m.* cemetery
cinematografia *f.* movie industry
cinematɔgrafo (*or* **cinema**) *m.* movies
cinquanta fifty
cinque five
ciɔ̀ that; **cioɛ̀** that is
cioccolata *f.* chocolate, hot chocolate
cioccolato *m.* chocolate, hot chocolate
riprɛsso *m.* cypress
città *f.* city; **Città Etɛrna** Eternal City (Rome)
classe *f.* class
cliɛnte *m. or f.* customer
clientɛla *f.* clientele
colazione *f.* breakfast; lunch; **prima —**, *f.* breakfast; **seconda —**, *f.* lunch; **fare —**, to have lunch (*or breakfast*)
cɔlle *m.* hill
collɛgio *m.* boarding school; campus
collina *f.* hill
cɔllo a vu *m.* V-neck
colore *m.* color
colpa *f.* blame, fault
come how, what, like, just as, as; **come?** why? how is it that? **— mai?** how come?
cominciare (*pres.* **comincio**) to begin
comitiva *f.* group, committee
commɛdia *f.* comedy
commentare (*pres.* **commento**) to comment, write a commentary
commento *m.* commentary
commerciale commercial, business (*adj.*)
commɛrcio *m.* business
commessa *f.* saleslady
commesso *m.* salesman
cɔmodo *m.* comfort; **con tutto il —**, at complete leisure
cɔmodo, -a comfortable; convenient
compagna *f.* companion, friend, chum
compagno *m.* companion, friend, chum
competɛnza *f.* competence, ability
compleanno *m.* birthday
completamente completely
complɛto, -a complete, full
compositore *m.* composer
compra *f.* purchase
comprare (*pres.* **compro**) to buy
comprɛndere *irr.* to understand
comune common
comunque however
con with
concɛrto *m.* concert; concerto
concorso *m.* competition, competitive exam
condizione *f.* condition; **a — che** *conj.* on condition that
condurre *irr.* to lead, conduct
confondere (*p.p.* **confuso**) to confuse; ***confondersi (con)** to mingle, become confused (with)
connɛttere *irr.* to connect

conọscere *irr.* to know, be acquainted with
conseguɛnza f. consequence
conservare (*pres.* **consɛrvo**) to keep, preserve
considerare (*pres.* **consịdero**) to consider
consigliare (*pres.* **consịglio**) to advise, suggest
consommé *m.* consommé (*French word*)
contagioso, -a contagious
contare (*pres.* **conto**) to count
conteggiare (*pres.* **contẹggio**) to include in a bill, calculate
*__contentarsi__ (*pres.* **mi contɛnto**) to be satisfied
contentịssimo, -a very happy, very satisfied
contɛnto, -a happy
continɛnte *m.* continent
continuamente continually
continuare (*pres.* **contịnuo**) to continue
conto *m.* bill; account; **pagare il —**, to settle (*a bill*); **tenẹr — di** to keep in mind; **per — mio** for myself
contorno *m.* (*cooked*) vegetables (*as a side dish*)
contrabasso *m.* double bass
contribuire (**isco**) to contribute
contributo *m.* contribution
controllare (*pres.* **contrɔllo**) to check
conversare (*pres.* **convɛrso**) to converse, talk
conversazione *f.* conversation
coprire *irr.* to cover
cɔr = cuɔre *m.* heart
corạggio *m.* courage, nerve
cornetta *f.* cornet
cɔrpo *m.* body
°**correre** *irr.* to run
corrispọndere *irr.* to correspond
corso *m.* course, class; avenue; **seguire un —**, to take a course
cortese courteous
corto, -a short
cɔsa *f.* thing; **cɔsa?** *or* **che — ?** what?
così so, thus; **così ... come** as . . . as
*__costare__ (*pres.* **costo**) to cost; **— un ɔcchio** to cost a fortune
costruire (**isco**) to build, construct
cotesto (**codesto**), **-a** that (*near person spoken to*)
cɔtto, -a (*p.p.* of **cuɔcere**) cooked; **prosciutto cɔtto** *m.* boiled ham
cravatta *f.* necktie
crẹdere (*pres.* **credo**) to believe, have confidence in
crisi *f.* crisis
croce *f.* cross
crudo, -a raw; **prosciutto crudo** *m.* smoked (Italian) ham
cucina *f.* cooking; kitchen; **— elɛttrica** *f.* electric range
cugina *f.* cousin
cugino *m.* cousin
cultura *f.* culture
cụpola *f.* dome, cupola
curioso, -a curious
curva *f.* curve

D

da from, by; on; at the house of; **da noi** where we live
dappertutto everywhere, all over
dare *irr.* to give; *__darsi pensiɛro__ to worry
dato, -a (*p.p. of* **dare**) given; **dato che** since
davanti (**a**) in front (of)
davvero really
Decamerɔn (**Decamerone**) *collection of 100 short stories by Boccaccio*
decịdere *irr.* to decide; *__decịdersi__ (**a**) to decide (to)
decimoquarto, -a fourteenth
decimotɛrzo, -a thirteenth
delịzia *f.* delight, pleasure
denaro *m.* money
dentro inside
deserto, -a deserted
desiderare (*pres.* **desịdero**) to wish, want
destinazione *f.* destination
desto, -a awake
dɛstra *f.* right hand; **a —**, to the right
di of; than; from
dialɛtto *m.* dialect
dịalogo *m.* dialogue
dicɛmbre *m.* December
diciannɔve nineteen
diciassɛtte seventeen
diciɔtto eighteen
diɛci ten
diecimila ten thousand
diɛtro (**a**) behind

differɛnte different
differɛnza *f.* difference
diffịcile difficult, hard
difficoltà *f.* difficulty
dimenticare (*or* ***dimenticarsi**) to forget
dintorni *m. pl.* neighborhood, surroundings
Dio *m.* God; **Dio mio!** Good heavens!
***dipɛndere** (**da**) to depend (on)
dipịngere *irr.* to paint
dire *irr.* to say; **vuɔl dire** it means
dirimpɛtto (**a**) opposite
diritto: **sɛmpre —**, straight ahead
disastro *m.* disaster
***discẹndere** (*like* **scẹndere**) to come down
disco *m.* disk
discussione *f.* discussion
discụtere *irr.* to discuss
disegnare (*pres.* **disegno**) to design
disio *m.* desire
distante distant, far
distanza *f.* distance
***distịnguersi** to distinguish oneself
distruzione *f.* destruction
disturbare to disturb
dito *m.* (*pl.* **dita** *f.*) finger
ditta *f.* firm
***divenire** *irr.* to become
***diventare** (*pres.* **divento**) to become
***divertirsi** (*pres.* **mi divɛrto**) to have a good time, enjoy oneself
divịdere *irr.* to divide
diviɛto *m.* restriction; **— di parchẹggio** no parking
divino, -a divine; **Divina Commɛdia** *f.* Divine Comedy
dọccia *f.* shower
dodicɛsimo, -a twelfth
dọdici twelve
dodicimila twelve thousand
dolce sweet; **Dolce Stil Nuɔvo** *a style of poetry current at the end of the thirteenth century in Italy*
dolce *m.* dessert; **niɛnte —**, no dessert
dɔllaro *m.* dollar
domanda *f.* question; **far una —**, to ask a question
domandare to ask
domani tomorrow
domattina tomorrow morning
domẹnica *f.* Sunday
dominare (*pres.* **dọmino**) to dominate, rule
Donatɛllo (**Donato de' Bardi**) (1386–1466) *one of the greatest Italian sculptors*
Donizetti, Gaetano (1797–1848) *famous Italian operatic composer*
dɔnna *f.* lady, woman
donnetta *f.* charming little woman
dopo after; **— che** *conj.* after
dọppio, -a double
dormire (*pres.* **dɔrmo**) to sleep
dottore *m.* doctor
dove where; **di dov'ɛ̀?** where are you from?
***dovere** *irr.* to have to, owe
dozzina *f.* dozen
dubitare (*pres.* **dụbito**) to doubt; **non dụbiti!** don't worry! by all means!
due two; **siamo in due** there are two of us; **tutti e due** both
duecɛnto two hundred
duemila two thousand
duɔmo *m.* cathedral, duomo
durante during
***durare** to last

E

e, ed and
ebbɛne *adv.* well
eccellɛnte excellent
ɛcco here is, here are
economico, -a economical
edifịcio *m.* building
editrice editorial; **casa —**, *f.* publishing house
elegante elegant
elɛggere (*p.p.* **elɛtto**) to elect
Ɛlena Helen
elɛnco *m.* list
elettricista *m.* electrician
elɛttrico, -a electrical, electric
emigrare to emigrate
emigrato *m.* emigrant
***entrare** (*pres.* **entro**) to enter, go in
entrata *f.* entrance
Ɛnzo Vincent, Vin
ɛpoca *f.* era, epoch
eppure and yet
esagerato, -a excessive
esattamente exactly
esɛmpio *m.* example; **ad —**, *or* **per —**, for example

esercitare (*pres.* **esɛrcito**) to exercise, practice; follow (*a career*)
esercizio *m.* exercise
***esistere** (*pres.* **esisto**) to exist
esposizione *f.* exhibition, exhibit
esprimere *irr.* to express
***ɛssere** *irr.* to be
estate *f.* summer
estivo, -a summer (*adj.*)
eternamente eternally
etɛrno, -a eternal
Eurɔpa *f.* Europe
europɛo, -a European
evidentemente evidently

F

fa ago
fabbrica *f.* factory
facile easy
facilmente easily
facoltà *f.* faculty, college
falegname *m.* carpenter; **fare il —**, to be a carpenter
famiglia *f.* family
familiare familiar, family (*adj.*); **fɛsta —**, party, family gathering
famoso, -a famous
fantasia *f.* fantasy; **di —**, fancy, imaginative
fantastico, -a fantastic
fare *irr.* to make, do, let; **far colazione** to have breakfast (*or lunch*); **fare una domanda** to ask a question; **fare un viaggio** to take a trip; **fare l'università** to attend a university, go to college; **far portare** to have brought; ***farsi** to become; ***farsi ricco** to get rich; ***farsi il biglietto** to get one's ticket
fascismo *m.* Fascism
fatto *m.* fact; happening, event; **fatto sta** the point is, the fact is
favore *m.* favor; **per —**, please
favorito, -a favorite
febbraio *m.* February
Federico II (1194–1250) *learned king of Sicily, in whose court Italian literature began*
femminile feminine
***fermarsi** (*pres.* **mi fermo**) to stop
fermata *f.* stop
fermo, -a fixed
fɛrro *m.* iron; **ai fɛrri** broiled (*of meat*)
ferroviario, -a railway (*adj.*) **stazione ferroviaria** *f.* railroad station
fɛsta *f.* feast, holiday; **— familiare** *f.* party
FIAT = Fabbrica Italiana Automɔbili Torino *f.* *make of car*
fico *m.* fig tree; fig
fidanzata *f.* fiancée
Fiɛsole *f.* *ancient city (now a small village) on a hill overlooking Florence*
figlia *f.* daughter
figlio *m.* son
***figurarsi** to imagine; **si figuri!** my pleasure!
fila *f.* line, row
Filadɛlfia *f.* Philadelphia
finalmente finally, at last
finanche even, as far as
finché until
fine *f.* end
finɛstra *f.* window
finire (**isco**) to finish; **— per** to end up by
fino a until, up to; **fin da** ever since
fiorentino, -a Florentine
Firɛnze *f.* Florence, *city in Tuscany, in central Italy*
fisico, -a physical
fisso, -a fixed; **orario fisso** *m.* fixed hours
fiume *m.* river
flauto *m.* flute
fɔglio *m.* sheet (*of paper*)
fɔlla *f.* crowd
fondo *m.* back, background; **là in —**, back there, in the rear
fontana *f.* fountain; **Fontana di Trɛvi** *f.* Trevi Fountain
fɔrbici *f. pl.* scissors
forestiɛro *m.* foreigner
forma *f.* form
formaggio *m.* cheese
formare (*pres.* **formo**) to form
fornaio *m.* baker
forse perhaps
fɔrte *adj.* strong, loud; *adv.* hard
fortissimo, -a very strong
fortuna *f.* luck, good luck; **fare fortuna** to make some money
fotografia *f.* photograph
fra between, among, within; **— pɔco tɛmpo**) soon; **— di loro** among themselves
francese French

Francia *f.* France
Franco Frank
frase *f.* phrase; sentence; saying
fratɛllo *m.* brother
frattɛmpo: nel —, meanwhile
freddo *m.* cold; **fa —**, it's cold
freddo, -a cold
fresco, -a cool, fresh
fretta *f.* hurry; **aver —**, to be in a hurry; **in —**, hurriedly
frigorifero *m.* refrigerator
fritto, -a fried
fronte *f.* forehead; **di —**, opposite; **tener di —**, to keep before one's sight
frutta *f.* fruit
funzionare to function, work
fuɔri outside
furore *m.* furor; splendor
futuro *m.* future

G

gala *f.* gala; **serata di —**, gala evening, formal evening
Galilɛo: Galilɛo Galilɛi (1564–1642) *one of the world's great scientists, mathematicians, and astronomers; founder of the modern scientific method*
galleria *f.* covered promenade, shopping plaza
gassato, -a with gas (*fizz*)
generale general
generalmente generally
generazione *f.* generation
geniale genial
gɛnio *m.* genius
genitori *m. pl.* parents
gennaio *m.* January
gɛnte *f.* people
gentile kind, gracious
gentilezza *f.* courtesy
geografia *f.* geography
Germania *f.* Germany
Ghibɛrti, Lorɛnzo (1378–1455) *famous Italian sculptor, painter, and architect*
già already
giacca *f.* jacket, coat (*of a suit*)
giallo, -a yellow
giardino *m.* garden
ginɔcchio *m.* (*pl.* **ginɔcchia** *f.*) knee
Giorgio George
giornale *m.* newspaper
giornata *f.* day (*the whole day long*)
giorno *m.* day; **buɔn giorno** good morning; **di — in —**, from day to day
Giɔtto (di Bondone) (1276–1337) *great Florentine painter and architect*
giovane young; *m.* young man; *f.* young woman
Giovanni John
giovanɔtto *m.* sturdy young man
giovedì *m.* Thursday
gioventù *f.* youth
girare to turn; go around; wander
giro *m.* tour; **fare un —**, to walk around
gita *f.* trip, excursion; **fare una —**, to take a trip, go on an excursion
giù down
giugno *m.* June
gli *pron.* to him
glorioso, -a glorious
godere (*pres.* **gɔdo**) to enjoy
Goldoni, Carlo (1707–1793) *famous Italian playwright*
golfo *m.* bay, gulf
gondola *f.* gondola
gɔnna *f.* skirt
gorgonzɔla *m.* *type of blue cheese*
govɛrno *m.* government
grande (gran) big, large
grandioso, -a grandiose
gratis free
grato, -a grateful
grazie *f. pl.* thanks; **tante —**, thank you very much
grazioso, -a charming, gracious
grigio, -a grey
guadagnare to earn
guardare to look (at); ***guardarsi** to look at oneself
guardia *f.* guard
guɛrra *f.* war
guida *f.* guide; **far da —**, to act as a guide
guidare to drive

I

Iddio the Lord
idɛa *f.* idea
ideale ideal
iɛri yesterday; **iɛr l'altro** the day before yesterday
ignorante ignorant
illuminare (*pres.* **illumino**) to brighten up, illuminate

imbottito, -a stuffed; **panino imbottito** *m.* sandwich
imitatore *m.* imitator
immaginare (*pres.* **immạgino**) to imagine, picture
imparare to learn
impegnato, -a busy, occupied
impiegato *m.* clerk, employee
importante important
importantịssimo, -a most important
importanza *f.* importance
importare *imper.* (*pres.* **impɔrta**) to matter
impossịbile impossible
imprecazione *f.* curse, swear-word
impresa *f.* firm
impressione *f.* impression
incantẹvole enchanting, charming
incanto *m.* enchantment, charm
inclụdere (*p.p.* **incluso**) *irr.* to include
incomodare (*pres.* **incɔmodo**) to disturb, bother
incomparạbile incomparable, unsurpassed
incompetɛnte *m.* incompetent person
incontrare (*pres.* **incontro**) to meet
incoraggiare (*pres.* **incorạggio**) to encourage
indicare (*pres.* **ịndico**) to indicate
indụstria *f.* industry
industrioso, -a industrious
industriale industrial
infatti in fact
Infɛrno *m.* Hell; the first **cạntica** of the Divine Comedy
infinito *m.* infinitive
influsso *m.* influence
ingegnɛre *m.* engineer
Inghiltɛrra *f.* England
inglese *adj.* English; *m.* Englishman
inimitạbile inimitable
iniziare (*pres.* **inịzio**) to initiate, enter into, start
***innalzarsi** to arise
inoltre moreover
inquinamento *m.* pollution
insegnare (*pres.* **insegno**) to teach
insiɛme together; — **a** together with
insomma after all
intascare to pocket
intelligɛnte intelligent
intelligɛnza *f.* intelligence
***intɛndersi** (*pres.* **mi intɛndo**) to understand (each other)
intɛnso, -a intense
interessante interesting
interessare (*pres.* **interɛsso**) to interest, be of interest
interɛsse *m.* interest
interminạbile endless
intero, -a whole
intorno around; **tutt'intorno** all around
inụtile useless
inutilmente uselessly
invece instead, on the other hand
invenzione *f.* invention
invɛrno *m.* winter
invitare to invite
invito *m.* invitation
io I
Ịschia *picturesque island in the bay of Naples*
ịsola *f.* island
ispirazione *f.* inspiration
Itạlia *f.* Italy
italiano, -a Italian; *m.* Italian

L

la *pron.* her, it; you
là *adv.* there; **di —** , from there, there
labbro *m.* (*pl.* **labbra** *f.*) lip
***lagnarsi** to complain
lana *f.* wool
lanciare (*pres.* **lạncio**) to cast
largo, -a wide
lasciare (*pres.* **lạscio**) to leave, let; **lasciạr fare** to let one do as he wishes
lascivo, -a lewd
latino *m.* Latin
lato *m.* side
latte *m.* milk
lạurea *f.* degree
lavare to wash; ***lavarsi** to wash (oneself)
lavorare (*pres.* **lavoro**) to work
lavoro *m.* work
le *pron.* them
legge *f.* law
lɛggere *irr.* to read
Lɛi you (*pol.*)
Leonardo da Vinci (1452–1519) *the greatest genius of all times*
Leoncavallo, Ruggɛro (1858–1919) *famous Italian operatic composer*
lɛttera *f.* letter
letteratura *f.* literature
lɛttere *f. pl.* liberal arts

lɛtto *m.* bed; **cạmera a due lɛtti** *f.* double room
lettura *f.* reading selection
lezione *f.* lesson; class
li *pron.* them; you
lì *adv.* there; **— vicino** nearby
liberamente freely
liberare (*pres.* **lịbero**) to free
lịbero, -a free
libro *m.* book
liɛto, -a happy
limone *m.* lemon
lịnea *f.* line; figure; **— aɛrea** *f.* airline
lịngua *f.* language
linguạggio *m.* everyday speech, way of speaking
linguịstico, -a linguistic
lira *f.* lira (*unit of Italian currency*)
Lisa Lisa
lista *f.* list, menu
litro *m.* liter (*about a quart*)
lo *pron.* him, it
lontano, -a far; **— da** far from
Loro you; **il Loro, la Loro,** *etc.* your, yours
loro them, they, to them
il loro, la loro, *etc.* their, theirs
luce *f.* light
Lucia Lucy
lụglio *m.* July
lui him, he
Luigi Louis
Luisa Louise
lunedì *m.* Monday
lungo, -a long; **lungo** *prep.* along; **più a —**, further, more
luɔgo *m.* place
lusso *m.* luxury; **di —**, fashionable, expensive

M

ma but
mạcchina *f.* car; machine
macchinetta elɛttrica *f.* clippers
macɛllo *m.* butchery; **ɛ̀ un —**, it's murder
madre *f.* mother
maɛstro *m.* (**maɛstra** *f.*) teacher
magari in fact, perhaps
mạggio *m.* May
maggiore major, greater, larger
mạglia *f.* sweater
magnịfico, -a magnificent, fine
mai never; **non ... —**, never
male *adv.* bad, badly
male *m.* evil; ache; **non c'ɛ̀ —**, fairly well
mamma *f.* mother, mom
°**mancare** to fail, be missing
mạncia *f.* tip
mandare to send
mandolino *m.* mandolin
mangiare to eat; **qualche cɔsa da —**, something to eat
mạnica *f.* sleeve; **in mạniche di camịcia** in shirt sleeves
mano *f.* hand; **a —**, on hand
mantenere (*like* **tenere**) to keep, maintain
manzo ai fɛrri *m.* broiled beef, steak
marca *f.* brand
marciapiɛde *m.* sidewalk
mare *m.* sea
Maria Mary
marito *m.* husband
marmellata *f.* marmalade
marmo *m.* marble
marrone *invar.* brown, maroon
martedì *m.* Tuesday
marzo *m.* March
Mascagni, Piɛtro (1863–1945) *famous Italian operatic composer*
matita *f.* pencil
mattina *f.* morning
Mɛdici *famous family of Florence*
medicina *f.* medicine
mɛdico *m.* doctor, physician
medioɛvo *m.* Middle Ages
meditare (*pres.* **mɛdito**) to meditate, work out
Mediterrạneo *m.* Mediterranean
mɛglio *adv.* better; **far di —**, to do better
mela *f.* apple
melodia *f.* melody
meno minus; less; **a — che non** unless
mentre *adv.* while
menzionare to mention
meravịglia *f.* marvel, wonder
°**meravigliarsi** (*pres.* **mi meravịglio**) to be astonished
meraviglioso, -a marvelous
mercato *m.* shopping district, market
mercoledì *m.* Wednesday
meridionale southern
mese *m.* month
mestiɛre *m.* trade

mɛtro *m.* meter (*39.37 inches*)
mẹttere *irr.* to put, place; **— a luce** to bring to light; **— in mostra** to put on display; ***mẹttersi a** to start to
mɛzzo, -a half; **la mɛzza** half-past twelve; **mɛzz'oretta** *f.* about a half hour
mezzogiorno *m.* noon
mi me, to me, for me, myself
Michelạngelo Buonarrɔti (1475–1564) *one of the greatest artistic geniuses of all times*
migliore better; **il —**, the best
mila (*pl. of* **mille**) thousands
milanese *adj.* Milanese, from Milan
mille (*pl.* **mila**) one thousand
millɛnnio *m.* millennium, a thousand years
minerale mineral
minɛstra *f.* soup, first course
minestrone *m.* thick vegetable soup
minuto *m.* minute
il mio, la mia, *etc.* my, mine
misura *f.* size
mɔbili *m. pl.* furniture
mɔda *f.* fashion, style; **ɛ̀ di —**, it's in style
modɛllo *m.* model
moderato, -a moderate
modernịssimo, -a extremely modern
modɛrno, -a modern
modɛsto, -a modest, simple
mɔdo *m.* way
mọglie *f.* wife
molestare (*pres.* **molɛsto**) to bother
molto, -a much, a great deal; *pl.* many; **molto** *adv.* very
momento *m.* moment
mondiale world (*adj.*), world-wide
mondo *m.* world
moneta *f.* coin, change; **— da diɛci lire** *f.* ten-lire coin
montagna *f.* mountain; **in —**, in the mountains
monte *m.* mountain
mɔri = muɔri (*from* **morire**) (*Mori is actually a small town in the Alps.*)
***morire** (*p.p.* **mɔrto**) to die
mortadɛlla *f.* Bologna sausage
mɔrto *m.* dead (person)
mostrare (*pres.* **mostro**) to show
motore *m.* motor
motoscafo *m.* motor boat
movimento *m.* motion, movement
***muɔversi** *irr.* to move
muratore *m.* mason, bricklayer
musɛo *m.* museum
mụsica *f.* music

N

Nạpoli *f.* Naples, *largest city south of Rome*
napolitano, -a Neopolitan
***nạscere** *irr.* to be born
Natale *m.* Christmas
natura *f.* nature
naturale natural (*without fizz*)
nazione *f.* nation, country
ne of it, of them, some of it, some of them
né neither; **non ... né ... né** neither . . . nor
necessạrio, -a necessary; **tutto il necessạrio** whatever is necessary
negare (*pres.* **nɛgo**) to deny
negɔzio *m.* store, shop
nemmeno: non ... —, not even
nero, -a black
nessuno, -a no; *pron.* no one
neve *f.* snow
°**nevicare** *imper.* (*pres.* **nẹvica**) to snow
nɔ no, not
niɛnte nothing
nɔbile noble
noleggiare (*pres.* **nolẹggio**) to rent (*a car*)
nome *m.* name
non not
nɔnna *f.* grandmother
nɔnno *m.* grandfather
nɔrd *m.* north
il nɔstro, la nɔstra, *etc.* our, ours
notare (*pres.* **nɔto**) to notice
notẹvole notable
notizia *f.* news, piece of news
nottata *f.* night (*the whole night*)
nɔtte *f.* night; **di —**, at night
nɔve nine; **alle —**, at nine o'clock
novɛlla *f.* novella, short story
novelliɛre *m.* novelist, story teller
novɛmbre *m.* November
novità *f.* novelty, something new
nụmero *m.* number
Nuɔva York *f.* New York
nuɔvo, -a new; **che c'ɛ̀ di nuɔvo?** what's new?

O

o or; **o ... o** either . . . or
occasione *f.* opportunity; bargain
ɔcchio *m.* eye; **a ɔcchi apɛrti** with eyes open
occidentale western, occidental
***occuparsi (di)** (*pres.* **mi ɔccupo**) to busy oneself (with), to deal (with)
occupazione *f.* job, occupation
offrire *irr.* (*p.p.* **offɛrto**) to offer
oggɛtto *m.* object
ɔggi today
ogni every, each
ognuno, -a each (one); *pron.* each one
oliva *f.* olive
olivo *m.* olive tree
oltre beyond
ɔpera *f.* opera; work; **— d'arte** *f.* masterpiece, work of art
operaio *m.* workman
operistico, -a operatic
opposto, -a opposite
ora *adv.* now
ora *f.* hour, time; **a che — ?** at what time? **che — ɛ̀?** *or* **che ore sono?** what time is it?
oralmente *adv.* orally
oramai now, nowadays
orario *m.* hours, schedule
ordinale ordinal
oretta *f.* an hour more or less
origine *f.* origin
orizzonte *m.* horizon
orolɔgio *m.* clock, watch
ospedale *m.* hospital
osservare (**ossɛrvo**) to observe
ɔsso *m.* (*pl.* **ɔssa** *f.*) bone
ɔttimo, -a excellent
ɔtto eight
ottobre *m.* October
ottocɛnto eight hundred

P

padre *m.* father
paese *m.* country; town
paesɛllo (*dim. of* **paese**) *m.* little town
pagare to buy
paio *m.* (*pl.* **paia** *f.*) pair, few
palazzo *m.* palace; **Palazzo Pitti** Pitti Palace (*a museum of art in Florence*); **Palazzo dei Dogi** Doges' Palace (*in Venice*)
Palɛrmo *the largest and one of the most important cities in Sicily*
pane *m.* bread
panino *m.* bun, roll; **— imbottito** *m.* sandwich
panorama *m.* view, panorama, countryside
pantaloni *m. pl.* trousers; slacks
papa *m.* pope
paragonare (*pres.* **paragono**) to compare
parcheggiare (*pres.* **parcheggio**) to park
parcheggio *m.* parking
parco *m.* park
parecchi, -ie several
parecchio: da — (tɛmpo) for some time
parɛnte *m. or f.* relative
parɛntesi *f.* parentheses
***parere** *irr.* to seem; **che te ne pare?** what do you think of it?
parlare to talk, speak
parmigiano *m.* Parmesan, *a type of cheese*
parɔla f. word
parte *f.* part; **far — di** to be a part of; **di che — ?** from what part? **in gran —**, for the most part, mostly
***partire** to leave, depart
passaggio *m.* passage
passante *m.* passerby
passare to pass (by); happen (to); spend
passato, -a past
passato *m.* past
passeggiare (*pres.* **passeggio**) to walk, stroll
passeggiata *f.* walk, stroll; **fare una —**, to take a stroll
passeggio *m.* stroll; **andare a —**, to go for a stroll
passo *m.* step; **fare due passi** to take a short walk; **a due passi** a few steps away
pasta *f.* (piece of) pastry; macaroni; **— asciutta** macaroni; **— in brɔdo** *f.* soup with noodles
pastina *f.* tiny macaroni (*as in alphabet soup*)
pasto *m.* meal
patatine fritte *f. pl.* French fries
paura *f.* fear; **aver —**, to be afraid
pavimento *m.* floor
pazienza *f.* patience

peccato! too bad!
pedone *m.* pedestrian
pɛlle *f.* skin; leather; **lasciarci la —**, to "croak," lose one's life
pellịcola *f.* film
pena *f.* pain, trouble; **valẹr la —**, to be worth while
penịsola *f.* peninsula
penna *f.* pen
pensare (a) to think (of)
pensiɛro *m.* thought, worry
pensione *f.* boarding house, board, meals; pension
per to, for, in order to, through; **— di più** moreover
pera *f.* pear
perché because; *conj.* so that; **perché?** why?
perciɔ̀ that's why, therefore, for that reason
pɛrdere *irr.* to lose; ***pɛrdersi** to get lost
perfɛtto, -a perfect
***perfezionarsi** to perfect oneself
perfezione *f.* perfection
perịcolo *m.* danger
periferia *f.* outskirts (*of a city*); **in —**, in the suburbs
permẹttere (*like* **mẹttere**) *irr.* to permit, allow
perɔ̀ however
perpɛtuo, -a perpetual, everlasting
Pɛrseo *m.* Perseus, *bronze statue by Benvenuto Cellini*
persiana *f.* shutter
persona *f.* person; *pl.* people
personạggio *m.* personage, character (*in a play*)
personale personal
personalmente personally
pesante heavy
peso *m.* weight
Petrarca Petrarch (1304–1374), *one of the most famous Italian poets and humanists*
petrɔlio *m.* oil
***pettinarsi** (*pres.* **mi pɛttino**) to comb one's hair
pɛzzo *m.* piece
***piacere** to please, be pleasing to
piacere *m.* pleasure
piacẹvole pleasant
pianista *m. or f.* pianist
piano *m.* floor, story; plan
pianofɔrte *m.* piano
pianterreno *m.* ground floor, first floor; **al —**, on the ground floor
piattino *m.* saucer, plate
piatto *m.* plate
piazza *f.* square; **Piazza San Marco** *f.* Saint Mark's square (*in Venice*); **Piazza della Signoria** *f.* *square in front of the Palazzo Vecchio in Florence*
Piazzale Michelạngelo *m.* *large, open square above the city of Florence*
pịccolo, -a small
piɛde *m.* foot; **ɛssere in piɛdi** to be up; **ɛssere fra i piɛdi** to be under foot; **da capo a piɛdi** from head to foot; **in piɛdi** standing
Piemonte *m.* Piedmont, *region in northwestern Italy*
pietanza *f.* course (*at dinner*)
pinacotɛca f. art gallery
piɔggia *f.* rain
°**piɔvere** *irr.* to rain
Pisa *f.* *important city in Tuscany, on the Arno*
pisɛllo *m.* pea
pittore *m.* painter
pittoresco, -a picturesque
pittura *f.* painting
più more; **di —**, more; **il —**, the most; **molto di —**, much more
piuttɔsto (**che**) rather (than)
plebiscito *m.* plebiscite; **Piazza del Plebiscito** *f.* *a square in Naples*
pɔchi, pɔche few
pɔco, -a little, small; **un pɔco** (**pɔ'**) a bit; **in pɔco tɛmpo** in a short time
poesia *f.* poetry, poem
poɛta *m.* poet
pɔi then, afterward, after all, besides
poiché since
polịtica *f.* political course
politicamente politically
pollo *m.* chicken; **— arrɔsto** *m.* roast chicken
poltrona *f.* soft chair, easy chair
pomerịggio *m.* afternoon
Pompɛi Pompeii, *a city near Naples, buried by the ashes of Vesuvius in 79 A.D.*
ponte *m.* bridge; **— di Rialto** *m.* the Rialto bridge (*in Venice*)
pɔpolo *m.* people, common crowd
porre *irr.* to put

pɔrta *f.* door, gate; **Pɔrta Pinciana** *f.* *old Roman gate at the beginning of Via Veneto*
portare (*pres.* **pɔrto**) to carry; wear
pɔrto *m.* harbor
Posịllipo *residential hill in Naples, overlooking the bay*
posizione *f.* position
possedere *irr.* to possess
possịbile possible
pɔsta *f.* mail; **— aɛrea** *f.* air mail
posto *m.* place, seat
°**potere** *irr.* to be able, can
pɔvero, -a poor
pranzare to dine
pranzo *m.* dinner, main meal
prato *m.* lawn
predicare (*pres.* **prɛdico**) to preach
preferire (**isco**) to prefer
pregiare to prize, appreciate
prɛgo you are welcome
prɛndere *irr.* to take, take on; catch; **— un raffreddore** to catch a cold; **prɛndere la sua strada** to go one's way
*°**preoccuparsi** (**di**) (*pres.* **mi preɔccupo**) to worry (about)
preparare to prepare
presentare (*pres.* **presɛnto**) to present, introduce
presɛnte *m.* present
prɛsto early, soon; **far —**, to be quick, hurry
prɛzzo *m.* price
prima *adv.* first; **— che** *conj.* before; **— di** *prep.* before
primavɛra *f.* spring
primo, -a first
principale principal, main
principalmente principally, mainly
princịpio *m.* beginning; **al —**, in the beginning
probạbile probable
problɛma *m.* problem
produrre *irr.* to produce
produzione *f.* production
professione *f.* profession, career
professore *m.* professor, teacher
professoressa *f.* professor, teacher
profondo, -a deep
profumato, -a perfumed
promẹttere *irr.* (*like* **mẹttere**) to promise
pronto, -a ready
pronụnzia *f.* pronunciation
proposizione *f.* sentence
proprietạrio *m.* proprietor
prɔprio, -a own; **prɔprio** *adv.* exactly, just, really
prɔsa *f.* prose; **scrittore di prɔse** *m.* prose writer
prosạico, -a prosaic
prosciutto *m.* ham; **— cɔtto** *m.* boiled ham; **— crudo** *m.* smoked (Italian) ham
prɔssimo, -a next
protɛggere *irr.* to protect
prɔva *f.* exam
provare (*pres.* **prɔvo**) to try on, try
provɛrbio *m.* proverb
provịncia *f.* province
provolone *m.* *type of cheese*
pụbblico *m.* public
Puccini, Giạcomo (1858–1924) *one of the most famous Italian composers of operatic music*
pulire (**isco**) to clean
pulito, -a clean
pullman *m.* bus
punto *m.* point, place
purché provided, as long as
pure still, as long as; **se —** *conj.* even if; **vada —**, go right ahead
puro, -a pure
purtrɔppo still, unfortunately

Q

quạ here; **di —**, here, this way
quadɛrno *m.* notebook
quadro *m.* picture, painting
qualche some; **— cɔsa** *f.* something
quale (**qual**) *inter. adj. and pron.* which, what, which one; **il —**, (**la quale, i quali, le quali**) *rel. pron.* who, whom, which, that
qualsịasi any
qualụnque whichever
quando when; **di — in —**, from time to time, occasionally
quanto how much; how long; **per —**, no matter how long
quanto, -a? how much? **quanti, -e?** how many?
quarantamila forty thousand
quartino *m.* *quarter of a liter of wine (half a pint)*
quarto, -a fourth

quasi almost
quattọrdici fourteen
quattro four
quello (quel), -a that; *pl.* those; **quel che** what, that which
questi *pron.* the latter
questo, -a this; *pl.* these
quị here; **— vicino** near here
quindi therefore
quịndici fifteen
quinto, -a fifth

R

raccontare (*pres.* **racconto**) to tell, narrate
rạdio *f.* radio
Raffaεllo (Raffaεllo Sạnzio da Urbino) Raphael (1483–1520), *one of the most beloved painters*
ragazza *f.* girl, young lady
ragazzo *m.* boy, youngster
raggiụngere (*like* **giụngere**) to reach
ragione *f.* reason; **avẹr —**, to be right
ragionẹvole reasonable
***rallegrarsi** to be happy, rejoice
rammentare (*pres.* **rammento**) to remind; ***rammentarsi** to remember
rạpido, -a rapid, fast
raro, -a rare
rasọio *m.* razor
***rassegnarsi** (*pres.* **mi rassegno**) to resign oneself
Ravenna *f.* *city in Romagna (Emịlia), in north central Italy*
recitare to recite
regione *f.* region
rεndere *irr.* to render, make; ***rεndersi conto di** to realize
residεnza *f.* residence
Respighi, Ottorino (1879–1936) *famous Italian composer*
respirare to breathe
***restare** (*pres.* **rεsto**) to stay, remain
restạuro *m.* restoration
rεsto *m.* rest; change (*when paying a bill*)
rete *f.* network
***ribellarsi** (*pres.* **mi ribεllo**) to rebel, revolt
ribrezzo: far —, to be revolting
ricco, -a rich
ricẹvere (*pres.* **ricevo**) to receive
richiamare to recall, call back
richiεdere *irr.* to require
riconọscere (*like* **conọscere**) to recognize
ricordare (*pres.* **ricɔrdo**) to remember, mention; ***ricordarsi** to remember
ricɔrdo *m.* memory, remembrance; souvenir, reminder
***ricọrrere** (*like* **cọrrere**) to recur
ridurre (*p.p.* **ridotto**) *irr.* to reduce, come to
***riferirsi** (**isco**) to refer
***rimanere** *irr.* to remain
Rinascimento *m.* Renaissance
rinomato, -a famous
riparazione *f.* repair
ripεtere to repeat
riposare (*pres.* **ripɔso**) to rest; ***riposarsi** to take a rest
ripɔso *m.* rest
riprεndere (*like* **prεndere**) to take back, take up again
riscaldare to warm, heat
riso *m.* rice
risɔlvere (*p.p.* **risɔlto**) *irr.* to resolve
rispọndere *irr.* to answer
ristorante *m.* restaurant
***ritornare** (*like* **tornare**) to return
ritorno *m.* return
ritrovare (*like* **trovare**) to find again
ritrɔvo *m.* meeting place
riunire (**isco**) to gather; ***riunirsi** to get together
***riuscire (a)** (*like* **uscire**) to succeed (in)
Riva degli Schiavoni *f.* *promenade near Saint Mark's Square in Venice*
rivedere (*like* **vedere**) to see again
Robεrto Robert
Roma *f.* Rome
romanesco, -a Romanesque
romano, -a Roman, from Rome; *m.* *type of cheese*
rọmpere *irr.* to break
Rɔsa Rose
Rossini, Gioacchino (1792–1868) *famous Italian composer of operatic and symphonic music*
rosso, -a red; **rosso** *m.* red wine
rumoroso, -a noisy

S

sạbato *m.* Saturday
sala *f.* room, large room, hall: **— da pranzo** *f.* dining room

salame *m.* salami
salciccia *f.* sausage
saldo *m.* sale
***salire** *irr.* to rise, go up; **far —**, to raise
salɔtto *m.* living room; **in —**, in the living room
***salutarsi** to greet; say good-bye
salute *f.* health
saluti *m. pl.* regards
San Miniato al Monte *beautiful church overlooking Florence*
San Piεtro Saint Peter's (*in Rome*)
Santa Croce *a cathedral in Florence*
Santa Lucia *picturesque bay in Naples*
Santa Maria Novεlla *historic church in Florence*
sapere *irr.* to know
sarto *m.* tailor
sbaglio *m.* mistake
***sbagliarsi** (*pres.* **mi sbaglio**) to be mistaken
scala *f.* stairway, stairs; **La Scala** *world-famous opera house in Milan*
scarpa *f.* shoe
scegliere *irr.* to choose
***scendere** *irr.* to come down
schermo *m.* screen
sciagura *f.* trouble, misfortune
sciεnza *f.* science
scienziato *m.* scientist
sciɔpero *m.* strike; **fare lo —**, to go on strike
scolastico, -a school (*adj.*), scholastic
scolpire (**isco**) to sculpture
scɔmodo, -a uncomfortable
sconto *m.* discount; **fare uno —**, to give a discount
scɔpo *m.* purpose
scoprire *irr.* (*pres.* **scɔpro**) to discover
scorso, -a past, last
scritto (*p.p. of* **scrivere**) written; *m.* writing
scrittore *m.* writer
scrivere *irr.* to write
scultore *m.* sculptor
scuɔla *f.* school
scusare to excuse
se if
sebbεne although
secco, -a dry
sεcolo *m.* century; **— decimoquarto** fourteenth century
secondo, -a second; **secondo** *prep.* according to; **secondo** *n. m.* second course, main course (*in a meal*)
sεde *f.* residence; home office
***sedersi** *irr.* to sit down
sedici sixteen
segno *m.* sign, mark
segretaria *f.* secretary
seguεnte following, next
seguire to follow; take a course
sεi six
self-service *m.* cafeteria
semaforo *m.* traffic light
***sembrare** (*pres.* **sembro**) to seem, look like
sεmpre always; **per —**, forever; **— diritto** straight ahead
sεnso *m.* direction; sense
sentire (*pres.* **sεnto**) to hear; feel; **sentir parlare di** to hear about; ***sentirsi** to feel
senza without; **— che** *conj.* without
***separarsi** to separate, go a different way
sera *f.* evening, night; **di —**, in the evening
serata *f.* evening; **— di gala** gala evening, formal evening
serenata *f.* serenade
sεrio, -a serious; **sul sεrio** seriously
servire (*pres.* **sεrvo**) to serve, be of use; **— da** to serve as; **a che sεrve?** of what use is?
servizio *m.* service; **fare il —**, to make the run
seta *f.* silk
sεtte seven
settεmbre *m.* September
settimana *f.* week; **a —**, by the week
severo, -a severe, cruel
sezione *f.* section
sguardo *m.* look, glance
sì yes
sì che so that
Sicilia *f.* Sicily
siciliano, -a Sicilian
sicuro, -a sure
signora *f.* madam, lady, Mrs.; landlady
signore *m.* gentleman, sir, Mr.
signorina *f.* young lady, Miss
silεnzio *m.* silence
simile similar
simmetria *f.* symmetry
singolo, -a single
sinistra *f.* left hand; **a —**, to the left
situazione *f.* situation

soave soft
soffrire (*p.p.* **sofferto**) to suffer (through)
sole m. sun, sunshine; **c'è un bel —**, the sun is shining; **prendere il —**, to get some sunshine, bask in the sun
solito, -a usual
solitudine *f.* solitude
solo, -a alone, single; **solo** *adv.* only
soltanto *adv.* only
soluzione *f.* solution
sommo, -a supreme, highest, greatest
sopra above; **al di —**, over and above
soprattutto especially
sorella *f.* sister
sospeso, -a suspended
sospettare (*pres.* **sospetto**) to suspect
sospiro *m.* sigh
sotto under
sovrumano, -a superhuman
spaghetti al burro *m. pl.* spaghetti with butter
spalla *f.* shoulder; **alle spalle degli altri** at someone else's expense
***sparire** (**isco**) to disappear
spazioso, -a spacious, wide open
speciale special
specialmente especially
specie *f.* kind
spedire (**isco**) to send
spendere *irr.* to spend
spengere (*or* **spegnere**) *irr.* to put out, turn off
speranza *f.* hope
sperare (*pres.* **spero**) to hope
spesso often
spettacolo *m.* sight, spectacle
spiaggia *f.* beach
spiccioli *m. pl.* coins, change
spiegare (*pres.* **spiego**) to explain
spinaci *m. pl.* spinach
spirito *m.* morale; spirit, soul
spola: fare la —, to commute
spopolato, -a uncrowded, deserted
sporco, -a dirty
sportello *m.* ticket window
***sposarsi** (**con**) to get married (to)
spremuta *f.* juice; **— d'arancia** *f.* orange juice
squisito, -a exquisite
stagione *f.* season
stamattina this morning
***stancarsi** to get tired
stanco, -a tired
stanza *f.* room; **— da bagno** *f.* bathroom
***stare** *irr.* to be; **— attento** to pay attention; **— bene** to be well, be well off; **— per** to be about to; **fatto sta** the point is, the fact is
stasera this evening
Stati Uniti *m. pl.* United States
stato *m.* state
stato (*p.p.* of **essere** *or* **stare**) been
statua *f.* statue
stazione *f.* station; channel; **— ferroviaria** *f.* railroad station
stesso, -a self, same
stile (**stil**) *m.* style
stipendio *m.* salary, wage
storia *f.* history
storico, -a historical
stornello *m.* refrain
strada *f.* street, route, way; **prendere la sua —**, to go one's way
straduccia (*dim. of* **strada**) *f.* narrow street, alley
straniero, -a foreign; **straniero** *m.* foreigner, stranger
striscia *f.* streak
strumento *m.* instrument
studente *m.* student
studentessa *f.* (girl) student
studiare (*pres.* **studio**) to study
studio *m.* study; **fare gli studi** to carry on one's studies
stupefatto, -a dumfounded
stupendo, -a stupendous
su on, upon; **su, via!** come now!
subire (**isco**) to undergo
subito immediately
succursale *f.* branch office
sud *m.* south
sudicio, -a dirty, filthy
sufficiente sufficient, enough
sugo *m.* sauce; **— di pomodoro** tomato sauce
il suo, la sua, i suoi, le sue his, hers, its; your
il Suo, la Sua, *etc.* your; **i Suoi** your family
suonare (*pres.* **suono**) to ring; play an instrument
superbo, -a superb, splendid
superiore superior
superlativo *m.* superlative
supermercato *m.* supermarket
supplemento *m.* supplement

suprɛmo, -a supreme
***svegliarsi** (*pres.* **mi svẹglio**) to wake up
svẹglio, -a awake
svẹndita *f.* sale
sviluppare (*pres.* **sviluppo**) (*or* ***svilupparsi**) to develop
***svɔlgersi** (*like* **vɔlgere**) to develop, be, unfold

T

tagliare (*pres.* **tạglio**) to cut
tạglio *m.* cut, style
tale (**tal**) such, such a
tanto, -a so much, so; *pl.* so many; **tanto** *adv.* so much, so
tardi *adv.* late; **più —**, later
tassì *m.* taxi
tạvola *f.* table; **a —**, at the table
tạvolo *m.* table, desk
teatro *m.* theater
telɛfono *m.* telephone
televisione *f.* television; **— a colori** *f.* color television
televisore *m.* television set
tɛma *m.* subject, theme
tɛmpo *m.* weather; time; **che — fa?** how is the weather? **fra pɔco —**, soon; **ad altri tɛmpi** before
tenere *irr.* to keep, hold; **— conto di** to keep in mind
tentativo *m.* trial, attempt
teoria *f.* theory
terminare (*pres.* **tɛrmino**) to be over, finish
Tɛrmini: Stazione —, *the main railroad station in Rome*
tɛrra *f.* ground, earth
tɛsi *f.* thesis
tɛsta *f.* head
tɛsto *m.* text
Tẹvere *m.* Tiber, *river that runs through Rome*
tinto, -a tinted
Tintoretto (**Iạcopo Robusti**) (1518–1594) *famous Venetian painter, pupil of Titian*
tipo *m.* type, kind
tirare to pull; blow; **tira vɛnto** the wind is blowing, its windy
Tiziano Vecɛllio Titian (1477–1576) *the greatest painter of the Venetian school*
tolɛtta (*or* **toelɛtta**) *f.* toilet, bathroom
tollerạbile bearable
tomba *f.* tomb
Tommaso: San Tommaso d'Aquino St. Thomas Aquinas (1225–1274) *great medieval philosopher and theologian*
tonno *m.* tuna fish
Torino *m.* Turin, *capital of the region of Piemonte*
***tornare** (*pres.* **torno**) to come back, return; **— un'altra volta** to come back
torre *f.* tower
tɔrto *m.* wrong; **avẹr —**, to be wrong
Toscana *f.* Tuscany, *region in central Italy*
totale *m.* total
trạccia *f.* trace
tradurre *irr.* to translate
trạffico *m.* traffic
trasportare (*pres.* **traspɔrto**) to transport, carry around
tre three
trecɛnto three hundred: **Trecɛnto** *m.* fourteenth century
trẹdici thirteen; **alle —**, at one in the afternoon
trɛno *m.* train
trenta thirty
trentamila thirty thousand
trombone *m.* trombone
trɔppo, -a too much; *pl.* too many; **trɔppo** *adv.* too much
trovare (*pres.* **trɔvo**) to find; ***trovarsi** to be located, find oneself
tuba *f.* tuba
tuonare *imper.* (*pres.* **tuɔna**) to thunder
turista *m. or f.* tourist
Tụscia *f.* *ancient Tuscany*
tutti everyone, all; **— e due** both
tutto everything; **il —**, the whole thing
tutto, -a all; **tutto ciò** all that

U

uccɛllo *m.* bird
uffịcio *m.* office; **— postale** *m.* post office
Uffizi *m. pl.* *largest art gallery in Florence*
uguale equal, the same
ugualmente equally
ụltimo, -a last, latest
umanista *m.* humanist

umano, -a human
Umbɛrto Primo (1844–1900) Humbert the First, *King of Italy*
ụmido, -a humid, wet
un, una a, an; one; **uno** *pron.* one
ụndici eleven
ụnico, -a unique
università *f.* university
universitạrio, -a university (*adj.*)
univɛrso *m.* universe
uɔmo *m.* (*pl.* **uɔmini**) man
uɔvo *m.* (*pl.* **uɔva** *f.*) egg
usanza *f.* custom
usare to use
***uscire** *irr.* to go out
uso *m.* usage, style
uva *f.* grapes

V

vacanza *f.* (*or* **vacanze** *f. pl.*) vacation
***valere** *irr.* to be worth; **— la pena** to be worth while
valle *f.* valley
valore *m.* value
vaporetto *m.* steamer, launch
vari, vạrie various
variạbile variable
vasto, -a vast
Vaticano *m.* Vatican
vecchietto *m.* nice little old man
vɛcchio, -a old
vedere *irr.* to see; **non — l'ora di** to be very anxious to
veduta *f.* view
veloce fast
vẹndere (*pres.* **vendo**) to sell
vẹndita *f.* sale
venerdì *m.* Friday
Venɛzia *f.* Venice
veneziano, -a Venetian
***venire** *irr.* to come; **— all'incontro** to come *or* go to meet
venti twenty
ventimila twenty thousand
vɛnto *m.* wind; **tira —**, the wind is blowing, it's windy
veramente really, truly
verde green
Verdi, Giusɛppe (1813–1901) *the greatest Italian operatic composer*
vero, -a true, real; **non ɛ̀ vero?** isn't it so?
vɛrso *adv.* toward, about; *n. m.* verse
***vestirsi** (*pres.* **mi vɛsto**) to get dressed
Vesụvio *m.* Vesuvius
vetrina *f.* showcase, shop window
vi there, in it; *pron.* you
via *f.* road, street; *adv.* away, by way of, via
Via Vɛneto *f.* *one of the most popular streets in Rome*
viaggiare (*pres.* **viạggio**) to travel
viạggio *m.* trip, journey; **buɔn —!** pleasant journey!; **fare un —**, to take a trip
vicino *m.* neighbor
vicino, -a near, nearby; **vicino (a)** near
vịgile *m.* policeman, traffic cop
villạggio *m.* village
villeggiatura *f.* country holiday, vacation; **in —**, on vacation
villino *m.* private house, small villa
vino *m.* wine
violinista *m. or f.* violinist
violino *m.* violin
visione *f.* vision
vịsita *f.* visit, social call; **fare una —**, to pay a visit
visitare (*pres.* **vịsito**) to visit
vista *f.* sight, view; **in bɛlla —**, in full view
visto (*p.p. of* **vedere**) seen
vita *f.* life
vitɛllo *m.* veal; **— arrɔsto** *m.* roast veal
Vitɛrbo *ancient city about 50 miles north of Rome*
vịttima *m.* victim
vivace lively, bright
Vivaldi, Antọnio (1675–1741) *great Italian composer*
°**vịvere** (*p.p.* **vissuto**) to live
vivo, -a alive
voce *f.* voice
vɔglia *f.* desire; **venire la —**, to get a desire, feel like
volentiɛri willingly
°**volere** *irr.* to wish, want; **volẹr bɛne a** to like; **vuɔl dire** it means; ***volerci** to require
volo *m.* flight
vɔlta *f.* time; **una —**, once; **una — l'anno** once a year; **un'altra —**, again; **a sua —**, in turn; **qualche —**, sometimes
Vɔmero *m.* *fashionable hill in Naples*

Z

zɛro *m.* zero
zia *f.* aunt
zio *m.* uncle
zɔna *f.* zone
zuppa *f.* soup

ENGLISH–ITALIAN

A

a, an un, una, uno, un'
able: be —, potere *irr.*
about di, su, circa; verso; **to be — to** stare per
above al di sopra
absorb assorbire (isco) *irr.*
abundant abbondante
accept accettare (*pres.* accɛtto)
accompany accompagnare
according to secondo
accustomed abituato, -a; **become — to** *abituarsi
admire ammirare
admirer ammiratore *m.*
adore adorare (*pres.* adoro)
adorn adornare (*pres.* adorno)
afflict affliggere *irr.*
after dopo (di) (*prep.*); dopo che (*conj.*)
afternoon pomeriggio *m.*
again un'altra vɔlta
ago fa
agreed d'accɔrdo
aid aiuto *m.*
air aria *f.*; **— mail** per via aɛrea
airplane aeroplano *m.*
airport aeropɔrto *m.*
ahead avanti; **go —**, vada pure
alas ahimè
alive vivo, -a
all tutto, -a; tutti, -e; **at —**, affatto; **— right** va bɛne
allow permettere (*like* mettere) *irr.*
almost quasi
along (alongside) lungo
Alps Alpi *f. pl.*
already già
also anche
although benché, sebbɛne
always sɛmpre
American americano, -a; Americano *m.*
among fra
anachronism anacronismo *m.*
ancient antico, -a
and e, ed; **— so** e così
announce annunziare (*pres.* annunzio)
another un altro, un'altra
answer rispondere *irr.*
Anthony Antɔnio
anti-Fascist anti-fascista *m.*
anxious ansioso, -a
any qualsiasi; (*negative*) nessuno, -a
anything (*negative*) niɛnte
apartment appartamento *m.*
Apennines Appennini *m. pl.*
apple mela *f.*
appliance apparecchio *m.*
appreciate apprezzare (*pres.* apprɛzzo)
April aprile *m.*
arch arco *m.*
architect architɛtto *m.*
architecture architettura *f.*
arise *innalzarsi
aristocratic aristocratico, -a
arm braccio *m.* (*pl.* braccia *f.*)
armed armato, -a
around intorno; **all —**, tutt'intorno
arrive *arrivare
art arte *f.*
article articolo *m.*
artist artista *m. or f.*
artistic artistico, -a
as come, mentre; **as . . . as** tanto (così) ... come; **as if** come se; **as soon as** non appena
ask domandare; **— a question** fare una domanda; **— for** chiɛdere
at a, da; **— all** affatto
attention: pay — to badare, fare attenzione
atomic atɔmico, -a
August agosto *m.*
aunt zia *f.*
automobile automɔbile *f.*
autumn autunno *m.*
Avignon Avignone
awake sveglio, -a; dɛsto, -a
away via; **far —**, lontano, -a

B

back: to come —, *tornare, *ritornare
bad cattivo, -a; **too —**, peccato
badly male
balcony balcone *m.*
bank banca *f.*, banco *m.*

barber barbiɛre *m.*
bargain occaṣione *f.*
basilica baṣịlica *f.*
bask: — in the sun prɛndere il sole
bath bagno *m.*
bathe bagnare, *bagnarsi
bathroom stanza da bagno *f.*, bagno *m.*
bay golfo *m.*
be *ɛssere; **to — about to** stare per; **to — about over** stare per finire; **to — left** *restare; **to — needed** *biṣognare; **to — worth while** valere la pena
beach spiạggia *f.*
bearable tollerạbile
beard barba *f.*
beat bạttere
beautiful bɛllo, -a
beauty bellezza *f.*
because perché, ché
become *divenire (*like* *venire) *irr.*
bed lɛtto *m.*; **in —** , a lɛtto
before prima di (*prep.*); prima che (*conj.*)
begin cominciare, *mẹttersi a
believe crẹdere
bell campana *f.*; **— tower** campanile *m.*
besides per di più
best (il, la) migliore (*adj.*); mɛglio (*adv.*)
better migliore (*adj.*); mɛglio (*adv.*)
between fra (di)
big grande
bill conto *m.*, fattura *f.*
birthday compleanno *m.*
bit pɔco (pɔ') *m.*
black nero, -a
blessed benedetto, -a
blindly a ɔcchi chiusi
blond biondo, -a
blow (wind) *tirare
blue azzurro, -a
board pensione *f.*
boloney (Bologna sausage) mortadɛlla *f.*
bomb bomba *f.*
bone ɔsso *m.* (*pl.* ɔssa *f.*)
book libro *m.*
born: to be — , *nạscere
both tutti (tutte) e due
bother disturbare, molestare
bottle bottịglia *f.*
boy ragazzo *m.*
bread pane *m.*
breakfast colazione *f.*; **to have —** , fare colazione
breathe respirare
bricklayer muratore *m.*
bridge ponte *m.*
brief corto, -a
bright vivace
bring portare (*pres.* pɔrto)
broiled ai fɛrri
brother fratɛllo *m.*
brown marrone (*invar.*)
build costruire (isco)
building edifịcio *m.*
bus ạutobus *m.* (*also* autobụs), pullman *m.*
bustling affollato, -a
busy impegnato, -a; occupato, -a
but ma
butter burro *m.*
buy comprare (*pres.* compro)

C

café caffɛ̀ *m.*
cafeteria self-service *m.*
call chiamare; **— back** richiamare; **be called** *chiamarsi
can potere (*see* able)
canal canale *m.*
candidate candidato *m.*
canto canto *m.*
car automɔbile *f.*, mạcchina *f.*
card cartolina *f.*
cardinal cardinale
career carriɛra *f.*
careful attɛnto, -a; **be —** , stare attɛnto
carpenter falegname *m.*
carry portare (*pres.* pɔrto)
cashier (cashier's) cassa *f.*
cast lanciare
cathedral cattedrale *f.*, baṣịlica *f.*
cause cạuṣa *f.*
cease cessare (*pres.* cɛsso)
cemetery cimitɛro *m.*
center cɛntro *m.*
central centrale
century sɛcolo *m.*
certainly cɛrto
change cạmbio *m.*, moneta *f.*, spịccioli *m. pl.*
change cambiare (*pres.* cạmbio)
Charles Carlo
charm incanto *m.*
charming grazioso, -a
cheerful allegro, -a
cheese formạggio *m.*

chicken pollo *m.*; **roast —** , pollo arrosto *m.*
chilly: it's — , fa fresco
(hot) chocolate cioccolata *f.*, cioccolato *m.*
choose scegliere *irr.*
church chiesa *f.*
city città *f.*
civilization civiltà *f.*
class classe *f.*, lezione *f.*
classroom aula *f.*
clean pulito, -a
clean pulire (isco)
clerk impiegato *m.*
client cliente *m.*
clientele clientela *f.*
clippers macchinetta elettrica *f.*
close chiudere *irr.*
closed chiuso, -a (*p.p. of* chiudere)
clothes abiti *m. pl.*
coffee caffè *m.*; **— with milk** caffellatte *m.*
coin moneta *f.*
cold freddo, -a; **it's —** , fa freddo; *n.* raffreddore *m.*
college università *f.*; **go to —** , fare l'università
color colore *m.*
comb *pettinarsi (*pres.* mi pettino)
come *venire *irr.*; **to — back** *ritornare (*pres.* ritorno); **to — down** *scendere, *discendere; **to — out** *uscire *irr.*
comfortable comodo, -a
coming prossimo, -a
companion compagno *m.*, compagna *f.*
committee comitiva *f.*
commute fare la spola
company compagnia *f.*, impresa *f.*
competence competenza *f.*
competition (exam) concorso *m.*
complain *lagnarsi
complete completo, -a
composer compositore *m.*
concerto concerto *m.*
confused: become — , *confondersi
consequence conseguenza *f.*
consider considerare (*pres.* considero)
continually continuamente
contrary: on the — , tutt'altro
contribution contributo *m.*
convenient comodo, -a
conversation conversazione *f.*
converse conversare (*pres.* converso)
cook cucinare
cooking cucina *f.*
cop (traffic) vigile *m.*
corner angolo *m.*, canto *m.*
correspond corrispondere *irr.*
cost *costare
country paese *m.*, nazione *f.*
courage coraggio *m.*
course corso *m.*; **— of study** studio *m.*
courteous cortese
cousin cugino *m.*, cugina *f.*
cover coprire *irr.*
crisis crisi *f.*
cross attraversare (*pres.* attraverso)
crowd folla *f.*; **common —** , popolo *m.*
crowded affollato, -a
cup tazza *f.*; **— for drinking** tazza da bere *f.*
cupola cupola *f.*
curse imprecazione *f.*
custom usanza *f.*, uso *m.*
customer cliente *m.*
cut taglio *m.*
cut tagliare
cutlet: small veal cutlets scaloppine *f. pl.*
cypress cipresso *m.*

D

dad babbo *m.*
daily giornaliero, -a
danger pericolo *m.*
dark scuro, -a
dark buio *m.*; **in the —** , al buio
daughter figlia *f.*
day giorno *m.*; giornata *f.*; **from — to —** , di giorno in giorno
dead morto, -a (*p.p. of* *morire)
deal: a great — , molto
dear caro, -a
Decameron Decamerone *m.*
December dicembre *m.*
decide decidere *irr.*, *decidersi
delight delizia *f.*
depart *partire
descend *discendere (*like* *scendere)
deserted, deserto, -a; spopolato, -a
design disegnare
desire desiderare (*pres.* desidero)
desk tavolino *m.*, tavolo *m.*
dessert dolce *m.*
destination destinazione *f.*
develop *svolgersi (*pres.* si svolge)
die *morire *irr.*
difference differenza *f.*

different differɛnte
difficult difficile
difficulty difficoltà *f.*
dine pranzare, cenare
dining room sala da pranzo *f.*
dinner pranzo *m.*, cena *f.*
direction direzione *f.*, sɛnso *m.*
dirty spɔrco, -a; sudicio, -a
disappear °sparire (isco)
discount sconto *m.*
discuss discutere *irr.*
discussion discussione *f.*
dish (*of a meal*) pietanza *f.*
disk disco *m.*; **— zone** zɔna-disco *f.*
distinguish distinguere *irr.*
disturb disturbare, molestare
divide dividere *irr.*
Divine Comedy Divina Commɛdia *f.*
do fare *irr.*
doctor mɛdico *m.*, dottore *m.*
dome cupola *f.*
dominate dominare (*pres.* domino)
door pɔrta *f.*
double (**room**) doppia *f.*
doubt dubbio *m.*
dozen dozzina *f.*
drawer cassetta *f.*
dress abito *m.* **— shop** negɔzio di abiti *m.*
dress °vestirsi (*pres.* mi vɛsto)
drink bevanda *f.*
drink bere *irr.*
drinking water acqua da bere *f.*
drive giro *m.*; gita *f.*
driver autista *m. or f.*
dry secco, -a; asciutto, -a
dumfounded stupefatto, -a
during durante; **— the day** di giorno

E

each ciascuno, -a; ognuno, -a
early prɛsto
earn guadagnare
easily facilmente
easy facile
easy chair poltrona *f.*
eat mangiare
economic econɔmico, -a
egg uɔvo *m.* (*pl.* uɔva *f.*)
eight ɔtto; **eight thousand** ottomila
elect elɛggere *irr.*
electric (**electrical**) elɛttrico, -a
electrician elettricista *m.*
elegant elegante
elevator ascensore *m.*
emigrant emigrante *m.*, emigrato *m.*
employee impiegato *m.*
enchanting invantevole
end fine *f.*
end finire (isco)
endless interminabile
engineer ingegnɛre *m.*
English inglese; **Englishman** Inglese *m.*
enjoy godere (*pres.* gɔdo); **to — oneself** °divertirsi (*pres.* mi divɛrto)
enough sufficiɛnte, bastante; **to be —**, °bastare
enter °entrare (*pres.* entro)
entrance entrata *f.*
equal uguale
era ɛpoca *f.*
escalator scala mɔbile *f.*
especially specialmente
Europe Eurɔpa *f.*
European europɛo, -a
even anche; (*negative*) nemmeno
evening sera *f.*, serata *f.*; **in the —**, la sera
every ogni
everybody ognuno, -a; tutti, -e; **— else** tutti gli altri
everyone ognuno, -a; tutti, -e
everything tutto; **— we needed** tutto il necessario
everywhere dappertutto
evidently evidentemente
exactly esattamente
exam prɔva *f.*; **take an —**, affrontare una prɔva
example esɛmpio *m.*
excellent eccellɛnte
excursion gita *f.*
excuse scusa *f.*
exhibition mostra *f.*, esposizione *f.*
exist esistere
expensive caro, -a
exquisite squisito, -a
extremely *use superlative*
eye ɔcchio *m.*

F

fact: in —, anzi, magari, infatti; **the — is** fatto sta
factory fabbrica *f.*
fall autunno *m.*
fall °cadere *irr.*

familiar: be — with *intɛndersi

family famịglia *f.*

famous famoso, -a

fancy (di) fantasia

fantastic fantạstico, -a

far distante, lontano, -a; **not —**, pɔco lontano; **— away** lontano, -a

fashionable di lusso

fast veloce, prɛsto, -a; *adv.* prɛsto

fault colpa *f.*

favor favore *m.*

favorite favorito, -a

February febbrạio *m.*

feel sentire (*pres.* sɛnto); **to — hungry** sentire appetito

few pɔchi, -e; **a —**, parecchi

fiancée fidanzata *f.*

fifth quinto, -a

fifteen quịndici

fifty cinquanta

figure lịnea *f.*; **to keep one's —**, mantenere la lịnea

figure (out) conteggiare, fare il conto

filthy sụdicio, -a

film pellịcola *f.*

finally finalmente

find trovare (*pres.* trɔvo); **to — again** ritrovare

fine bɛllo, -a; bravo, -a; *adv.* bɛne

finger dito *m.* (*pl.* dita *f.*)

finish finire (isco)

first primo, -a; *adv.* prima

five cịnque

fixed fisso, -a; fermo, -a

fizz: with —, gassato, -a; **without —**, naturale

flight volo *m.*

floor piano *m.*, pavimento *m.*

Florence Firɛnze *f.*

Florentine fiorentino, -a

following seguɛnte

food cibo *m.*

foot piɛde *m.*; **under —**, fra i piɛdi

for per; **— some time** da parẹcchio tɛmpo

foreigner straniɛro *m.*, forestiɛro *m.*

forget dimenticare (*pres.* dimẹntico), *dimenticarsi

form formare (*pres.* formo)

formal affair serata di gala *f.*

fortune fortuna *f.*

forty quaranta

fountain fontana *f.*

four quattro

fourth quarto, -a

fourteenth century Trecɛnto *m.*, quattordicẹsimo sɛcolo

Frank Franco

French francese; (*language*) francese *m.*

free lịbero, -a

free oneself *liberarsi (*pres.* mi lịbero)

frequently spesso

fresh fresco, -a

friend amico *m.*, amica *f.*

from da

front: in — of davanti (a)

fruit frutta *f.*

full piɛno, -a; complɛto, -a

future futuro *m.*, avvenire *m.*

G

gala evening serata di gala *f.*

gaping a bocca apɛrta

garden giardino *m.*

gas gas *m.*

gate pɔrta *f.*

generally generalmente

generation generazione *f.*

genial geniale

genius gɛnio *m.*

gentleman signore *m.*

get prɛndere *irr.*; **to — down** *scẹndere; **to — dressed** *vestirsi; **to — up** *alzarsi; **to — rich** *farsi ricco

girl ragazza *f.*, signorina *f.*

give dare *irr.*

given dato, -a (*p.p. of* dare)

glad contɛnto, -a

gladly volentiɛri *adv.*

glass vetro *m.*; bicchiɛre *m.*

glorious glorioso, -a

go *andare *irr.*; **to — away** andạr via; **to — by** (*time*) *passare; **to — out** *uscire *irr.*; **to — up** *salire *irr.*; **to — around** girare

gondola gọndola *f.*

good buɔno, -a; *adv.* bɛne

good-bye arrivederla, arrivederci

government governo *m.*

grandfather nɔnno *m.*

grandmother nɔnna *f.*

gray grịgio, -a

great grande; **the greatest** il maggiore

green verde

greet accɔgliere *irr.*, salutare

group comitiva *f.*

guard guạrdia *f.*
guide guida *f.*
guitar chitarra *f.*
gulf golfo *m.*

H

hair capelli *m. pl.*
haircut: to get a —, *farsi tagliare i capelli
half mɛzzo, -a
hand mano *f.*; **on —**, a portata di mano
handbag borsa *f.*, borsetta *f.*
handicraft artigianato *m.*
happen *accadere *irr.*
happy contɛnto, -a; **to be —**, *rallegrarsi
harbor pɔrto *m.*
hard diffịcile
harmonious armonioso, -a
hat cappɛllo *m.*
have avere *irr.*; **to — to** dovere *irr.*, *bisognare
he egli, lui; **— who** chi
head capo *m.*, tɛsta *f.*
health salute *f.*
heat calore *m.*
heavens! good —! Dio mio!
heavy pesante
hell! diạmine! **Hell** Infɛrno *m.*
hello ciao
her *dir. obj.* la; *disj.* lɛi; *indir. obj.* le; *poss.* il suo, la sua, *etc.*
here quị, quạ; **— is** ɛcco; **— and there** di quạ e di là
high alto, -a; esagerato, -a
hill collina *f.*, colle *m.*
him lo, lui; **to —**, gli
his il suo, la sua, *etc.*
history stɔria *f.*
holiday fɛsta *f.*
home casa *f.*; a casa; **at —**, in casa
hope speranza *f.*
hope sperare (*pres.* spɛro)
horizon orizzonte *m.*
hot molto caldo; **it's —**, fa molto caldo
hotel albɛrgo *m.*
hour ora *f.*; **the hours** l'orạrio *m.*; **an hour or so** un'oretta *f.*
house casa *f.*; **(separate) house** villino *m.*
how come; **— much** quanto, -a; **— many** quanti, -e
however comụnque, perɔ̀
humanist umanista *m.*
humid ụmido, -a
hundred cɛnto; **hundreds** centinạia *f.*
hungry: to be —, avẹr fame, avere appetito; **to feel —**, sentire appetito
hurry far prɛsto
husband marito *m.*
hydrofoil aliscafo *m.*

I

I io
ideal ideale
if se
illuminate illuminare (*pres.* illụmino)
imagination immaginazione *f.*, fantasia *f.*
imagine immaginare (*pres.* immạgino)
immediately immediatamente, sụbito
importance importanza *f.*
important importante
impossible impossịbile
in in; a; **— order to** per + *inf.*; **— order that** affinché
include inclụdere *irr.* (*p.p.* incluso)
incompetent (person) incompetɛnte *m.*
inconvenience incomodare (*pres.* incɔmodo)
increase aumentare (*pres.* aumento)
industrious industrioso, -a
industry indụstria *f.*, fạbbrica *f.*, impresa *f.*
influence influsso *m.*
initiate iniziare
inspiration ispirazione *f.*
instead invece; **— of** invece di
intelligence intelligɛnza *f.*
intelligent intelligɛnte
intense intɛnso, -a
interest interessare (*pres.* interɛsso)
interesting interessante
introduce presentare (*pres.* presɛnto)
invitation invito *m.*
invite invitare
island ịsola *f.*
it *dir. obj.* lo, la; **of —**, ne
Italian italiano, -a; Italiano *m.*
Italy Itạlia *f.*
its il suo, la sua, *etc.*
itself stesso

J

January gennạio *m.*
journey viạggio *m.*

juice spremuta *f.*; **orange —** , spremuta d'arancia *f.*
July luglio *m.*
June giugno *m.*
just prɔprio

K

keep mantenere *irr.*; **to — in mind** tener (*irr.*) conto; **to — one's figure** mantenere la linea
key chiave *f.*
kind gentile
kind tipo *m.*, spɛcie *f.*
kitchen cucina *f.*
know conoscere *irr.* (**to know a person, be acquainted with**); sapere *irr.* (**to know a fact**); **to — how** sapere
knowledge sapere *m.*

L

lack: be lacking *mancare
lady dɔnna *f.*, signora *f.*; signorina *f.*
lamb agnɛllo *m.*; **spring —** , abbacchio *m.*
language lingua *f.*
large grande (gran)
last ultimo, -a; passato, -a; **— year** l'anno passato, l'anno scorso
last *durare
late tardi *adv.*
Latin latino *m.*
lawn prato *m.*, aiɔla *f.*
lawyer avvocato *m.*
lead condurre *irr.*
learn imparare
leather cuɔio *m.*, pɛlle *f.*
leave lasciare; *partire (da)
left sinistra *f.*; **on the —** , a sinistra
less meno; **the more . . . the —** , quanto più ... tanto meno; **— than** meno di, meno che
lesson lezione *f.*
let lasciare
letter lɛttera *f.*
library bibliotɛca *f.*
life vita *f.*
light leggiɛro, -a; (*in color*) chiaro, -a
light luce *f.*
like *conj.* come; *verb, see* **please**
line fila *f.*
lip labbro *m.* (*pl.* labbra *f.*)
lira lira *f.*
listen ascoltare (*pres.* ascolto)
liter litro *m.*
literature letteratura *f.*
little piccolo, -a; **a —** , un pɔco di; *adv.* pɔco
live abitare (**dwell**); vivere *irr.* (**exist**)
lively vivace
living room salɔtto *m.*, soggiorno *m.*
lodging allɔggio *m.*
long lungo, -a
look sguardo *m.*
look guardare; **to — for** cercare (*pres.* cerco); **to — like** *sembrare
lose pɛrdere
Louis Luigi
love amare, adorare
low basso, -a
luck fortuna *f.*
lunch colazione *f.*, pranzo *m.*
luxurious di lusso

M

magnificent magnifico, -a
main principale; **— course** (*in a meal*) secondo *m.*
mainly principalmente
maintain mantenere *irr.*
make fare *irr.*; **to — oneself at home** *accomodarsi (*pres.* mi accɔmodo)
mall galleria *f.*
mama mamma *f.*
man uɔmo *m.* (*pl.* uɔmini)
mandolin mandolino *m.*
many molti, -e; **how —** , quanti, -e
March marzo *m.*
marmalade marmellata *f.*
maroon marrone (*invar.*)
marvel meraviglia *f.*
masterpiece capolavoro *m.*
May maggio *m.*
may *see* potere
me mi, me
meal pasto *m.*
means **it —** , vuɔl dire
meat carne *f.*
medical di medicina
medicine medicina *f.*
meet incontrare (*pres.* incontro)
meeting place ritrɔvo *m.*
menu carta *f.*, lista *f.*
memory ricɔrdo *m.*
meter mɛtro *m.*

midnight mezzanɔtte *f.*
Milan Milano *f.*
Milanese milanese
millennium millɛnnio *m.*
mine il mio, la mia, *etc.*
mineral minerale
minute minuto *m.*
model modɛllo *m.*
moderate moderato, -a
moment momento *m.*
money denaro *m.*
more più; **the — . . . the —** , quanto più ... tanto più
moreover per di più
morning mattina *f.*; **this —** , stamattina, stamane
most: the — , il più, la più, *etc.*
mostly in gran parte
mother madre *f.*
motor boat motoscafo *m.*
mountain montagna *f.*; **in the mountains** in montagna
mouth bocca *f.*
movement movimento *m.*
movies cinematɔgrafo *m.*, cịnema *m.*
much molto, -a; **too —** , trɔppo, -a; **too —** *adv.* trɔppo; **how —** , quanto, -a
murder: it's — , ɛ̀ un macɛllo
museum muʃɛo *m.*
music mụʃica *f.*
must *see* dovere
mustache baffi *m. pl.*
my il mio, la mia, *etc.*

N

name nome *m.* **his — is** si chiama
Naples Nạpoli *f.*
nation nazione *f.*
nature natura *f.*
near vicino, -a (a)
nearby vicino, -a
necessary necessạrio, -a; **it is —** , biʃogna
necktie cravatta *f.*
need *n.* biʃogno *m.*; *v.* avẹr biʃogno di, *volerci
neither . . . nor non ... né ... né
Neopolitan napoletano, -a
never mai, non ... mai
new nuɔvo, -a; **something —** , novità *f.*
newspaper giornale *m.*
New York Nuɔva Yɔrk *f.*
next prɔssimo, -a; seguɛnte
night nɔtte *f.*; **at —** , di nɔtte
nine nɔve
nineteen diciannɔve
no nessuno, -a; (non *before verb*); **— one** nessuno, non ... nessuno
nobody nessuno
noisy rumoroso, -a
noon mezzogiorno *m.*
not non
nothing niɛnte
notice notare
November novɛmbre *m.*
now ora, adɛsso
number nụmero *m.*

O

object oggɛtto *m.*
October ottobre *m.*
of di
offer offrire *irr.*
office uffịcio *m.*
often spesso
O. K. d'accɔrdo
old vɛcchio, -a; **how — are you?** quanti anni ha?
older più grande, maggiore
olive oliva *f.*
on su, a; **— the first floor** al pianterrɛno
one uno, -a; *reflexive construction;* **the —** , quello, -a
only soltanto, non ... altro che, solo
open aprire *irr.* (*p.p.* apɛrto, -a)
opera ɔpera *f.*
operatic operịstico, -a
opportunity occaʃione *f.*
opposite opposto, -a; *adv.* dirimpɛtto (a), di fronte
or o
orange juice spremuta d'arạncia *f.*
order: in — to per + *inf.*; **in — that** affinché
origin orịgine *f.*
other altro, -a
otherwise altrimenti
ought *see* dovere
our (ours) il nɔstro, la nɔstra, *etc.*
ourselves ci (*reflexive pron.*)
outside fuɔri
over finito, -a; **to be about —** , stare per finire; **to be —** , terminare
own prɔprio, -a; **on my —** , per conto mio

P

paint dipịngere *irr.*
painter pittore *m.*
painting quadro *m.*
pair pạio *m.* (*pl.* pạia *f.*)
palace palazzo *m.*
paper carta *f.*
parents genitori *m. pl.*
park parcheggiare
parking parchẹggio *m.*; **no —**, diviɛto di parchẹggio *m.*
part parte *f.*; **to be a — of** far parte di
party fɛsta familiare *f.*
pass passare
passage passạggio *m.*
passerby passante *m.*
past passato, -a; scorso, -a; *n.* passato *m.*
pastry pasta *f.*
patience paziɛnza *f.*
pea pisɛllo *m.*
peach pɛsca *f.*
pear pera *f.*
pedestrian pedone *m.*
pencil matita *f.*
people persone *f. pl.*; gɛnte *f.*
perfect perfɛtto, -a
perfumed profumato, -a
perhaps forse
perpetual perpɛtuo, -a
personal personale
Peter Piɛtro
Philadelphia Filadɛlfia *f.*
piano pianofɔrte *m.*
picturesque pittoresco, -a
piece pɛzzo *m.*
pineapple ananạs *m.*
pity: it's a pity peccato
place posto *m.*, luɔgo *m.*
plane aɛreo *m.*
plate piatto *m.*, pietanza *f.*
play giocare (**game**) (*pres.* giɔco); suonare (**instrument**) (*pres.* suɔno)
please piacere; **please!** per favore!
pleasure piacere *m.*
plenty abbondante
pocket intascare
poem poɛma *m.*, poesia *f.*
poet poɛta *m.*
poetry poesia *f.*
point punto *m.*
point out indicare
politics (**political course**) polịtica *f.*
pollution inquinamento *m.*
poor pɔvero, -a
pope papa *m.*
porter facchino *m.*
possible possịbile
postcard cartolina *f.*
potato patata *f.*; **French-fried potatoes** patatine fritte *f. pl.*
practice esercitare (*pres.* esɛrcito)
preach predicare (*pres.* prɛdico)
prefer preferire (isco)
preoccupied preoccupato, -a
prepare preparare
present presɛnte *m.*; **— perfect** passato prɔssimo *m.*
pretty bɛllo, -a
price prɛzzo *m.*
principal principale
principally principalmente
problem problɛma *m.*
produce produrre *irr.*
product prodotto *m.*
production produzione *f.*
profession professione *f.*
professor professore *m.*, professoressa *f.*
promise promẹttere (*like* mẹttere)
prose prɔsa *f.*; **— writer** scrittore di prɔse *m.*
proverb provɛrbio *m.*
provided that purché
province provịncia *f.*
pupil alunno *m.*, **alunna** *f.*
purchase acquisto *m.*
pure puro, -a
put mẹttere *irr.*

Q

quality qualità *f.*
quarter quarto, -a; **— liter** quartino *m.*
question domanda *f.*; **to ask a —**, fare una domanda
quickly prɛsto

R

radio rạdio *f.* (*invar.*)
rain piɔvere (*pres.* piɔve)
range (**kitchen**) cucina elɛttrica *f.*
rapidly rapidamente
rather piuttɔsto
Ravenna *city in Romagna*
razor rasọio *m.*
reach *arrivare, *giụngere

read lɛggere *irr.*
ready pronto, -a
realize *rɛndersi conto
really veramente, davvero
reaper mietitrice *f.*
rebel ***ribellarsi** (*pres.* mi ribɛllo)
rear: in the —, in fondo
reason ragione *f.*
recall ricordare (*pres.* ricɔrdo)
receive ricẹvere
recently da pɔco tɛmpo
record ricɔrdo *m.*
recur ricọrrere *irr.*
red rosso, -a
reduce ridurre *irr.*
refrain stornello *m.*
refrigerator frigorịfero *m.*
region regione *f.*
remain *rimanere *irr.*
remember *ricordarsi (*pres.* mi ricɔrdo)
reminder ricɔrdo *m.*
rent (a car) noleggiare (*pres.* nolẹggio)
repair riparazione *f.*
repeat ripɛtere
require richiɛdere *irr.*
resolve risɔlvere *irr.*
rest ripɔso *m.*; rɛsto *m.*
rest riposare (*pres.* ripɔso), *riposarsi
restaurant ristorante *m.*
restoration restạuro *m.*
return *tornare (*pres.* torno)
revolting: be —, fare ribrezzo
rich ricco, -a; **to get —**, *farsi ricco
right dɛstra *f.*; **to the —**, a dɛstra; **— away** sụbito; **to be —**, avere ragione
river fiume *m.*
roast beef rosbiffe *m.*
Robert Robɛrto
roll panino *m.*
Roman romano, -a
romanesque romanesco, -a
Rome Roma *f.*
room stanza *f.*, cạmera *f.*, sala *f.*
route strada *f.*
row fila *f.*
rush andare in fretta

S

salary stipɛndio *m.*
sale svẹndita *f.*, saldo *m.*
saleslady commessa *f.*
salesman commesso *m.*
same stesso, -a
Saturday sạbato *m.*
sausage salcịccia *f.*
say dire *irr.*
school (*adj.*) scolạstico, -a
school scuɔla *f.*; **medical —**, scuɔla di medicina *f.*
scissors fɔrbici *f. pl.*
sculpture scolpire (isco)
sea mare *m.*
seat posto *m.*
seated seduto, -a
season stagione *f.*
section sezione *f.*
see vedere *irr.*; **to — again** rivedere
seem *sembrare (*pres.* sembro), *parere
sell vẹndere
send mandare, spedire (isco)
sense sɛnso *m.*
separate *separarsi
September settɛmbre *m.*
serve servire (*pres.* sɛrvo)
service servịzio *m.*
set apparẹcchio *m.*; **television —**, televisore *m.*
seven sɛtte
seventeen diciassɛtte
several parecchi, parẹcchie
shave *farsi la barba
she essa, lɛi
sheet (of paper) fɔglio *m.*
shirt camịcia *f.*
shoe scarpa *f.*
shoemaker calzolạio *m.*
shop negɔzio *m.*, **bottega** *f.*; **— window** vetrina *f.*
shopping: to go —, fare degli acquisti, fare delle compre
short corto, -a; **in a — time** in pɔco tɛmpo
short-story writer novelliɛre *m.*
shoulder spalla *f.*
show mostrare (*pres.* mostro)
shutter persiana *f.*
Sicilian siciliano, -a
Sicily Sicịlia *f.*
side lato *m.*
sidewalk marciapiɛde *m.*
sign segno *m.*, cenno *m.*
silence silɛnzio *m.*
simple sẹmplice
since siccome, giacché; da quando
sing cantare
singing canto *m.*
single (room) sịngola *f.*

sink affondare

sister sorɛlla *f.*

sit sedere *irr.*, *sedersi

skirt gɔnna *f.*

six sɛi

sixteen sẹdici

sixty-six sessantasɛi

size misura *f.*

slacks pantaloni *m. pl.*

sleep dormire

sleepy: to be — , avẹr sonno

sleeve mạnica *f.*

slowly piano

small pịccolo, -a

snow neve *f.*

snow nevicare (*imper.*) (*pres.* nevica)

so così; **so so** così così

soft chair poltrona *f.*

solution soluzione *f.*

some qualche; di + *def. art.*; alcuni, -e

something qualche cɔsa

sometimes qualche vɔlta

son fịglio *m.*

song canto *m.*

soon fra pɔco; prɛsto; **as — as** non appena; **as — as possible** al più prɛsto possịbile

sooner: no — , non appena

soup zuppa *f.*, brɔdo *m.*

southern meridionale

souvenir ricɔrdo *m.*

speak parlare

special speciale

speech linguạggio *m.*

spend (time) passare; **spend (money)** spɛndere *irr.*

spinach spinaci *m. pl.*

spirit spịrito *m.*

splendor furore *m.*, splendore *m.*

square piazza *f.*

spring primavɛra *f.*

stairs (stairway) scala *f.*

standing in piɛdi

state stato *m.*

station stazione *f.*

stay *stare *irr.*; *restare (*pres.* rɛsto)

steak: broiled — , manzo ai fɛrri *m.*

steamer vaporetto *m.*

step passo *m.*

still ancora, purtrɔppo

stop fermata *f.*

stop *fermarsi (*pres.* mi fermo)

store negɔzio *m.*

straight ahead sɛmpre diritto

streak strịscia *f.*

street strada *f.*, via *f.*

strike sciɔpero *m.*; **to go on —** , fare lo sciɔpero

stroll passeggiare (*pres.* passẹggio)

strong fɔrte

student studɛnte *m.*, studentessa *f.*

study stụdio *m.*

study studiare (*pres.* stụdio)

stupendous stupɛndo, -a

style mɔda *f.*, tạglio *m.*

styling tạglio *m.*

stylist acconciatore *m.*

subject tema *m.*

suburbs: in the — , in periferia

such tale

suffer soffrire *irr.*

suggest consigliare (*pres.* consịglio)

summer estate *f.*

sun sole *m.*

Sunday domẹnica *f.*

sunshine sole *m.*; **to get —** , prɛndere il sole

superb supɛrbo, -a

superhuman sovrumano, -a

supermarket supermercato *m.*

surroundings dintorni *m. pl.*

suspect sospettare (*pres.* sospɛtto)

suspended sospeso, -a

swear-word imprecazione *f.*

sweater mạglia *f.*

symmetry simmetria *f.*

T

table tạvola *f.*, tạvolo *m.*, tavolino *m.*

tailor sarto *m.*

take prɛndere *irr.*; richiɛdere *irr.*; portare; **— a walk** fare (*irr.*) una passeggiata; **— a trip** fare un viạggio; **— out a ticket** *farsi il biglietto; **— back** riprɛndere; **— courses** fare gli studi

talk parlare, conversare (*pres.* convɛrso)

talker: big — , chiacchierone *m.*

tall alto, -a

taxi tassì *m.*

teach insegnare (*pres.* insegno)

teacher maɛstro *m.*; professore *m.*, professoressa *f.*

telephone telɛfono *m.*

television televisione *f.*; **color —** , televisione a colori; **— set** televisore *m.*

tell dire *irr.*; **raccontare** (*pres.* racconto)

ten diɛci

text tɛsto *m.*
than di, che, di quel che
thank ringraziare (*pres.* ringrạzio)
that *rel. pron.* che; *dem. adj.* quel, quello, quella; **— (one)** *dem. pron.* quello, -a; **that** (*near you*) codesto, -a; **that way** così; **that's why** perciɔ̀
theater teatro *m.*
their (theirs) *poss. adj. and pron.* il loro, la loro, *etc.*
them li, le; **of —**, ne; **to —**, loro
themselves *use reflexive*
then pɔi, allora
theory teoria *f.*
there lì, là; **— are** ci sono; **— is** c'ɛ̀
therefore quindi, perciɔ̀
these questi, -e
theses tɛsi *f.*
they essi, esse, loro
thing cɔsa *f.*
think pensare (*pres.* penso), crẹdere *irr.*
thirty-nine trentanɔve
this questo, -a; **— one** questo, -a
those *dem. pron.* quelli, quelle; *dem. adj.* quei, quegli, quelle
thought pensiɛro *m.*
thousand mille; **thousands** mila; migliạia *f. pl.*
three tre; **— hundred** trecɛnto
through per
Tiber Tẹvere *m.*
ticket biglietto *m.*; **— office** biglietteria *f.*
tie cravatta *f.*
time tɛmpo *m.*; vɔlta *f.*; ora *f.*; **all the —**, sɛmpre; **what — is it?** che ora ɛ̀? **for a long —**, per molto tɛmpo; **for some —**, da parẹcchio tɛmpo; **from — to —**, di quando in quando
tinted tinto, -a
tip mạncia *f.*
tired stanco, -a
to a, ad; in; per
today ɔggi
together insiɛme
toilet tolɛtta *f.*
tolerable tollerạbile
tomb tomba *f.*
tomorrow domani
tonight stasera
too anche; trɔppo; **— much** trɔppo, -a; **— bad** peccato
tour gita *f.*
tour girare
tourist turista *m. or f.*
toward vɛrso *adv.*
tower torre *f.*; **bell —**, campanile *m.*
town paese *m.*
trace trạccia *f.*
trade mestiɛre *m.*
traffic trạffico *m.*; **— light** semạforo *m.*
train trɛno *m.*
transport trasportare (*pres.* traspɔrto)
travel viaggiare (*pres.* viạggio)
tray cassetta *f.*
tree ạlbero *m.*
Trevi Fountain Fontana di Trevi *f.*
trial tentativo *m.*
trip viạggio *m.*; **to take a —**, fare un viạggio
trouble sciagura *f.*
trousers pantaloni *m. pl.*
try provare (*pres.* prɔvo); cercare (di) (*pres.* cerco)
Tuscany Toscana *f.*
turn girare; **— off** spɛngere (spɛgnere); **— on** accɛndere (*pres.* accɛndo)
twelve dọdici
twenty venti
two due

U

uncle zio *m.*
uncomfortable scɔmodo, -a
under sotto
understand capire (isco); comprɛndere (*pres.* comprɛndo)
unfortunately purtrɔppo
United States Stati Uniti *m. pl.*
university (*adj.*) universitạrio, -a
university università *f.*; **to go to the —**, fare l'università
until fino a; finché
up to fino a
us (to us) ci; *disjunctive* noi
use usare, adoperare (*pres.* adɔpero)
useless inụtile
usual sɔlito, -a

V

vacation villeggiatura *f.*, vacanza *f.*, vacanze *f. pl.*; **to go on a —**, andare in villeggiatura
value valore *m.*
various vari, vạrie
vast vasto, -a
Vatican Vaticano *m.*

veal vitɛllo *m.*, vitɛlla *f.*; **— chop** costoletta di vitɛllo *f.*; **small — cutlets** scaloppine *f. pl.*
Venetian veneziano, -a
Venice Venɛzia *f.*
Vesuvius Vesụvio *m.*
very molto
victim vịttima *f.*
view vista *f.*, veduta *f.*; **in full —**, in bɛlla vista
Vincent Ɛnzo
violinist violinista *m. or f.*
visit vịsita *f.*
visit visitare (*pres.* vịsito)
V-neck cɔllo a vu *m.*

W

wages stipɛndio *m.*
wait aspettare (*pres.* aspɛtto)
waiter camerierɛ *m.*
wake up *svegliarsi (*pres.* mi svẹglio)
walk camminare
walk passeggiata *f.*; **take a —**, fare una passeggiata
wall muro *m.* (*pl.* mura *f.*)
warm caldo, -a; *n.* caldo; **it's —**, fa caldo
warmth calore *m.*
wash (oneself) *lavarsi
watch orolɔgio *m.*
watch guardare
water ạcqua *f.*; **drinking —**, ạcqua da bere *f.*
way mɔdo *m.*; via *f.*; **come this —**, vɛnga di qua
we noi
wealthy ricco, -a
wear portare (*pres.* pɔrto)
weather tɛmpo *m.*; **how is the —?** che tɛmpo fa?; **the — is fine** fa bɛl tɛmpo; **the — is bad** fa cattivo tɛmpo
week settimana *f.*
weight peso *m.*
well bɛne; **to be — off** stare bɛne
wet bagnare
what *inter.* che, che cɔsa; quale (qual); *rel.* quel che
when quando
where dove
wherever dovụnque
which *rel. pron.* che; *after a prep.* cui; *inter. adj. or pron.* quale
while mentre *adv.*
white bianco, -a
who *rel. pron.* che; **he —**, chi; *inter. pron.* chi
whoever chiụnque
whom *rel. pron.* che, cui; **with —**, con cui; *inter. pron.* chi
whose *rel.* il cui, la cui, *etc.*
why perché
wide largo, -a
wife mọglie *f.*
willingly volentiɛri *adv.*
wind vɛnto *m.*; **the — is blowing** tira vɛnto
window (shop) vetrina *f.*
wine vino *m.*
winter invɛrno *m.*
wish volere *irr.*, desiderare (*pres.* desịdero); augurare (*pres.* ạuguro)
with con
without senza
woman dɔnna *f.*
wool lana *f.*
woolen di lana
word parɔla *f.*
work lavoro *m.*; ɔpera *f.*
work lavorare (*pres.* lavoro); funzionare (*of things*)
workman operạio *m.*
world mondo *m.*; **world-wide** mondiale
worry *preoccuparsi (*pres.* mi preɔccupo)
worst il peggiore, la peggiore
worth *valere *irr.*; **be — while** valẹr la pena
write scrịvere *irr.*
writing scritto *m.*
wrong: to be —, avẹr tɔrto

Y

year ạnno *m.*
yellow giallo, -a
yes sì
yesterday iɛri
yet ancora; **and —**, eppure
young giọvane; **younger** più giọvane, minore; **— man** giọvane *m.*; **— woman** giọvane *f.*
your (*fam. sing.*) il tuo, la tua, *etc.*; (*fam. pl.*) il vɔstro, la vɔstra, *etc.*; (*pol. sing.*) il Suo, la Sua, *etc.*; (*pol. pl.*) il Loro, la Loro, *etc.*
youth gioventù *f.*

Z

zone zɔna *f.*; **disk —**, zɔna disco *f.*

Index

Numbers in lightface refer to pages; numbers in boldface in parentheses refer to sections.

8 9 0